Pensées

Blaise Pascal

Pensées

Texte établi par Louis Lafuma

Éditions du Seuil

EN COUVERTURE

Portrait de Pascal, par François Quesnel,
musée de Versailles; photo Giraudon.

ISBN 2-02-004979-1
(ISBN 2-02-000499-2, 1ʳᵉ publication)

Introduction

" Lorsqu'on ne sait pas la vérité d'une chose, il est bon qu'il y ait une erreur commune qui fixe l'esprit des hommes... " (MS. 744).

Cette remarque de Pascal explique l'aventure courue pendant cent soixante-quinze ans (depuis 1776) par les éditions des *Pensées* dont la présentation changeait avec chaque nouvel éditeur.

L'erreur commune, qui était de croire que Pascal avait laissé ses notes en désordre et que chacun pouvait les présenter dans l'ordre qui lui plaisait, ne se serait pas prolongée si longtemps, si l'on s'était donné la peine de lire attentivement la préface de l'édition de 1670 et d'en tirer les conclusions qui s'imposaient.

Dans cette préface, rédigée par Étienne Périer, l'aîné des neveux de Pascal, on pouvait lire :

" Comme l'on savait le dessein qu'avait M. Pascal de travailler sur la religion, l'on eut un très grand soin, après sa mort, de recueillir tous les écrits qu'il avait faits sur cette matière. On les trouva tous ensemble enfilés en diverses liasses... La première chose que l'on fit fut de la faire copier tels qu'ils étaient, et dans la même confusion qu'on les avait trouvés. "

Et lorsqu'il s'est agi d'en entreprendre la publication, la première solution *" qui vint dans l'esprit, et celle qui était sans doute la plus facile, était de les faire imprimer tout de suite dans le même état qu'on les a trouvés "*. C'est-à-dire dans l'état donné par *la Copie* qui venait d'être faite.

Mais comme c'était l'usage au XVIIe siècle de ne publier que des ouvrages parfaitement ordonnés, alors que Pascal n'avait laissé que des notes, l'on fut obligé de les présenter dans *" quelque sorte d'ordre "*, qui, évidemment, n'était pas celui que son auteur aurait envisagé.

Au reste les éditeurs en avaient informé le lecteur, puisqu'ils reconnaissent qu'ils n'ont pas suivi, " *dans le peu qu'on en donne... son ordre et sa suite pour la distribution des matières* ".

Ils ont donc fait un choix dans les notes " parmi les plus claires et les plus achevées ", et ils les ont présentées de manière à atteindre, autant que possible, le but apologétique souhaité par Pascal.

Mais si cette manière de publier les textes était, en 1670, la meilleure, il ne pouvait en être indéfiniment ainsi.

En 1842 Victor Cousin attira l'attention des éditeurs sur le fait que l'édition de 1670 n'avait donné qu'un choix des *Pensées*, quelquefois " embellies ", et qu'il serait souhaitable que l'on donnât désormais des éditions exactes et intégrales des papiers, en se référant aux manuscrits.

Mais quel ordre suivre pour les présenter ? Sera-ce celui du *Recueil original ?* (BN. ms. 9202) qui rassemble, à peu près sans ordre, collés sur de grandes feuilles blanches, des autographes de toutes dimensions, — ou celui de la *Copie des Pensées* (BN. ms. 9203) qui nous fait connaître un classement partiel ?

Comme pendant plus d'un siècle aucune réponse satisfaisante n'a été donnée à ce sujet, les éditeurs ont donc continué à suivre le cours de leur imagination.

Les recherches poursuivies au cours de ces dernières années ont finalement réussi à proposer une solution rationnelle pour l'ordre à suivre dans la présentation des textes.

Contrairement à ce que Étienne Périer a affirmé, Pascal ne prenait pas ses notes sur " des petits morceaux de papier ". Il utilisait des grandes feuilles, traçait une petite croix en tête de page et séparait ses notes d'un vigoureux trait de plume. Ces feuilles, Pascal a commencé à les découper au cours du second semestre de 1658 et à les classer en les enfilant dans " diverses liasses ". Il préparait ainsi, sans doute, *la Conférence* qu'il fit à ses amis en octobre ou novembre pour leur exposer le dessein de l'ouvrage qu'il méditait de réaliser, une *Apologie de la Religion chrétienne*.

Mais une maladie de langueur, qui ne l'a plus quitté jusqu'à la fin de sa vie, l'empêcha, dès fin janvier 1659, de poursuivre ce classement. Il ne l'a plus repris.

A cette époque, il avait déjà rédigé ou dicté soixante-quinze pour cent des papiers qu'il a laissés, et au cours de ses quatre dernières années son activité fut très restreinte.

C'est la raison pour laquelle la *Copie* 9203 nous présente dans une première partie vingt-huit liasses de papiers classés. Ces liasses sont titrées et ordonnées; elles ne retiennent que des notes destinées à son ouvrage. Dans la seconde partie il y a trente-quatre séries de textes non classés, chaque série étant séparée par le copiste par des signes terminaux; ces textes non classés intéressent non seulement son ouvrage, mais également d'autres sujets.

Cette *Copie* 9203 est la *Copie* dont parle Étienne Périer dans sa préface. C'est elle que les premiers éditeurs avaient envisagé de reproduire telle quelle. Le classement qu'elle nous présente ne pouvait être l'œuvre des amis de Pascal, après sa mort, comme certains critiques l'ont cru. Car prévoir, titrer, ordonner vingt-huit liasses, alors qu'il reste encore cinq cent trente fragments à classer, ne peut être l'œuvre que de l'auteur lui-même.

Ses amis considéraient du reste cette *Copie* comme donnant une lecture authentique des autographes, puisque c'est le seul document qu'ils ont utilisé pour en faire l'édition.

En outre, le *Recueil original*, confectionné en 1710-1711 (soit cinquante ans après la *Copie*), confirme l'existence des liasses et des séries de cette *Copie*, puisque quarante-cinq pour cent des notes, communes aux deux manuscrits, demeurent groupées de la même manière.

Le *Recueil original* ne donne donc pas, comme d'autres critiques l'ont dit, l'état des papiers de Pascal en 1662, mais leur état en 1710.

Entre-temps en effet, un nombre relativement considérable — plus de quatre-vingts — de fragments autographes avait disparu. La *Copie* les avait enregistrés. Ceux qu'elle n'a pas enregistrés et que le *Recueil original* nous a conservés, n'avaient pas été communiqués aux copistes pour diverses raisons.

Enfin divers documents nous sont parvenus d'autres sources.

De tout cela il s'ensuit qu'une édition des *Pensées* doit respecter l'état des papiers laissés par Pascal, tel qu'il nous est transmis par la *Copie* 9203, en mettant à la suite les textes connus par ailleurs. La présente édition suit strictement ces directives.

Ainsi il n'y a plus d'écran entre l'auteur et le lecteur. Chacun pourra se rendre compte du stade auquel Pascal était parvenu dans la préparation de son *Apologie*.

Louis Lafuma.

Dans la présente édition, le passage d'un papier autographe à un autre est représenté par un espace blanc d'une hauteur de deux lignes. (Ex. : entre les nos 1 et 2.)

Les séparations que Pascal a marquées (à l'intérieur d'un même papier) au moyen de blancs ou de traits de plume, sont représentées par un espace blanc d'une hauteur d'une ligne. (Ex. : à l'intérieur du no 1.)

La numérotation occupe le début de cette ligne de blanc lorsque le changement de numéro correspond à une séparation marquée par Pascal. (Ex. : entre les nos 83 et 84.)

Lorsque le numéro correspond à une subdivision due à l'éditeur à l'intérieur d'un fragment continu de Pascal, le paragraphe commence sur la même ligne que le numéro. (Ex. : les nos 45 et 82.)

Les textes rayés dans les originaux sont ici transcrits entre parenthèses et en italiques. Certains sont rayés parce que, figurant au verso et même au recto d'un texte destiné à un dossier de papiers classés, ils n'étaient pas destinés à ce dossier. C'est le cas des numéros 84, 102, 195, 196, 197.

Pour faciliter les recherches, le numéro de chaque fragment est suivi du numéro correspondant de l'édition Brunschvicg.

Préface de l'édition de Port-Royal, 1670

Dans une lettre du 1ᵉʳ avril 1670 de Gilberte Périer au docteur Vallant (ms. 17050), nous apprenons que l'auteur de la préface est son fils Étienne.

Il résume le Discours sur les Pensées *de Filleau de la Chaise et utilise la* Vie de Pascal *de sa mère. Il donne des renseignements intéressants sur la manière dont les papiers de son oncle ont été recueillis, copiés et utilisés en vue de leur édition.*

M. Pascal ayant quitté fort jeune l'étude des mathématiques, de la physique et des autres sciences profanes, dans lesquelles il avait fait un si grand progrès qu'il y a eu assurément peu de personnes qui aient pénétré plus avant que lui dans les matières particulières qu'il en a traitées, il commença **vers** la trentième année de son âge à s'appliquer à des choses **plus** sérieuses et plus relevées, et à s'adonner uniquement, autant que sa santé le put permettre, à l'étude de l'Écriture, des Pères et de la morale chrétienne.

Mais quoiqu'il n'ait pas moins excellé dans ces sortes de sciences qu'il avait fait dans les autres, comme il l'a bien fait paraître par des ouvrages qui passent pour assez achevés en leur genre, on peut dire néanmoins que, si Dieu eût permis qu'il eût travaillé quelque temps à celui qu'il avait dessein de faire sur la religion, et auquel il voulait employer tout le reste de sa vie, cet ouvrage eût beaucoup surpassé tous les autres qu'on a vus de lui; parce qu'en effet les vues qu'il avait sur ce sujet étaient infiniment au-dessus de celles qu'il avait sur toutes les autres choses.

Je crois qu'il n'y aura personne qui n'en soit facilement persuadé en voyant seulement le peu que l'on en donne à présent, quelque imparfait qu'il paraisse, et principalement sachant la manière dont il y a travaillé, et toute l'histoire du recueil qu'on en a fait. Voici comment tout cela s'est passé.

M. Pascal conçut le dessein de cet ouvrage plusieurs années avant sa mort; mais il ne faut pas néanmoins s'étonner s'il fut si longtemps sans en rien mettre par écrit; car il avait toujours accoutumé de songer beaucoup aux choses et de les disposer dans son esprit avant que de les produire au-dehors, pour bien considérer et examiner avec soin celles qu'il fallait mettre les premières ou les dernières, et l'ordre qu'il leur devait donner à toutes, afin qu'elles pussent faire l'effet qu'il désirait. Et comme il avait une mémoire excellente, et qu'on peut dire même prodigieuse, en sorte qu'il a souvent assuré qu'il n'avait jamais rien oublié de ce qu'il avait une fois bien imprimé dans son esprit; lorsqu'il s'était ainsi quelque temps appliqué à un sujet, il ne craignait pas que les pensées qui lui étaient venues lui pussent jamais échapper; et c'est pourquoi il différait assez souvent de les écrire, soit qu'il n'en eût pas le loisir, soit que sa santé, qui a presque toujours été languissante et imparfaite, ne fût pas assez forte pour lui permettre de travailler avec application.

C'est ce qui a été cause que l'on a perdu à sa mort la plus grande partie de ce qu'il avait déjà conçu touchant son dessein. Car il n'a presque rien écrit des principales raisons dont il voulait se servir, des fondements sur lesquels il prétendait appuyer son ouvrage, et de l'ordre qu'il voulait y garder; ce qui était assurément très considérable. Tout cela était tellement gravé dans son esprit et dans sa mémoire qu'ayant négligé de l'écrire lorsqu'il l'aurait peut-être pu faire, il se trouva, lorsqu'il l'aurait bien voulu, hors d'état d'y pouvoir du tout travailler.

Il se rencontra néanmoins une occasion, il y a environ dix ou douze ans, en laquelle on l'obligea, non pas d'écrire ce qu'il avait dans l'esprit sur ce sujet-là, mais d'en dire quelque chose de vive voix. Il le fit donc en présence et à la prière de plusieurs personnes très considérables de ses amis. Il leur développa en peu de mots le plan de tout son ouvrage; il leur représenta ce qui en devait faire le sujet et la matière; il leur en rapporta en abrégé les raisons et les principes, et il leur expliqua l'ordre et la suite des choses qu'il y voulait traiter. Et ces personnes, qui sont aussi capables qu'on le puisse être de juger de ces sortes de choses, avouent qu'elles n'ont jamais rien entendu de plus beau, de plus fort, de plus touchant, ni de plus convaincant; qu'elles en furent charmées; et que ce qu'elles virent de ce projet et de ce dessein dans un discours de deux ou trois heures, fait ainsi sur-le-champ sans avoir été prémédité ni travaillé, leur fit juger ce que ce pourrait être un jour, s'il était jamais exécuté et conduit à sa perfection par une personne dont ils connaissaient la force et la capacité, qui avait accoutumé de tant travailler tous ses ouvrages, qui ne se contentait presque jamais de ses premières pensées, quelque bonnes qu'elles parussent aux autres, et qui a refait souvent jusqu'à huit ou dix fois des pièces que tout autre que lui trouvait admirables dès la première.

Après qu'il leur eût fait voir quelles sont les preuves qui font le plus d'impression sur l'esprit des hommes, et qui sont les plus propres à les persuader, il entreprit de montrer que la religion chrétienne avait autant de marques de certitude et d'évidence que les choses qui sont reçues dans le monde pour les plus indubitables.

Pour entrer dans ce dessein, il commença d'abord par une peinture de l'homme, où il n'oublia rien de tout ce qui le pouvait faire connaître et au-dedans et au-dehors de lui-même, jusqu'aux plus secrets mouvements de son cœur. Il supposa ensuite un homme qui, ayant toujours vécu dans une ignorance générale, et dans l'indifférence à l'égard de toutes choses, et surtout à l'égard de soi-même, vient enfin à se considérer dans ce tableau, et à examiner ce qu'il est. Il est surpris d'y découvrir une infinité de choses auxquelles il n'a jamais pensé; et il ne saurait remarquer sans étonnement et sans admiration tout ce que M. Pascal lui fait sentir de sa grandeur et de sa bassesse, de ses avantages et de ses faiblesses, du peu de lumières qui lui reste, et des ténèbres qui l'environnent presque de toutes parts; et enfin de toutes les contrariétés étonnantes qui se trouvent dans sa nature. Il ne peut plus après cela demeurer dans l'indifférence, s'il a tant soit peu de raison; et quelque insensible qu'il ait été jusqu'alors, il doit souhaiter, après avoir ainsi connu ce qu'il est, de connaître aussi d'où il vient et ce qu'il doit devenir.

M. Pascal, l'ayant mis dans cette disposition de chercher à s'instruire sur un doute si important, il l'adresse première-ment aux philosophes; et c'est là qu'après lui avoir développé tout ce que les plus grands philosophes de toutes les sectes ont dit sur le sujet de l'homme, il lui fait observer tant de défauts, tant de faiblesse, tant de contradictions et tant de faussetés dans tout ce qu'ils en ont avancé, qu'il n'est pas difficile à cet homme de juger que ce n'est pas là où il s'en doit tenir.

Il lui fait ensuite parcourir tout l'univers et tous les âges, pour lui faire remarquer une infinité de religions qui s'y rencontrent; mais il lui fait voir en même temps, par des raisons si fortes et si convaincantes, que toutes ces religions ne sont remplies que de vanités, que de folies, que d'erreurs, que d'égarements et d'extravagances, qu'il n'y trouve rien encore qui le puisse satisfaire.

Enfin il lui fait jeter les yeux sur le peuple juif, et il lui en fait observer des circonstances si extraordinaires qu'il attire facilement son attention. Après lui avoir représenté tout ce que ce peuple a de singulier, il s'arrête particulièrement à lui faire remarquer un livre unique par lequel il se gouverne, et qui comprend tout ensemble son histoire, sa loi et sa religion. A peine a-t-il ouvert ce livre qu'il y apprend que le monde est l'ouvrage d'un Dieu et que c'est ce même Dieu qui a créé l'homme à son image, et qui l'a doué de tous les avantages du corps et de l'esprit qui convenaient à cet état. Quoiqu'il n'ait rien encore qui le convainque de cette vérité, elle ne laisse pas de lui plaire, et la raison seule suffit pour lui faire trouver plus de vraisemblance dans cette supposition qu'un Dieu est l'auteur des hommes et de tout ce qu'il y a dans l'univers, que dans tout ce que ces mêmes hommes se sont imaginé par leurs propres lumières. Ce qui l'arrête en cet endroit est de voir, par la peinture qu'on lui a faite de l'homme, qu'il est bien éloigné de posséder tous ces avantages qu'il a dû avoir lorsqu'il est sorti des mains de son auteur. Mais il ne demeure pas longtemps dans ce doute, car dès qu'il poursuit la lecture de ce même livre, il y trouve qu'après que l'homme eût été créé de Dieu dans l'état d'innocence, et avec toutes sortes de perfections, la première action qu'il fit fut de se révolter contre son créateur, et d'employer tous les avantages qu'il en avait reçus pour l'offenser.

M. Pascal lui fait alors comprendre que ce crime ayant

été le plus grand de tous les crimes en toutes circonstances, il avait été puni non seulement dans ce premier homme, qui, étant déchu par là de son état, tomba tout d'un coup dans la misère, dans la faiblesse, dans l'erreur et dans l'aveuglement; mais encore dans tous ses descendants, à qui ce même homme a communiqué et communiquera encore sa corruption dans toute la suite des temps.

Il lui fait ensuite parcourir divers endroits de ce livre où il a découvert cette vérité. Il lui fait prendre garde qu'il n'y est plus parlé de l'homme que par rapport à cet état de faiblesse et de désordre; qu'il y est dit souvent que toute chair est corrompue, que les hommes sont abandonnés à leurs sens, et qu'ils ont une pente au mal dès leur naissance. Il lui fait voir encore que cette première chute est la source, non seulement de tout ce qu'il y a de plus incompréhensible dans la nature de l'homme, mais aussi d'une infinité d'effets qui sont hors de lui, et dont la cause lui est inconnue. Enfin il lui représente l'homme si bien dépeint dans tout ce livre, qu'il ne lui paraît plus différent de la première image qu'il lui en a tracée.

Ce n'est pas assez d'avoir fait connaître à cet homme son état plein de misère; M. Pascal lui apprend encore qu'il trouvera dans ce même livre de quoi se consoler. Et, en effet, il lui fait remarquer qu'il y est dit que le remède est entre les mains de Dieu: que c'est à lui que nous devons recourir pour avoir les forces qui nous manquent; qu'il se laissera fléchir, et qu'il enverra même un libérateur aux hommes, qui satisfera pour eux, et qui réparera leur impuissance.

Après qu'il lui a expliqué un grand nombre de remarques très particulières sur le livre de ce peuple, il lui fait encore considérer que c'est le seul qui ait parlé dignement de l'Être souverain et qui ait donné l'idée d'une véritable religion. Il lui en fait concevoir les marques les plus sensibles qu'il applique à celles que ce livre a enseignées; et il lui fait faire une attention particulière sur ce qu'elle fait consister l'essence de son culte dans l'amour de Dieu qu'elle adore; ce qui est un caractère tout singulier, et qui la distingue visiblement de toutes les autres religions, dont la fausseté paraît par le défaut de cette marque si essentielle.

Quoique M. Pascal, après avoir conduit si avant cet homme qu'il s'était proposé de persuader insensiblement, ne lui ait encore rien dit qui le puisse convaincre des vérités qu'il lui a fait découvrir, il l'a mis néanmoins dans la disposition de les recevoir avec plaisir, pourvu qu'on puisse lui faire voir qu'il doit s'y rendre, et de souhaiter même de tout son cœur qu'elles soient solides et bien fondées, puisqu'il y trouve de si grands avantages pour son repos et pour l'éclaircissement de ses doutes. C'est aussi l'état où devrait être tout homme raisonnable, s'il était une fois bien entré dans la suite de toutes les choses que M. Pascal vient de représenter, et il y a sujet de croire qu'après cela il se rendrait facilement à toutes les preuves qu'il apporta ensuite pour confirmer la certitude et l'évidence de toutes ces vérités importantes dont il avait parlé, et qui font le fondement de la religion chrétienne, qu'il avait dessein de persuader.

Pour dire en peu de mots quelque chose de ces preuves, après qu'il eût montré en général que les vérités dont il s'agissait étaient contenues dans un livre de la certitude duquel tout homme de bon sens ne pouvait douter, il s'arrêta principalement au livre de Moïse, où ces vérités sont particulièrement répandues, et il fit voir, par un très grand nombre de circonstances indubitables, qu'il était également impossible que Moïse eût laissé par écrit des choses fausses, ou que le peuple à qui il les avait laissées s'y fût laissé tromper, quand même Moïse aurait été capable d'être fourbe.

Il parla aussi de tous les grands miracles qui sont rapportés dans ce livre; et comme ils sont d'une grande conséquence pour la religion qui y est enseignée, il prouva qu'il n'était pas possible qu'ils ne fussent vrais, non seulement par l'autorité du livre où ils sont contenus, mais encore par toutes les circonstances qui les accompagnent et qui les rendent indubitables.

Il fit voir encore de quelle manière toute la loi de Moïse était figurative : que tout ce qui était arrivé aux Juifs n'avait été que la figure des vérités accomplies à la venue du Messie, et que, le voile qui couvrait ces figures ayant été levé, il était aisé d'en voir l'accomplissement et la consommation parfaite en faveur de ceux qui ont reçu Jésus-Christ.

M. Pascal entreprit ensuite de prouver la vérité de la religion par les prophéties; et ce fut sur ce sujet qu'il s'étendit beaucoup plus que sur les autres. Comme il avait beaucoup travaillé là-dessus, et qu'il y avait des vues qui lui étaient toutes particulières, il les expliqua d'une manière fort intelligible; il en fit voir le sens et la suite avec une facilité merveilleuse; et il les mit dans tout leur jour et dans toute leur force.

Enfin, après avoir parcouru les livres de l'Ancien Testament, et fait encore plusieurs observations convaincantes pour servir de fondements et de preuves à la vérité de la religion, il entreprit encore de parler du Nouveau Testament, et de tirer ses preuves de la vérité même de l'Évangile.

Il commença par Jésus-Christ; et quoiqu'il l'eût déjà prouvé invinciblement par les prophéties et par toutes les figures de la loi dont on voyait en lui l'accomplissement parfait, il apporta encore beaucoup de preuves tirées de sa personne même, de ses miracles, de sa doctrine et des circonstances de sa vie.

Il s'arrêta ensuite sur les apôtres; et pour faire voir la vérité de la foi qu'ils ont publiée hautement partout, après avoir établi qu'on ne pouvait les accuser de fausseté qu'en supposant ou qu'ils avaient été des fourbes, ou qu'ils avaient été trompés eux-mêmes, il fit voir clairement que l'une et l'autre de ces suppositions étaient également impossibles.

Enfin il n'oublia rien de tout ce qui pouvait servir à la vérité de l'histoire évangélique, faisant de très belles remarques sur l'Évangile même, sur le style des évangélistes, et sur leurs personnes; sur les apôtres en particulier, et sur leurs écrits; sur le nombre prodigieux de miracles; sur les martyrs; sur les saints; en un mot, sur toutes les voies par lesquelles la religion chrétienne s'est entièrement établie. Et quoiqu'il n'eût pas le loisir, dans un simple discours, de traiter au long une si vaste matière, comme il avait dessein de faire dans son ouvrage, il en dit néanmoins assez pour convaincre que tout cela ne pouvait être l'ouvrage des hommes, et qu'il n'y avait que Dieu seul qui eût pu conduire l'événement de tant d'effets différents qui concourent tous également à prouver d'une manière invincible la religion qu'il est venu lui-même établir parmi les hommes.

Voilà en substance les principales choses dont il entreprit de parler dans tout ce discours, qu'il ne proposa à ceux qui l'entendirent que comme l'abrégé du grand ouvrage qu'il méditait, et c'est par le moyen d'un de ceux qui y furent présents qu'on a su depuis le peu que je viens d'en rapporter.

On verra parmi les fragments que l'on donne au public quelque chose de ce grand dessein de M. Pascal, mais on y en verra bien peu; et les choses mêmes que l'on y trouvera sont si imparfaites, si peu étendues et si peu digérées, qu'elles ne peuvent donner qu'une idée très grossière de la manière dont il avait envie de les traiter.

Au reste, il ne faut pas s'étonner si, dans le peu qu'on en donne, on n'a pas gardé son ordre et sa suite pour la distribution des matières. Comme on n'avait presque rien qui se suivît, il eût été inutile de s'attacher à cet ordre; et l'on s'est contenté de les disposer à peu près en la manière qu'on a jugée être plus propre et plus convenable à ce que l'on en avait. On espère même qu'il y aura peu de personnes qui, après avoir bien conçu une fois le dessein de M. Pascal, ne suppléent d'elles-mêmes au défaut de cet ordre, et qui, en considérant avec attention les diverses matières répandues dans ces fragments, ne jugent facilement où elles doivent être rapportées suivant l'idée de celui qui les avait écrites.

Si l'on avait seulement ce discours-là par écrit tout au long et en la manière qu'il fut prononcé, l'on aurait quelque sujet de se consoler de la perte de cet ouvrage, et l'on pourrait dire qu'on en aurait au moins un petit échantillon, quoique fort imparfait. Mais Dieu n'a pas permis qu'il nous ait laissé ni l'un ni l'autre; car peu de temps après il tomba malade d'une maladie de langueur et de faiblesse qui dura les quatre dernières années de sa vie, et qui, quoiqu'elle parût fort peu au-dehors, et qu'elle ne l'obligeât pas de garder le lit ni la chambre, ne laissait pas de l'incommoder beaucoup, et de le rendre presque incapable de s'appliquer à quoi que ce fût : de sorte que le plus grand soin et la principale occupation de ceux qui étaient auprès de lui étaient de le détourner d'écrire, et même de parler de tout ce qui demandait quelque application et quelque contention d'esprit, et de ne l'entretenir que de choses indifférentes et incapables de le fatiguer.

C'est néanmoins pendant ces quatre années de langueur et de maladie qu'il a fait et écrit tout ce que l'on a de lui de cet ouvrage qu'il méditait, et tout ce que l'on en donne au public. Car, quoiqu'il attendît que sa santé fût entièrement rétablie pour y travailler tout de bon, et pour écrire les choses qu'il avait déjà digérées et disposées dans son esprit; cependant, lorsqu'il lui survenait quelques nouvelles pensées, quelques vues, quelques idées, ou même quelque tour et quelques expressions qu'il prévoyait lui pouvoir un jour servir pour son dessein, comme il n'était pas alors en état de s'y appliquer aussi fortement qu'il faisait quand il se portait bien, ni de les imprimer dans son esprit et dans sa mémoire, il aimait mieux en mettre quelque chose par écrit pour ne le pas oublier; et pour cela il prenait le premier morceau de papier qu'il trouvait sous sa main, sur lequel il mettait sa pensée en peu de mots, et fort souvent même seulement à demi-mot; car il ne l'écrivait que pour lui; et c'est pourquoi il se contentait de le faire fort légèrement, pour ne pas se fatiguer l'esprit, et d'y mettre seulement les choses qui étaient nécessaires pour le faire ressouvenir des vues et des idées qu'il avait.

C'est ainsi qu'il a fait la plupart des fragments qu'on trouvera dans ce recueil; de sorte qu'il ne faut pas s'étonner s'il y en a quelques-uns qui semblent assez imparfaits, trop courts et trop peu expliqués, et dans lesquels on peut même trouver des termes et des expressions moins propres et moins élégantes. Il arrivait néanmoins quelquefois qu'ayant la plume à la main, il ne pouvait s'empêcher, en suivant son inclination, de pousser ses pensées, et de les étendre un peu davantage, quoique ce ne fût jamais avec la force et l'application d'esprit qu'il aurait pu faire en parfaite santé. Et c'est pourquoi l'on en trouvera aussi quelques-unes plus étendues et mieux écrites, et des chapitres plus suivis et plus parfaits que les autres.

Voilà de quelle manière ont été écrites ces pensées. Et je crois qu'il n'y aura personne qui ne juge facilement par ces légers commencements et par ces faibles essais d'une personne malade, qu'il n'avait écrits que pour lui seul, et pour se remettre dans l'esprit des pensées qu'il craignait de perdre, et qu'il n'a jamais revus ni retouchés, quel eût été l'ouvrage entier, si M. Pascal eût pu recouvrer sa parfaite santé et y mettre la dernière main, lui qui savait disposer les choses dans un si beau jour et un si bel ordre, qui donnait un tour si particulier, si noble et si relevé à tout ce qu'il voulait dire, qui avait dessein de travailler cet ouvrage plus que tous ceux qu'il avait jamais faits, qui y voulait employer toute la force d'esprit et tous les talents que Dieu lui avait donnés, et duquel il a dit souvent qu'il lui fallait dix ans de santé pour l'achever.

Comme l'on savait le dessein qu'avait M. Pascal de travailler sur la religion, l'on eut un très grand soin, après sa mort, de recueillir tous les écrits qu'il avait faits sur cette matière. On les trouva tous ensemble enfilés en diverses liasses, mais sans aucun ordre et sans aucune suite, parce que, comme je l'ai déjà remarqué, ce n'était que les premières expressions de ses pensées qu'il écrivait sur de petits morceaux de papier à mesure qu'elles lui venaient dans l'esprit. Et tout cela était si imparfait et si mal écrit qu'on a eu toutes les peines du monde à les déchiffrer.

La première chose que l'on fit fut de les faire copier tels qu'ils étaient, et dans la même confusion qu'on les avait trouvés. Mais lorsqu'on les vit en cet état, et qu'on eut plus de facilité de les lire et de les examiner que dans les originaux, ils parurent d'abord si informes, si peu suivis, et la plupart si peu expliqués, qu'on fut fort longtemps sans penser du tout à les faire imprimer, quoique plusieurs personnes de très grande considération le demandassent souvent avec des instances et des sollicitations fort pressantes; parce que l'on jugeait bien que l'on ne pouvait pas remplir l'attente et l'idée que tout le monde avait de cet ouvrage, dont l'on avait déjà entendu parler, en donnant ces écrits en l'état qu'ils étaient.

Mais enfin on fut obligé de céder à l'impatience et au grand désir que tout le monde témoignait de les voir imprimés. Et l'on s'y porta d'autant plus aisément que l'on crut que ceux qui les liraient seraient assez équitables pour faire le discernement d'un dessein ébauché avec une pièce achevée, et pour juger de l'ouvrage par l'échantillon, quelque imparfait qu'il fût. Et ainsi l'on se résolut de les donner au public. Mais, comme il y avait plusieurs manières de l'exécuter, l'on a été quelque temps à se déterminer sur celle que l'on devait prendre.

La première qui vint dans l'esprit, et celle qui était sans doute la plus facile, était de les faire imprimer tout de suite dans le même état qu'on les a trouvés. Mais l'on jugea bientôt que, de le faire de cette sorte, c'eût été perdre presque tout le fruit qu'on en pouvait espérer; parce que les pensées plus parfaites, plus suivies, plus claires et plus étendues étant mêlées et comme absorbées parmi tant d'autres imparfaites, obscures, à demi digérées, et quelques-unes même presque inintelligibles à tout autre qu'à celui qui les avait écrites, il y avait tout sujet de croire que les unes feraient rebuter les autres, et que l'on ne considérerait ce volume, grossi inutilement de tant de pensées imparfaites, que comme un amas confus, sans ordre, sans suite, et qui ne pouvait servir à rien.

Il y avait une autre manière de donner ces écrits au public, qui était d'y travailler auparavant, d'éclaircir les pensées obscures, d'achever celles qui étaient imparfaites, et, en prenant dans tous ces fragments le dessein de M. Pascal, de suppléer en quelque sorte l'ouvrage qu'il voulait faire. Cette voie eût été assurément la plus parfaite; mais il était aussi très difficile de la bien exécuter. L'on s'y est néanmoins arrêté assez longtemps, et l'on avait en effet commencé à y travailler. Mais enfin l'on s'est résolu de la rejeter aussi bien que la première, parce que l'on a considéré qu'il était presque impossible de bien entrer dans la pensée et dans le dessein d'un auteur, et surtout d'un auteur mort, et que ce n'eût pas été donner l'ouvrage de M. Pascal, mais un ouvrage tout différent.

Ainsi, pour éviter les inconvénients qui se trouvaient dans l'une et l'autre de ces manières de faire paraître ces écrits, l'on en a choisi une entre deux, qui est celle que l'on a suivie dans ce recueil. L'on a pris seulement parmi ce grand nombre de pensées celles qui ont paru les plus claires et les plus achevées; et on les donne telles qu'on les a trouvées, sans y rien ajouter ni changer, si ce n'est qu'au lieu qu'elles étaient sans suite, sans liaison, et dispersées confusément de côté et d'autre, on les a mises dans quelque sorte d'ordre, et réduit sous les mêmes titres celles qui étaient sur les mêmes sujets; et l'on a supprimé toutes les autres qui étaient ou trop obscures, ou trop imparfaites.

Ce n'est pas qu'elles ne continssent aussi de très belles choses, et qu'elles ne fussent capables de donner de grandes vues à ceux qui les entendraient bien. Mais comme l'on ne voulait pas travailler à les éclaircir et à les achever, elles eussent été entièrement inutiles en l'état qu'elles sont. Et afin que l'on en ait quelque idée, j'en rapporterai ici seulement une pour servir d'exemple, et par laquelle on pourra juger de toutes les autres que l'on a retranchées. Voici donc quelle est cette pensée, et en quel état on l'a trouvée parmi ces fragments : *Un artisan qui parle des richesses, un procureur qui parle de la guerre, de la royauté, etc. Mais le riche parle bien des richesses, le roi parle froidement d'un grand don qu'il vient de faire, et Dieu parle bien de Dieu.*

Il y a dans ce fragment une fort belle pensée; mais il y a peu de personnes qui la puissent voir, parce qu'elle y est expliquée très imparfaitement et d'une manière fort obscure, fort courte et fort abrégée; en sorte que, si on ne lui avait souvent ouï dire de bouche la même pensée, il serait difficile de la reconnaître dans une expression si confuse et si embrouillée. Voici à peu près en quoi elle consiste.

Il avait fait plusieurs remarques très particulières sur le style de l'Écriture, et principalement de l'Évangile, et il y trouvait des beautés que peut-être personne n'avait remarquées avant lui. Il admirait entre autres choses la naïveté, la simplicité, et, pour le dire ainsi, la froideur avec laquelle il semble que Jésus-Christ y parle des choses les plus grandes et les plus relevées, comme sont, par exemple, le royaume de Dieu, la gloire que posséderont les saints dans le ciel, les peines de l'enfer, sans s'y étendre, comme ont fait les Pères et tous ceux qui ont écrit sur ces matières. Et il disait que la véritable cause de cela était que ces choses, qui à la vérité sont infiniment grandes et relevées à notre égard, ne le sont pas de même à l'égard de Jésus-Christ, et qu'ainsi il ne faut pas trouver étrange qu'il en parle de cette sorte sans étonnement et sans admiration, comme l'on voit, sans comparaison, qu'un général d'armée parle tout simplement et sans s'émouvoir du siège d'une place importante et du gain d'une grande bataille, et qu'un roi parle froidement d'une somme de quinze ou vingt millions dont un particulier et un artisan ne parleraient qu'avec de grandes exagérations.

Voilà quelle est la pensée qui est contenue et renfermée sous le peu de paroles qui composent ce fragment; et cette considération, jointe à quantité d'autres semblables, pouvait servir assurément, dans l'esprit des personnes raisonnables et qui agissent de bonne foi, de quelque preuve de la divinité de Jésus-Christ.

Je crois que ce seul exemple peut suffire, non seulement pour faire juger quels sont à peu près les autres fragments qu'on a retranchés, mais aussi pour faire voir le peu d'application et la négligence, pour ainsi dire, avec laquelle ils ont presque tous été écrits, ce qui doit bien convaincre de ce que j'ai dit, que M. Pascal ne les avait écrits en effet que pour lui seul, et sans aucune pensée qu'ils dussent jamais paraître en cet état. Et c'est aussi ce qui fait espérer que l'on sera assez porté à excuser les défauts qui s'y pourront rencontrer.

Que s'il se trouve encore dans ce recueil quelques pensées un peu obscures, je pense que, pour peu qu'on s'y veuille appliquer, on les comprendra néanmoins très facilement, et qu'on demeurera d'accord que ce ne sont pas les moins belles, et qu'on a mieux fait de les donner telles qu'elles sont que de les éclaircir par un grand nombre de paroles qui n'auraient servi qu'à les rendre traînantes et languissantes, et qui en auraient ôté une des principales beautés, qui consiste à dire beaucoup de choses en peu de mots.

L'on en peut voir un exemple dans un des fragments du chapitre des *Preuves de Jésus-Christ par les prophéties*, qui est conçu en ces termes : *Les prophètes sont mêlés de prophéties particulières et de celles du Messie, afin que les prophéties du Messie ne fussent pas sans preuves, et que les prophéties particulières ne fussent pas sans fruit.* Il rapporte dans ce fragment la raison pour laquelle les prophètes, qui n'avaient en vue que le Messie et qui semblaient ne devoir prophétiser que de lui et de ce qui le regardait, ont néanmoins souvent prédit des choses particulières qui paraissaient assez indifférentes et inutiles à leur dessein. Il dit que c'était afin que ces événements particuliers s'accomplissent de jour en jour aux yeux de tout le monde, en la manière qu'ils les avaient prédits, ils fussent incontestablement reconnus pour prophètes, et qu'ainsi l'on ne pût douter de la vérité et de la certitude de toutes les choses qu'ils prophétisaient du Messie. De sorte que, par ce moyen, les prophéties du Messie tiraient en quelque façon leurs preuves et leur autorité de ces prophéties particulières vérifiées et accomplies; et ces prophéties particulières servant ainsi à prouver et à autoriser celles du Messie, elles n'étaient pas inutiles et infructueuses. Voilà le sens de ce fragment étendu et développé. Mais il n'y a sans doute personne qui ne prît bien plus de plaisir de le découvrir soi-même dans ces paroles obscures que de le voir ainsi éclairci et expliqué.

Il est encore, ce me semble, assez à propos, pour détromper quelques personnes qui pourraient peut-être s'attendre de trouver ici des preuves et des démonstrations géométriques de l'existence de Dieu, de l'immortalité de l'âme, et de plusieurs autres articles de la foi chrétienne, de les avertir que ce n'était pas là le dessein de M. Pascal. Il ne prétendait point prouver toutes ces vérités de la religion par de telles démonstrations fondées sur des principes évidents, capables de convaincre l'obstination des plus endurcis ni par des raisonnements métaphysiques, qui souvent égarent plus l'esprit qu'ils ne le persuadent, ni par des lieux communs tirés de divers effets de la nature; mais par des preuves morales qui vont plus au cœur qu'à l'esprit. C'est-à-dire qu'il voulait plus travailler à toucher et à disposer le cœur, qu'à convaincre et à persuader l'esprit, parce qu'il savait que les passions et les attachements vicieux qui corrompent le cœur et la volonté sont les plus grands obstacles et les principaux empêchements que nous ayons à la foi, et que, pourvu que l'on pût lever ces obstacles, il n'était pas difficile de faire recevoir à l'esprit les lumières et les raisons qui pouvaient le convaincre.

L'on sera facilement persuadé de tout cela en lisant ces écrits. Mais M. Pascal s'en est encore expliqué lui-même dans un de ses fragments qui a été trouvé parmi les autres, et que l'on n'a point mis dans ce recueil. Voici ce qu'il dit dans ce fragment : *Je n'entreprendrai pas ici de prouver par des raisons naturelles, ou l'existence de Dieu, ou la Trinité, ou l'immortalité de l'âme, ni aucune des choses de cette nature;*

non seulement parce que je ne me sentirais pas assez fort pour trouver dans la nature de quoi convaincre des athées endurcis, mais encore parce que cette connaissance, sans Jésus-Christ, est inutile et stérile. Quand un homme serait persuadé que les proportions des nombres sont des vérités immatérielles, éternelles, et dépendantes d'une première vérité en qui elles subsistent et qu'on appelle Dieu, je ne le trouverais pas beaucoup avancé pour son salut.

L'on s'étonnera peut-être aussi de trouver dans ce recueil une si grande diversité de pensées, dont il y en a même plusieurs qui semblent assez éloignées du sujet que M. Pascal avait entrepris de traiter. Mais il faut considérer que son dessein était bien plus ample et plus étendu que l'on ne se l'imagine, et qu'il ne se bornait pas seulement à réfuter les raisonnements des athées et de ceux qui combattent quelques-unes des vérités de la foi chrétienne. Le grand amour et l'estime singulière qu'il avait pour la religion faisait que non seulement il ne pouvait souffrir qu'on la voulût détruire et anéantir tout à fait, mais même qu'on la blessât et qu'on la corrompît en la moindre chose. De sorte qu'il voulait déclarer la guerre à tous ceux qui en attaquent ou la vérité, ou la sainteté : c'est-à-dire non seulement aux athées, aux infidèles et aux hérétiques, qui refusent de soumettre les fausses lumières de leur raison à la foi, et de reconnaître les vérités qu'elle nous enseigne; mais même aux chrétiens et aux catholiques, qui, étant dans le corps de la véritable Église, ne vivent pas néanmoins selon la pureté des maximes de l'Évangile, qui nous y sont proposées comme le modèle sur lequel nous devons régler et conformer toutes nos actions.

Voilà quel était son dessein, et ce dessein était assez vaste et assez grand pour pouvoir comprendre la plupart des choses qui sont répandues dans ce recueil. Il s'y en pourra néanmoins trouver quelques-unes qui n'y ont nul rapport, et qui en effet n'y étaient pas destinées, comme par exemple la plupart de celles qui sont dans le chapitre des *Pensées diverses*, lesquelles on a aussi trouvées parmi les papiers de M. Pascal et que l'on a jugé à propos de joindre aux autres; parce que l'on ne donne pas ce livre-ci simplement comme un ouvrage fait contre les athées ou sur la religion, mais comme un recueil de *Pensées de M. Pascal sur la religion et sur quelques autres sujets.*

Je pense qu'il ne reste plus, pour achever cette préface, que de dire quelque chose de l'auteur après avoir parlé de son ouvrage. Je crois que non seulement cela sera assez à propos, mais que ce que j'ai dessein d'en écrire pourra même être très utile pour faire connaître comment M. Pascal est entré dans l'estime et dans les sentiments qu'il avait pour la religion, qui lui firent concevoir le dessein d'entreprendre cet ouvrage.

L'on a déjà rapporté en abrégé, dans la préface des *Traités de l'équilibre des liqueurs, et de la pesanteur de l'air*, de quelle manière il a passé sa jeunesse, et le grand progrès qu'il y fit en peu de temps dans toutes les sciences humaines et profanes auxquelles il voulut s'appliquer, et particulièrement en la géométrie et aux mathématiques; la manière étrange et surprenante dont il les apprit à l'âge d'onze ou douze ans; les petits ouvrages qu'il faisait quelquefois, et qui surpassaient toujours beaucoup la force et la portée d'une personne de son âge : l'effort étonnant et prodigieux de son imagination et de son esprit qui parut dans sa machine d'arithmétique, qu'il inventa âgé seulement de dix-neuf à vingt ans; et enfin les belles expériences du vide qu'il fit en présence des personnes les plus considérables de la ville de Rouen, où il demeura quelque temps pendant que M. le président Pascal, son père, y était employé pour le service du roi dans la fonction d'intendant de justice. Ainsi je ne répéterai rien ici de tout cela, et je me contenterai seulement de représenter en peu de mots comment il a méprisé toutes ces choses, et dans quel esprit il a passé les dernières années de sa vie; en quoi il n'a pas moins fait paraître la grandeur et la solidité de sa vertu et de sa piété qu'il avait montré auparavant la force, l'étendue et la pénétration admirable de son esprit.

Il avait été préservé pendant sa jeunesse, par une protection particulière de Dieu, des vices où tombent la plupart des jeunes gens; et ce qui est assez extraordinaire à un esprit aussi curieux que le sien, il ne s'était jamais porté au libertinage pour ce qui regarde la religion, ayant toujours borné sa curiosité aux choses naturelles. Et il a dit plusieurs fois qu'il joignait cette obligation à toutes les autres qu'il avait à M. son père, qui, ayant lui-même un très grand respect pour la religion, le lui avait inspiré dès l'enfance, lui donnant pour maxime, que tout ce qui est l'objet de la foi ne saurait l'être de la raison, et beaucoup moins y être soumis.

Ces instructions, qui lui étaient souvent réitérées par un père pour qui il avait une très grande estime, et en qui il voyait une grande science accompagnée d'un raisonnement fort et puissant, faisaient tant d'impression sur son esprit que, quelque discours qu'il entendît faire aux libertins, il n'en était nullement ému; et, quoiqu'il fût fort jeune, il les regardait comme des gens qui étaient dans ce faux principe que la raison humaine est au-dessus de toutes choses, et qui ne connaissaient pas la nature de la foi.

Mais enfin, après avoir ainsi passé sa jeunesse dans des occupations et des divertissements qui paraissaient assez innocents aux yeux du monde, Dieu le toucha de telle sorte qu'il lui fit comprendre parfaitement que la religion chrétienne nous oblige à ne vivre que pour lui, et à n'avoir point d'autre objet que lui. Et cette vérité lui parut si évidente, si utile et si nécessaire, qu'elle le fit résoudre de se retirer, et de se dégager peu à peu de tous les attachements qu'il avait au monde, pour pouvoir s'y appliquer uniquement.

Ce désir de la retraite et de mener une vie plus chrétienne et plus réglée lui vint lorsqu'il était encore fort jeune; et il le porta dès lors à quitter entièrement l'étude des sciences profanes pour ne s'appliquer plus qu'à celles qui pouvaient contribuer à son salut et à celui des autres. Mais de continuelles maladies qui lui survinrent le détournèrent quelque temps de son dessein, et l'empêchèrent de le pouvoir exécuter plus tôt qu'à l'âge de trente ans.

Ce fut alors qu'il commença à y travailler tout de bon, et, pour y parvenir plus facilement, et rompre tout d'un coup toutes ses habitudes, il changea de quartier, et ensuite se retira à la campagne, où il demeura quelque temps; d'où, étant de retour, il témoigna si bien qu'il voulait quitter le monde, qu'enfin le monde le quitta. Il établit le règlement de sa vie dans sa retraite sur deux maximes principales, qui sont de renoncer à tout plaisir et à toute superfluité. Il les avait sans cesse devant les yeux, et il tâchait de s'y avancer et de s'y perfectionner toujours de plus en plus.

C'est l'application continuelle qu'il avait à ces deux grandes maximes qui lui faisait témoigner une si grande patience dans ses maux et dans ses maladies, qui ne l'ont presque jamais laissé sans douleur pendant toute sa vie; qui lui faisait pratiquer des mortifications très rudes et très sévères envers lui-même; qui faisait que non seulement il refusait à ses sens tout ce qui pouvait leur être agréable, mais encore qu'il prenait sans peine, sans dégoût, et même avec joie, lorsqu'il le fallait, tout ce qui leur pouvait déplaire, soit pour la nourriture, soit pour les remèdes; qui le portait à se retrancher tous les jours de plus en plus tout ce qu'il ne jugeait pas lui être absolument nécessaire, soit pour le vêtement, soit pour la nourriture, pour les meubles, et pour toutes les autres choses; qui lui donnait un amour si grand et si ardent pour la pauvreté, qu'elle lui était toujours présente, et que, lorsqu'il voulait entreprendre quelque chose, la première pensée qui lui venait en l'esprit était de voir si la pauvreté y pouvait être pratiquée; et qui lui faisait avoir en même temps tant de tendresse et tant d'affection pour les pauvres, qu'il ne leur a jamais pu refuser l'aumône, et qu'il en a fait même fort souvent d'assez considérables, quoiqu'il n'en fît que de son nécessaire; qui faisait qu'il ne pouvait souffrir qu'on cherchât avec soin toutes ses commodités, et qu'il blâmait tant cette recherche curieuse et cette fantaisie de vouloir exceller en tout, comme de se servir en toutes choses des meilleurs ouvriers, d'avoir toujours du meilleur et du mieux fait, et mille autres choses semblables qu'on fait sans scrupule, parce qu'on ne croit pas qu'il y ait de mal, mais dont il ne jugeait pas de même; et enfin qui lui a fait faire plusieurs actions très remarquables et très chrétiennes, que je ne rapporte pas ici de peur d'être trop long, et parce que mon dessein n'est pas de faire une vie, mais seulement de donner quelque idée de la piété et de la vertu de M. Pascal à ceux qui ne l'ont pas connu; car pour ceux qui l'ont vu, et qui l'ont un peu fréquenté pendant les dernières années de sa vie, je ne prétends pas leur rien apprendre par là, et je crois qu'ils jugeront, bien au contraire, que j'aurais pu dire encore beaucoup d'autres choses que je passe sous silence.

Section 1

Papiers classés

I. ORDRE

1 (596)
Les psaumes chantés par toute la terre.

Qui rend témoignage de Mahomet ? lui-même.
J.-C. veut que son témoignage ne soit rien.

La qualité de témoins fait qu'il faut qu'ils soient toujours, et partout, et misérables. Il est seul.

2 (227)
Ordre par dialogues.
Que dois-je faire. Je ne vois partout qu'obscurités.
Croirai-je que je ne suis rien ? Croirai-je que je suis dieu ?

3(244)
Toutes choses changent et se succèdent.
Vous vous trompez, il y a...
Et quoi ne dites-vous pas vous-même que le ciel et les oiseaux prouvent Dieu ? non. Et votre religion ne le dit-elle pas ? non. Car encore que cela est vrai en un sens pour quelques âmes à qui Dieu donna cette lumière, néanmoins cela est faux à l'égard de la plupart.

4 (184)
Lettre pour porter à rechercher Dieu.
Et puis le faire chercher chez les philosophes, pyrrhoniens et dogmatistes qui travailleront celui qui le recherche.

5 (247)
Ordre.
Une lettre d'exhortation à un ami pour le porter à

chercher. Et il répondra : mais à quoi me servira de
chercher, rien ne paraît. Et lui répondre : ne désespé-
rez pas. Et il répondrait qu'il serait heureux de trouver
quelque lumière. Mais que selon cette religion même
quand il croirait ainsi cela ne lui servirait de rien. Et
qu'ainsi il aime autant ne point chercher. Et à cela lui
répondre : La Machine.

6 (60)

1. Partie. Misère de l'homme sans Dieu.
2. Partie. Félicité de l'homme avec Dieu.

autrement

1. Part. Que la nature est corrompue, par la nature
même.
2. Partie. Qu'il y a un Réparateur, par l'Écriture.

7 (248)

Lettre qui marque l'utilité des preuves. Par la Machine.

La foi est différente de la preuve. L'une est humaine
et l'autre est un don de Dieu. *Justus ex fide vivit.* C'est
de cette foi que Dieu lui-même met dans le cœur, dont
la preuve est souvent l'instrument, *fides ex auditu*, mais
cette foi est dans le cœur et fait dire non *scio* mais *Credo*.

8 (602)

Ordre.

Voir ce qu'il y a de clair dans tout l'état des Juifs et
d'incontestable.

9 (291)

Dans la lettre de l'injustice peut venir.

La plaisanterie des aînés qui ont tout. Mon ami vous
êtes né de ce côté de la montagne, il est donc juste que
votre aîné ait tout.

Pourquoi me tuez-vous ?

10 (167)

Les misères de la vie humaine ont fondé tout cela.
Comme ils ont vu cela ils ont pris le divertissement.

11 (246)
Ordre. Après la lettre qu'on doit chercher Dieu, faire la lettre d'ôter les obstacles qui est le discours de la Machine, de préparer la Machine, de chercher par raison.

12 (187)
Ordre.
Les hommes ont mépris pour la religion. Ils en ont haine et peur qu'elle soit vraie. Pour guérir cela il faut commencer par montrer que la religion n'est point contraire à la raison. Vénérable, en donner respect.
La rendre ensuite aimable, faire souhaiter aux bons qu'elle fût vraie et puis montrer qu'elle est vraie.
Vénérable parce qu'elle a bien connu l'homme.
Aimable parce qu'elle promet le vrai bien.

II. VANITÉ

13 (133)
Deux visages semblables, dont aucun ne fait rire en particulier font rire ensemble par leur ressemblance.

14 (338)
Les vrais chrétiens obéissent aux folies néanmoins, non pas qu'ils respectent les folies, mais l'ordre de Dieu qui pour la punition des hommes les a asservis à ces folies. *Omnis creatura subjecta est vanitati, liberabitur.* Ainsi saint Thomas explique le lieu de saint Jacques pour la préférence des riches, que s'ils ne le font dans la vue de Dieu ils sortent de l'ordre de la religion.

15 (410)
Persée, roi de Macédoine. Paul Émile.
On reprochait à Persée de ce qu'il ne se tuait pas.

16 (161)
Vanité.
Qu'une chose aussi visible qu'est la vanité du monde

soit si peu connue, que ce soit une chose étrange et
surprenante de dire que c'est une sottise de chercher
les grandeurs. Cela est admirable.

17 (113)
Inconstance et Bizarrerie.

Ne vivre que de son travail et régner sur le plus
puissant état du monde sont choses très opposées.
Elles sont unies dans la personne du grand seigneur
des Turcs.

18 (955)
751. Un bout de capuchon arme 25.000 moines.

19 (318)
Il a quatre laquais.

20 (292)
Il demeure au-delà de l'eau.

21 (381)
Si on est trop jeune on ne juge pas bien, trop vieil
de même.

Si on n'y songe pas assez, si on y songe trop, on
s'entête et on s'en coiffe.

Si on considère son ouvrage incontinent après l'avoir
fait on en est encore tout prévenu, si trop longtemps
après on (n') y entre plus.

Ainsi les tableaux vus de trop loin et de trop près.
Et il n'y a qu'un point indivisible qui soit le véritable
lieu.

Les autres sont trop près, trop lcin, trop haut ou
trop bas. La perspective l'assigne dans l'art de la peinture, mais dans la vérité et dans la morale qui l'assi-
gnera ?

22 (367)
La puissance des mouches, elles gagnent des batailles,
empêchent notre âme d'agir, mangent notre corps.

23 (67)
Vanité des sciences.

La science des choses extérieures ne me consolera pas de l'ignorance de la morale au temps d'affliction, mais la science des mœurs me consolera toujours de l'ignorance des sciences extérieures.

24 (127)
Condition de l'homme.
Inconstance, ennui, inquiétude.

25 (308)
La coutume de voir les rois accompagnés de gardes, de tambours, d'officiers et de toutes les choses qui ploient la machine vers le respect et la terreur fait que leur visage, quand il est quelquefois seul et sans ses accompagnements imprime dans leurs sujets le respect et la terreur parce qu'on ne sépare point dans la pensée leurs personnes d'avec leurs suites qu'on y voit d'ordinaire jointes. Et le monde qui ne sait pas que cet effet vient de cette coutume, croit qu'il vient d'une force naturelle. Et de là viennent ces mots : le caractère de la divinité est empreint sur son visage, etc...

26 (330)
La puissance des rois est fondée sur la raison et sur la folie du peuple, et bien plus sur la folie. La plus grande et importante chose du monde a pour fondement la faiblesse. Et ce fondement est admirablement sûr, car il n'y a rien de plus que cela, que le peuple sera faible. Ce qui est fondé sur la saine raison est bien mal fondé, comme l'estime de la sagesse.

27 (354)
La nature de l'homme n'est pas d'aller toujours; elle a ses allées et venues.

La fièvre a ses frissons et ses ardeurs. Et le froid montre aussi bien la grandeur de l'ardeur de la fièvre que le chaud même.

Les inventions des hommes de siècle en siècle vont de même, la bonté et la malice du monde en général en est de même.

Plerumque gratae principibus vices.

28 (436)
Faiblesse.

Toutes les occupations des hommes sont à avoir du bien et ils ne sauraient avoir de titre pour montrer qu'ils le possèdent par justice, car ils n'ont que la fantaisie des hommes, ni force pour le posséder sûrement.

Il en est de même de la science. Car la maladie l'ôte.

Nous sommes incapables et de vrai et de bien.

29 (156)
Ferox gens nullam esse vitam sine armis rati.

Ils aiment mieux la mort que la paix, les autres aiment mieux la mort que la guerre.

Toute opinion peut être préférable à la vie, dont l'amour paraît si fort et si naturel.

30 (320)

On ne choisit pas pour gouverner un vaisseau celui des voyageurs qui est de la meilleure maison.

31 (149)

Les villes par où on passe on ne se soucie pas d'y être estimé. Mais quand on y doit demeurer un peu de temps on s'en soucie. Combien de temps faut-il ? Un temps proportionné à notre durée vaine et chétive.

32 (317 *bis*)
Vanité.

Les respects signifient : incommodez-vous.

33 (374)

Ce qui m'étonne le plus est de voir que tout le monde n'est pas étonné de sa faiblesse. On agit sérieusement et chacun suit sa condition, non pas parce qu'il est bon en effet de la suivre, puisque la mode en est, mais comme si chacun savait certainement où est la raison et la justice. On se trouve déçu à toute heure et par une plaisante humilité on croit que c'est sa faute et non pas celle de l'art qu'on se vante toujours d'avoir. Mais il est bon qu'il y ait tant de ces gens-là au monde qui ne soient pas pyrrhoniens pour la gloire du pyrrhonisme, afin de montrer que l'homme est bien capable des plus extravagantes opinions, puisqu'il est capable de croire qu'il n'est pas dans cette faiblesse naturelle et inévitable, et de croire, qu'il est au contraire dans la sagesse naturelle.

Rien ne fortifie plus le pyrrhonisme que ce qu'il y en a qui ne sont point pyrrhoniens. Si tous l'étaient ils auraient tort.

34 (376)
Cette secte se fortifie par ses ennemis plus que par ses amis, car la faiblesse de l'homme paraît bien davantage en ceux qui ne la connaissent pas qu'en ceux qui la connaissent.

35 (117)
Talon de soulier.
O que cela est bien tourné ! que voilà un habile ouvrier ! que ce soldat est hardi ! Voilà la source de nos inclinations et du choix des conditions. Que celui-là boit bien, que celui-là boit peu : voilà ce qui fait les gens sobres et ivrognes, soldats, poltrons, etc...

36 (164)
Qui ne voit pas la vanité du monde est bien vain lui-même. Aussi qui ne la voit, excepté de jeunes gens qui sont tous dans le bruit, dans le divertissement et dans la pensée de l'avenir.

Mais ôtez leur divertissement vous les **verrez** se sécher d'ennui. Ils sentent alors leur néant sans le connaître, car c'est bien être malheureux que d'être dans une tristesse insupportable, aussitôt qu'on est **réduit** à se considérer, et à n'en être point diverti.

37 (158)
Métiers.

La douceur de la gloire est si grande qu'à quelque objet qu'on l'attache, même à la mort, on l'aime.

38 (71)
Trop et trop peu de vin.

Ne lui en donnez pas : il ne peut trouver la vérité. Donnez-lui en trop : de même.

39 (141)
Les hommes s'occupent à suivre une balle et un lièvre : c'est le plaisir même des rois.

40 (134)
Quelle vanité que la peinture qui attire l'admiration par la ressemblance des choses, dont on n'admire point les originaux !

41 (69)
Quand on lit trop vite ou trop doucement on n'entend rien.

42 (207)
Combien de royaumes nous ignorent !

43 (136)
Peu de chose nous console parce que peu de chose nous afflige.

44 (82)
Imagination.

C'est cette partie dominante de l'homme, cette maîtresse d'erreur et de fausseté, et d'autant plus fourbe qu'elle ne l'est pas toujours, car elle serait règle infaillible de vérité, si elle l'était infaillible du mensonge. Encore —

Mais, étant le plus souvent fausse elle ne donne aucune marque de sa qualité marquant du même caractère le vrai et le faux. Je ne parle pas des fous, je parle des plus sages, et c'est parmi eux que l'imagination a le grand droit de persuader les hommes. La raison a beau crier, elle ne peut mettre le prix aux choses.

Cette superbe puissance ennemie de la raison, qui se plaît à la contrôler et à la dominer, pour montrer combien elle peut en toutes choses, a établi dans l'homme une seconde nature. Elle a ses heureux, ses malheureux, ses sains, ses malades, ses riches, ses pauvres. Elle fait croire, douter, nier la raison. Elle suspend les sens, elle les fait sentir. Elle a ses fous et ses sages. Et rien ne nous dépite davantage que de voir qu'elle remplit ses hôtes d'une satisfaction bien autrement pleine et entière que la raison. Les habiles par imagination se plaisent tout autrement à eux-mêmes que les prudents ne se peuvent raisonnablement plaire. Ils regardent les gens avec empire, ils disputent avec hardiesse et confiance — les autres avec crainte et défiance — et cette gaieté de visage leur donne souvent l'avantage dans l'opinion des écoutants, tant les sages imaginaires ont de faveur auprès des juges de même nature. Elle ne peut rendre sages les fous mais elle les rend heureux, à l'envi de la raison qui ne peut rendre ses amis que misérables, l'une les couvrant de gloire, l'autre de honte.

Qui dispense la réputation, qui donne le respect et la vénération aux personnes, aux ouvrages, aux lois, aux grands, sinon cette faculté imaginante. Toutes les richesses de la terre [sont] insuffisantes sans son consentement. Ne diriez-vous pas que ce magistrat dont la vieillesse vénérable impose le respect à tout un peuple se gouverne par une raison pure et sublime, et qu'il juge des choses par leur nature sans s'arrêter à ces vaines circonstances qui ne blessent que l'imagination des faibles. Voyez-le entrer dans un sermon, où il apporte un zèle tout dévot renforçant la solidité de sa raison par l'ardeur de sa charité; le voilà prêt à l'ouïr avec un respect exemplaire. Que le prédicateur vienne à paraître, si la nature lui (a) donné une voix enrouée et un tour de visage bizarre, que son barbier l'ait mal rasé, si le hasard l'a encore barbouillé de surcroît, quelque grandes vérités qu'il annonce je parie la perte de la gravité de notre sénateur.

Le plus grand philosophe du monde sur une planche plus large qu'il ne faut, s'il y a au-dessous un précipice, quoique sa raison le convainque de sa sûreté, son imagination prévaudra. Plusieurs n'en sauraient soutenir la pensée sans pâlir et suer.

Je ne veux pas rapporter tous ses effets; qui ne sait que la vue des chats, des rats, l'écrasement d'un charbon, etc. emportent la raison hors des gonds. Le ton de voix impose aux plus sages et change un discours et un poème de force.

L'affection ou la haine changent la justice de face, et combien un avocat bien payé par avance trouve(-t-)il plus juste la cause qu'il plaide. Combien son geste hardi la fait-il paraître meilleure aux juges dupés par cette apparence. Plaisante raison qu'un vent manie et à tous sens. Je rapporterais presque toutes les actions des hommes qui ne branlent presque que par ses secousses. Car la raison a été obligée de céder, et la plus sage prend pour ses principes ceux que l'imagination des hommes a témérairement introduits en chaque lieu. (*Qui voudrait ne suivre que la raison serait fou prouvé. Il faut, puisqu'il y a plu, travailler tout le jour pour des biens reconnus imaginaires et quand le sommeil nous a délassés des fatigues de notre raison il faut incontinent se lever en sursaut pour aller courir après les fumées et essuyer les impressions de cette maîtresse du monde.*)

(*— Voilà un des principes d'erreur, mais ce n'est pas le seul.*)

(*L'homme a bien eu raison d'allier ces deux puissances, quoique dans cette paix l'imagination ait bien amplement l'avantage, car dans la guerre elle l'a bien plus entier. Jamais la raison (ne surmonte) totalement l'imagination, (mais le) contraire est ordinaire.*)

Nos magistrats ont bien connu ce mystère. Leurs robes rouges, leurs hermines dont ils s'emmaillotent en chaffourés, les palais où ils jugent, les fleurs de lys, tout cet appareil auguste était fort nécessaire, et si les

médecins n'avaient des soutanes et des mules, et que
les docteurs n'eussent des bonnets carrés et des robes
trop amples de quatre parties, jamais ils n'auraient dupé
le monde qui ne peut résister à cette montre si authentique. S'ils avaient la véritable justice, et si les médecins
avaient le vrai art de guérir ils n'auraient que faire de
bonnets carrés. La majesté de ces sciences serait assez
vénérable d'elle-même, mais n'ayant que des sciences
imaginaires il faut qu'ils prennent ces vains instruments
qui frappent l'imagination à laquelle ils ont affaire et
par là en effet ils s'attirent le respect.

Les seuls gens de guerre ne se sont pas déguisés de
la sorte parce qu'en effet leur part est plus essentielle.
Ils s'établissent par la force, les autres par grimace.

C'est ainsi que nos rois n'ont pas recherché ces dégui-
sements. Ils ne se sont pas masqués d'habits extraordinaires pour paraître tels. Mais ils se font accom-
pagner de gardes, de balafrés (?). Ces troupes armées
qui n'ont de mains et de force que pour eux, les trom-
pettes et les tambours qui marchent au-devant et ces
légions qui les environnent font trembler les plus fermes.
Ils n'ont pas l'habit, seulement ils ont la force. Il faudrait avoir une raison bien épurée pour regarder comme
un autre homme le grand seigneur environné dans son
superbe sérail de quarante mille janissaires.

Nous ne pouvons pas seulement voir un avocat en
soutane et le bonnet en tête sans une opinion avantageuse de sa suffisance.

L'imagination dispose de tout; elle fait la beauté,
la justice et le bonheur qui est le tout du monde.

Je voudrais de bon cœur voir le livre italien dont
je ne connais que le titre, qui vaut lui seul bien des
livres, *dell'opinone regina del mondo*. J'y souscris sans
le connaître, sauf le mal s'il y en a.

Voilà à peu près les effets de cette faculté trompeuse
qui semble nous être donnée exprès pour nous induire
à une erreur nécessaire. Nous en avons bien d'autres
principes.

Les impressions anciennes ne sont pas seules capables
de nous abuser, les charmes de la nouveauté ont le

même pouvoir. De là vient toute la dispute des hommes qui se reprochent ou de suivre leurs fausses impressions de l'enfance, ou de courir témérairement après les nouvelles. Qui tient le juste milieu qu'il paraisse et qu'il le prouve. Il n'y a principe, quelque naturel qu'il puisse être, *(qu'on ne)*, même depuis l'enfance, fasse passer pour une fausse impression soit de l'instruction, soit des sens.

Parce, dit-on, que vous avez cru dès l'enfance qu'un coffre était vide, lorsque vous n'y voyiez rien, vous avez cru le vide possible. C'est une illusion de vos sens, fortifiée par la coutume, qu'il faut que la science corrige. Et les autres disent, parce qu'on vous a dit dans l'école qu'il n'y a point de vide on a corrompu votre sens commun qui le comprenait si nettement avant cette mauvaise impression, qu'il faut corriger en recourant à votre première nature. Qui a donc trompé ? Les sens ou l'instruction.

Nous avons un autre principe d'erreur : les maladies. Elles nous gâtent le jugement et le sens. Et si les grandes l'altèrent sensiblement, je ne doute pas que les petites n'y fassent impression à leur proportion.

Notre propre intérêt est encore un merveilleux instrument pour nous crever les yeux agréablement. Il n'est pas permis au plus équitable homme du monde d'être juge en sa cause. J'en sais qui, pour ne pas tomber dans cet amour-propre, ont été les plus injustes du monde à contre-biais. Le moyen sûr de perdre une affaire toute juste était de la leur faire recommander par leurs proches parents. La justice et la vérité sont deux pointes si subtiles que nos instruments sont trop mousses pour y toucher exactement. S'ils y arrivent ils en écachent la pointe et appuient tout autour plus sur le faux que sur le vrai.

(L'homme est donc si heureusement fabriqué qu'il n'a aucun principe juste du vrai, et plusieurs excellents du faux. Voyons maintenant combien.

Mais la plus plaisante cause de ses erreurs est la guerre qui est entre les sens et la raison.)

45 (83) L'homme n'est qu'un sujet plein d'erreur naturelle, et ineffaçable sans la grâce. Rien ne lui montre la vérité. Tout l'abuse. Ces deux principes de vérité, la raison et les sens, outre qu'ils manquent chacun de sincérité, s'abusent réciproquement l'un l'autre; les sens abusent la raison par de fausses apparences. Et cette même piperie qu'ils apportent à l'âme, ils la reçoivent d'elle à leur tour; elle s'en revanche. Les passions de l'âme les troublent et leur font des impressions fausses. Ils mentent et se trompent à l'envi.

Mais outre cette erreur qui vient par accident et par le manque d'intelligence entre ces facultés hétérogènes...

(Il faut commencer par là le chapitre des puissances trompeuses.)

46 (163)
Vanité.
La cause et les effets de l'amour. Cléopâtre.

47 (172)
Nous ne nous tenons jamais au temps présent. Nous rappelons le passé; nous anticipons l'avenir comme trop lent à venir, comme pour hâter son cours, ou nous rappelons le passé pour l'arrêter comme trop prompt, si imprudents que nous errons dans des temps qui ne sont point nôtres, et ne pensons point au seul qui nous appartient, et si vains que nous songeons à ceux qui ne sont rien, et échappons sans réflexion le seul qui subsiste. C'est que le présent d'ordinaire nous blesse. Nous le cachons à notre vue parce qu'il nous afflige, et s'il nous est agréable nous regrettons de le voir échapper. Nous tâchons de le soutenir par l'avenir, et pensons à disposer les choses qui ne sont pas en notre puissance pour un temps où nous n'avons aucune assurance d'arriver.

Que chacun examine ses pensées. Il les trouvera toutes occupées au passé ou à l'avenir. Nous ne pensons presque point au présent, et si nous y pensons ce n'est que pour en prendre la lumière pour disposer de l'avenir. Le présent n'est jamais notre fin.

Le passé et le présent sont nos moyens; le seul avenir est notre fin. Ainsi nous ne vivons jamais, mais nous espérons de vivre, et nous disposant toujours à être heureux il est inévitable que nous ne le soyons jamais.

48 (366)

L'esprit de ce souverain juge du monde n'est pas si indépendant qu'il ne soit sujet à être troublé par le premier tintamarre qui se fait autour de lui. Il ne faut pas le bruit d'un canon pour empêcher ses pensées. Il ne faut que le bruit d'une girouette ou d'une poulie. Ne vous étonnez point s'il ne raisonne pas bien à présent, une mouche bourdonne à ses oreilles : c'en est assez pour le rendre incapable de bon conseil. Si vous voulez qu'il puisse trouver la vérité chassez cet animal qui tient sa raison en échec et trouble cette puissante intelligence qui gouverne les villes et les royaumes.

Le plaisant dieu, que voilà. O ridicolosissime heroe !

49 (132)

César était trop vieil, ce me semble, pour s'aller amuser à conquérir le monde. Cet amusement était bon à Auguste et à Alexandre. C'étaient des jeunes gens qu'il est difficile d'arrêter, mais César devait être plus mûr.

50 (305)

(*Raptus est*) (?)

Les Suisses s'offensent d'être dits gentilshommes et prouvent leur roture de race pour être jugés dignes des grands emplois.

51 (293)

Pourquoi me tuez-vous à votre avantage ? Je n'ai point d'armes — Et quoi ne demeurez-vous pas de l'autre côté de l'eau ? Mon ami, si vous demeuriez de ce côté je serais un assassin, et cela serait injuste de vous tuer de la sorte. Mais puisque vous demeurez de l'autre côté je suis un brave et cela est juste.

52 (388)
Le bon sens.

Ils sont contraints de dire : vous n'agissez pas de bonne foi, nous ne dormons pas, etc. Que j'aime à voir cette superbe raison humiliée et suppliante. Car ce n'est pas le langage d'un homme, à qui on dispute son droit, et qui le défend les armes et la force à la main. Il ne s'amuse pas à dire qu'on n'agit pas de bonne foi, mais il punit cette mauvaise foi par la force.

III. MISÈRE

53 (429)
Bassesse de l'homme jusqu'à se soumettre aux bêtes, jusques à les adorer.

54 (112)
Inconstance.

Les choses ont diverses qualités et l'âme diverses inclinations, car rien n'est simple de ce qui s'offre à l'âme, et l'âme ne s'offre jamais simple à aucun sujet. De là vient qu'on pleure et qu'on rit d'une même chose.

55 (111)
Inconstance.

On croit toucher des orgues ordinaires en touchant l'homme. Ce sont des orgues à la vérité, mais bizarres, changeantes, variables. (*Ceux qui ne savent toucher que les ordinaires*) ne seraient pas d'accord sur celles-là. Il faut savoir où sont les (touches).

56 (181)
Nous sommes si malheureux que nous ne pouvons prendre plaisir à une chose qu'à condition de nous fâcher si elle réussit mal, ce que mille choses peuvent faire et font à toute heure. (Qui) aurait trouvé le secret

de se réjouir du bien sans se fâcher du mal contraire aurait trouvé le point. C'est le mouvement perpétuel.

57 (379)

Il n'est pas bon d'être trop libre.

Il n'est pas bon d'avoir toutes les nécessités.

58 (332)

La Tyrannie consiste au désir de domination universel et hors de son ordre.

Diverses chambres de forts, de beaux, de bons esprits, de pieux dont chacun règne chez soi, non ailleurs. Et quelquefois ils se rencontrent et le fort et le beau se battent sottement à qui sera le maître l'un de l'autre, car leur maîtrise est de divers genre. Ils ne s'entendent pas. Et leur faute est de vouloir régner partout. Rien ne le peut, non pas même la force : elle ne fait rien au royaume des savants, elle n'est maîtresse que des actions extérieures. — Ainsi ces discours sont faux...

58 (332)

Tyrannie.

La tyrannie est de vouloir avoir par une voie ce qu'on ne peut avoir que par une autre. On rend différents devoirs aux différents mérites, devoir d'amour à l'agrément, devoir de crainte à la force, devoir de créance à la science.

On doit rendre ces devoirs-là, on est injuste de les refuser, et injuste d'en demander d'autres. Ainsi ces discours sont faux, et tyranniques : je suis beau, donc on doit me craindre, je suis fort donc on doit m'aimer, je suis... Et c'est de même être faux et tyrannique de dire : il n'est pas fort, donc je ne l'estimerai pas, il n'est pas habile, donc je ne le craindrai pas.

59 (296)

Quand il est question de juger si on doit faire la guerre et tuer tant d'hommes, condamner tant d'espagnols à la mort, c'est un homme seul qui en juge, et encore intéressé : ce devrait être un tiers indifférent.

60 (294)
(En vérité la vanité des lois il s'en délivrerait, il est donc utile de l'abuser.)

Sur quoi fondera(-t-)il l'économie du monde qu'il veut gouverner ? Sera-ce sur le caprice de chaque particulier ? Quelle confusion ! sera-ce sur la justice ? il l'ignore. Certainement s'il la connaissait il n'aurait pas établi cette maxime, la plus générale de toutes celles qui sont parmi les hommes, que chacun suive les mœurs de son pays. L'éclat de la véritable équité aurait assujetti tous les peuples. Et les législateurs n'auraient pas pris pour modèle, au lieu de cette justice constante, les fantaisies et les caprices des perses et allemands. On la verrait plantée par tous les états du monde, et dans tous les temps, au lieu qu'on ne voit rien de juste ou d'injuste qui ne change de qualité en changeant de climat, trois degrés d'élévation du pôle renversent toute la jurisprudence, un méridien décide de la vérité. En peu d'années de possession les lois fondamentales changent, le droit a ses époques, l'entrée de Saturne au Lion nous marque l'origine d'un tel crime. Plaisante justice qu'une rivière borne. Vérité au-deçà des Pyrénées, erreur au-delà.

Ils confessent que la justice n'est pas dans ces coutumes, mais qu'elle réside dans les lois naturelles communes en tout pays. Certainement ils le soutiendraient opiniâtrement si la témérité du hasard qui a semé les lois humaines en avait rencontré au moins une qui fût universelle. Mais la plaisanterie est telle que le caprice des hommes s'est si bien diversifié qu'il n'y en a point.

Le larcin, l'inceste, le meurtre des enfants et des pères, tout a eu sa place entre les actions vertueuses. Se peut-il rien de plus plaisant qu'un homme ait droit de me tuer parce qu'il demeure au-delà de l'eau et que son prince a querelle contre le mien, quoique je n'en aie aucune avec lui.

Il y a sans doute des lois naturelles, mais cette belle raison corrompue a tout corrompu. *Nihil amplius noſtrum eſt, quod noſtrum dicimus artis eſt. Ex senatus-consultis et plebiscitis crimina exercentur. Ut olim vitiis sic nunc legibus laboramus.*

De cette confusion arrive que l'un dit que l'essence de la juſtice eſt l'autorité du législateur, l'autre la commodité du souverain, l'autre la coutume présente, et c'eſt le plus sûr. Rien suivant la seule raison n'eſt juſte de soi, tout branle avec le temps. La coutume (eſt) toute l'équité, par cette seule raison qu'elle eſt reçue. C'eſt le fondement myſtique de son autorité. Qui la ramènera à son principe l'anéantit. Rien n'eſt si fautif que ces lois qui redressent les fautes. Qui leur obéit parce qu'elles sont juſtes, obéit à la juſtice qu'il imagine, mais non pas à l'essence de la loi. Elle eſt toute ramassée en soi. Elle eſt loi et rien davantage. Qui voudra en examiner le motif le trouvera si faible et si léger que s'il n'eſt accoutumé à contempler les prodiges de l'imagination humaine, il admirera qu'un siècle lui ait tant acquis de pompe et de révérence. L'art de fronder, bouleverser les états eſt d'ébranler les coutumes établies en sondant jusque dans leur source pour marquer leur défaut d'autorité et de juſtice. Il faut, dit-on, recourir aux lois fondamentales et primitives de l'état qu'une coutume injuſte a abolies. C'eſt un jeu sûr pour tout perdre; rien ne sera juſte à cette balance. Cependant le peuple prête aisément l'oreille à ces discours, ils secouent le joug dès qu'ils le reconnaissent, et les grands en profitent à sa ruine, et à celle de ces curieux examinateurs des coutumes reçues. C'eſt pourquoi le plus sage des législateurs disait que pour le bien des hommes, il faut souvent les piper, et un autre bon politique, *Cum veritatem qua liberetur ignoret, expedit quod fallatur.* Il ne faut pas qu'il sente la vérité de l'usurpation, elle a été introduite autrefois sans raison, elle eſt devenue raisonnable. Il faut la faire regarder comme authentique, éternelle et en cacher le commencement, si on ne veut qu'elle ne prenne bientôt fin.

61 (309)
Justice.
Comme la mode fait l'agrément aussi fait-elle la justice.

62 (177)
(*Trois hostes*)
Qui aurait eu l'amitié du roi d'Angleterre, du roi de Pologne et de la reine de Suède, aurait-il cru manquer de retraite et d'asile au monde ?

63 (151)
La gloire.
L'admiration gâte tout dès l'enfance. O que cela est bien dit ! ô qu'il a bien fait, qu'il est sage, etc.
Les enfants de P. R. auxquels on ne donne point cet aiguillon d'envie et de gloire tombent dans la nonchalance.

64 (295)
Mien, tien.
Ce chien est à moi, disaient ces pauvres enfants. C'est là ma place au soleil. Voilà le commencement et l'image de l'usurpation de toute la terre.

65 (115)
Diversité.
La théologie est une science, mais en même temps combien est-ce de sciences ? Un homme est un suppôt, mais si on l'anatomise que sera-ce ? la tête, le cœur, l'estomac, les veines, chaque veine, chaque portion de veine, le sang, chaque humeur de sang.
Une ville, une campagne, de loin c'est une ville et une campagne, mais à mesure qu'on s'approche, ce sont des maisons, des arbres, des tuiles, des feuilles, des herbes, des fourmis, des jambes de fourmis, à l'infini. Tout cela s'enveloppe sous le nom campagne.

66 (326)
Injustice.
Il est dangereux de dire au peuple que les lois ne

sont pas justes, car il n'y obéit qu'à cause qu'il les croit justes. C'est pourquoi il faut lui dire en même temps qu'il y faut obéir parce qu'elles sont lois, comme il faut obéir aux supérieurs non pas parce qu'ils sont justes, mais parce qu'ils sont supérieurs. Par là voilà toute sédition prévenue, si on peut faire entendre cela et que proprement (c'est) la définition de la justice.

67 (879)
Injustice.
La juridiction ne se donne pas pour (le) juridiciant mais pour le juridicié : il est dangereux de le dire au peuple, mais le peuple a trop de croyance en vous ; cela ne lui nuira pas et peut vous servir. Il faut donc le publier. *Pasce oves meas* non *tuas*. Vous me devez pâture.

68 (205)
Quand je considère la petite durée de ma vie absorbée dans l'éternité précédente et suivante — *memoria hospitis unius diei praetereuntis* — le petit espace que je remplis et même que je vois abîmé dans l'infinie immensité des espaces que j'ignore et qui m'ignorent, je m'effraye et m'étonne de me voir ici plutôt que là, car il n'y a point de raison pourquoi ici plutôt que là, pourquoi à présent plutôt que lors. Qui m'y a mis ? Par l'ordre et la conduite de qui ce lieu et ce temps a(-t-)il été destiné à moi ?

69 (174 *bis*)
Misère.
Job et Salomon.

70 (165 *bis*)
Si notre condition était véritablement heureuse il ne faudrait pas nous divertir d'y penser.

71 (405)
Contradiction.
Orgueil contrepesant toutes les misères, ou il cache ses misères, ou il les découvre; il se glorifie de les connaître.

72 (66)

Il faut se connaître soi-même. Quand cela ne servirait pas à trouver le vrai cela au moins sert à régler sa vie, et il n'y a rien de plus juste.

73 (110)

Le sentiment de la fausseté des plaisirs présents et l'ignorance de la vanité des plaisirs absents cause l'inconstance.

74 (454)

Injustice.

Ils n'ont point trouvé d'autre moyen de satisfaire leur concupiscence sans faire tort aux autres.

Job et Salomon.

75 (389)

L'Ecclésiaste montre que l'homme sans Dieu est dans l'ignorance de tout et dans un malheur inévitable, car c'est être malheureux que de vouloir et ne pouvoir. Or il veut être heureux et assuré de quelque vérité. Et cependant il ne peut ni savoir ni ne désirer point de savoir. Il ne peut même douter.

76 (73)

13. *(Mais peut-être que ce sujet passe la portée de la raison. Examinons donc ses inventions sur les choses de sa force. S'il y a quelque chose où son intérêt propre ait dû la faire appliquer de son plus sérieux c'est à la recherche de son souverain bien. Voyons donc où ces âmes fortes et clairvoyantes l'ont placé. Et si elles en sont d'accord.*

L'un dit que le souverain bien est en la vertu, l'autre le met en la volupté, l'autre à suivre la nature, l'autre en la vérité — felix qui potuit rerum cognoscere causas, — l'autre à l'ignorance totale, l'autre en l'indolence, d'autres à résister aux apparences, l'autre à n'admirer rien — nihil mirari prope res una quae possit facere et servare beatum —, et les braves pyrrhoniens en leur ataraxie, doute et suspension perpétuelle. Et d'autres plus sages qu'on ne le peut trouver, non pas même par souhait. Nous voilà bien payés.

Transposer après les lois article suivant

> *Si faut-il voir si cette belle phi-*
> *losophie n'a rien acquis de certain*
> *par un travail si long et si tendu,*
> *peut-être qu'au moins l'âme se*
> *connaîtra soi-même. Ecoutons les*
> *régents du monde sur ce sujet.*
> *Qu'ont-ils pensé de sa substance ?*
> 395
> *Ont-ils été plus heureux à la loger ?*
> 395
> *Qu'ont-ils trouvé de son origine,*
> *de sa durée et de son départ ?*
> 399.)

(Est-ce donc que l'âme est encore un sujet trop noble pour ses faibles lumières ? abaissons-la donc à la matière. Voyons si elle sait de quoi est fait le propre corps qu'elle anime et les autres qu'elle contemple et qu'elle remue à son gré.

Qu'en ont-ils connu ces grands dogmatistes qui n'ignorent rien.

393
Harum sententiarum.

Cela suffirait sans doute si la raison était raisonnable. Elle l'est bien assez pour avouer qu'elle n'a pu encore trouver rien de ferme. Mais elle ne désespère pas encore d'y arriver ; au contraire elle est aussi ardente que jamais dans cette recherche et s'assure d'avoir en soi les forces nécessaires pour cette conquête.

Il faut donc l'achever et après avoir examiné ses puissances dans leurs effets, reconnaissons-les en elles-mêmes. Voyons si elle a quelques forces et quelques prises capables de saisir la vérité.)

IV. ENNUI

77 (152)
Orgueil.

Curiosité n'est que vanité. Le plus souvent on ne veut savoir que pour en parler, autrement on ne voyagerait pas sur la mer pour ne jamais en rien dire et pour le seul plaisir de voir, sans espérance d'en jamais communiquer.

78 (126)
Description de l'homme.
Dépendance, désir d'indépendance, besoins.

79 (128)
L'ennui qu'on a de quitter les occupations où l'on s'est attaché. Un homme vit avec plaisir en son ménage; qu'il voie une femme qui lui plaise, qu'il joue 5 ou 6 jours avec plaisir, le voilà misérable s'il retourne à sa première occupation. Rien n'est plus ordinaire que cela.

V. RAISONS DES EFFETS.

80 (317)
Le respect est : Incommodez-vous.
Cela est vain en apparence mais très juste, car c'est dire : je m'incommoderais bien si vous en aviez besoin, puisque je le fais bien sans que cela vous serve, outre que le respect est pour distinguer les grands. Or si le respect était d'être en fauteuil on respecterait tout le monde et ainsi on ne distinguerait pas. Mais étant incommodé on distingue fort bien.

81 (299)
Les seules règles universelles sont les lois du pays aux choses ordinaires et la pluralité aux autres. D'où vient cela ? de la force qui y est.
Et de là vient que les rois qui ont la force d'ailleurs ne suivent pas la pluralité de leurs ministres.
Sans doute l'égalité des biens est juste mais
Ne pouvant faire qu'il soit force d'obéir à la justice on a fait qu'il soit juste d'obéir à la force. Ne pouvant fortifier la justice on a justifié la force, afin que le juste et le fort fussent ensemble et que la paix fût, qui est le souverain bien.

82 (271) La sagesse nous envoie à l'enfance. *Nisi efficiamini sicut parvuli.*

83 (327)
Le monde juge bien des choses, car il est dans l'ignorance naturelle qui est le vrai siège de l'homme. Les sciences ont deux extrémités qui se touchent, la première est la pure ignorance naturelle où se trouvent tous les hommes en naissant, l'autre extrémité est celle où arrivent les grandes âmes qui ayant parcouru tout ce que les hommes peuvent savoir trouvent qu'ils ne savent rien et se rencontrent en cette même ignorance d'où ils étaient partis, mais c'est une ignorance savante qui se connaît. Ceux d'entre deux qui sont sortis de l'ignorance naturelle et n'ont pu arriver à l'autre, ont quelque teinture de cette science suffisante, et font les entendus. Ceux-là troublent le monde et jugent mal de tout.

Le peuple et les habiles composent le train du monde; ceux-là le méprisent et sont méprisés. Ils jugent mal de toutes choses, et le monde en juge bien.

84 (79)
(*Descartes.*
Il faut dire en gros : cela se fait par figure et mouvement. Car cela est vrai, mais de dire quelles et composer la machine, cela est ridicule. Car cela est inutile et incertain et pénible. Et quand cela serait vrai, nous n'estimons pas que toute la philosophie vaille une heure de peine.)

85 (878)
Summum jus, summa injuria.

La pluralité est la meilleure voie parce qu'elle est visible et qu'elle a la force pour se faire obéir. Cependant c'est l'avis des moins habiles.

Si l'on avait pu l'on aurait mis la force entre les mains de la justice, mais comme la force ne se laisse pas manier comme on veut parce que c'est une qualité palpable, au lieu que la justice est une qualité spiri-

tuelle dont on dispose comme on veut. On l'a mise
entre les mains de la force et ainsi on appelle juste
ce qu'il est force d'observer.

(De là) Vient le droit de l'épée, car l'épée donne
un véritable droit.

Autrement on verrait la violence d'un côté et la
justice de l'autre. Fin de la 12 provinciale.

De là vient l'injustice de la Fronde, qui élève sa
prétendue justice contre la force.

Il n'en est pas de même dans l'Église, car il y a
une justice véritable et nulle violence.

86 (297)
Veri juris. Nous n'en avons plus. Si nous en avions
nous ne prendrions pas pour règle de justice de suivre
les mœurs de son pays.

C'est là que ne pouvant trouver le juste on a trouvé
le fort, etc.

87 (307)
Le chancelier est grave et revêtu d'ornements.
Car son poste est faux et non le roi. Il a la force,
il n'a que faire de l'imagination. Les juges, médecins,
etc., n'ont que l'imagination.

88 (302)
C'est l'effet de la force, non de la coutume, car ceux
qui sont capables d'inventer sont rares. Les plus forts
en nombre ne veulent que suivre et refusent la gloire
à ces inventeurs qui la cherchent par leurs inventions
et s'ils s'obstinent à la vouloir obtenir et mépriser ceux
qui n'inventent pas, les autres leur donneront des
noms ridicules, leur donneraient des coups de bâton.
Qu'on ne se pique donc pas de cette subtilité, ou qu'on
se contente en soi-même.

89 (315)
Raison des effets.
Cela est admirable : on ne veut pas que j'honore

un homme vêtu de brocatelle et suivi de sept ou 8 laquais. Et quoi ! il me fera donner des étrivières si je ne le salue. Cet habit c'est une force. C'est bien de même qu'un cheval bien enharnaché à l'égard d'un autre. Montaigne est plaisant de ne pas voir qu'elle différence il y a et d'admirer qu'on y en trouve et d'en demander la raison. De vrai, dit-il, d'où vient, etc.

90 (337)
Raison des effets.

Gradation. Le peuple honore les personnes de grande naissance, les demi-habiles les méprisent disant que la naissance n'est pas un avantage de la personne mais du hasard. Les habiles les honorent, non par la pensée du peuple mais par la pensée de derrière. Les dévots qui ont plus de zèle que de science les méprisent malgré cette considération qui les fait honorer par les habiles, parce qu'ils en jugent par une nouvelle lumière que la piété leur donne, mais les chrétiens parfaits les honorent par un(e) autre lumière supérieure.

Ainsi se vont les opinions succédant du pour au contre selon qu'on a de lumière.

91 (336)
Raison des effets.

Il faut avoir une pensée de derrière, et juger de tout par là, en parlant cependant comme le peuple.

92 (335)
Raison des effets.

Il est donc vrai de dire que tout le monde est dans l'illusion, car encore que les opinions du peuple soient saines, elles ne le sont pas dans sa tête, car il pense que la vérité est où elle n'est pas. La vérité est bien dans leurs opinions, mais non pas au point où ils se figurent. Il est vrai qu'il faut honorer les gentilshommes, mais non pas parce que la naissance est un avantage effectif, etc.

93 (328)
Raison des effets.

Renversement continuel du pour au contre.

Nous avons donc montré que l'homme est vain par l'estime qu'il fait des choses qui ne sont point essentielles. Et toutes ces opinions sont détruites.

Nous avons montré ensuite que toutes ces opinions sont très saines, et qu'ainsi toutes ces vanités étant très bien fondées, le peuple n'est pas si vain qu'on dit. Et ainsi nous avons détruit l'opinion qui détruisait celle du peuple.

Mais il faut détruire maintenant cette dernière proposition et montrer qu'il demeure toujours vrai que le peuple est vain, quoique ses opinions soient saines, parce qu'il n'en sent pas la vérité où elle est et que la mettant où elle n'est pas, ses opinions sont toujours très fausses et très malsaines.

94 (313)
Opinions du peuple saines.

Le plus grand des maux est les guerres civiles.

Elles sont sûres si on veut récompenser les mérites, car tous diront qu'ils méritent. Le mal à craindre d'un sot qui succède par droit de naissance n'est ni si grand, ni si sûr.

95 (316)
Opinions du peuple saines.

Être brave n'est pas trop vain, car c'est montrer qu'un grand nombre de gens travaillent pour soi. C'est montrer par ses cheveux qu'on a un valet de chambre, un parfumeur, etc., par son rabat, le fil, le passement, etc. Or ce n'est pas une simple superficie, ni un simple harnais d'avoir plusieurs bras.

Plus on a de bras, plus on est fort. Etre brave c'est montrer sa force.

96 (329)
Raison des effets.

La faiblesse de l'homme est la cause de tant de beautés qu'on établit, comme de savoir bien jouer du luth n'est un mal qu'à cause de notre faiblesse.

97 (334)
Raison des effets.

La concupiscence et la force sont les sources de toutes nos actions. La concupiscence fait les volontaires, la force les involontaires.

98 (80)
D'où vient qu'un boiteux ne nous irrite pas et un esprit boiteux nous irrite ? A cause qu'un boiteux reconnaît que nous allons droit et qu'un esprit boiteux dit que c'est nous qui boitons. Sans cela nous en aurions pitié et non colère.

Épictète demande bien plus fortement : pourquoi ne nous fâchons-nous pas si on dit que nous avons mal à la tête, et que nous nous fâchons de ce qu'on dit que nous raisonnons mal ou que nous choisissons mal.

99 (80 et 536)
Ce qui cause cela est que nous sommes bien certains que nous n'avons pas mal à la tête, et que nous ne sommes pas boiteux, mais nous ne sommes pas si assurés que nous choisissons le vrai. De sorte que n'en ayant d'assurance qu'à cause que nous le voyons de toute notre vue, quand un autre voit de toute sa vue le contraire, cela nous met en suspens et nous étonne. Et encore plus quand mille autres se moquent de notre choix, car il faut préférer nos lumières à celles de tant d'autres. Et cela est hardi et difficile. Il n'y a jamais cette contradiction dans les sens touchant un boiteux.

L'homme est ainsi fait qu'à force de lui dire qu'il est un sot il le croit. Et à force de se le dire à soi-même on se le fait croire, car l'homme fait lui seul une conversation inférieure, qu'il importe de bien régler. *Corrumpunt bonos mores colloquia prava.* Il faut se tenir en silence autant qu'on peut et ne s'entretenir que de

Dieu qu'on sait être la vérité, et ainsi on se le persuade à soi-même.

100 (467)
Raison des effets.
Épictète. Ceux qui disent : vous (avez) mal à la tête, ce n'est pas de même. On est assuré de la santé, et non pas de la justice, et en effet la sienne était une niaiserie.
Et cependant il la croyait démontrer en disant ou en notre puissance ou non.
Mais il ne s'apercevait pas qu'il n'est pas en notre pouvoir de régler le cœur, et il avait tort de le conclure de ce qu'il y avait des chrétiens.

101 (324)
Le peuple a les opinions très saines. Par exemple.
1. D'avoir choisi le divertissement, et la chasse plutôt que la prise. Les demi-savants s'en moquent et triomphent à montrer là-dessus la folie du monde, mais par une raison qu'ils ne pénètrent pas. On a raison :
2. D'avoir distingué les hommes par le dehors, comme par la noblesse ou le bien. Le monde triomphe encore à montrer combien cela est déraisonnable. Mais cela est très raisonnable. Cannibales se rient d'un enfant roi.
3. De s'offenser pour avoir reçu un soufflet ou de tant désirer la gloire, mais cela est très souhaitable à cause des autres biens essentiels qui y sont joints. Et un homme qui a reçu un soufflet sans s'en ressentir est accablé d'injures et de nécessités.
4. Travailler pour l'incertain, aller sur mer, passer sur une planche.

102 (759)
(*Il faut que les Juifs ou les Chrétiens soient méchants.*)

103 (298)
+ Justice, force.
Il est juste que ce qui est juste soit suivi; il est

nécessaire que ce qui est le plus fort soit suivi.

La justice sans la force est impuissante, la force sans la justice est tyrannique.

La justice sans force est contredite, parce qu'il y a toujours des méchants. La force sans la justice est accusée. Il faut donc mettre ensemble la justice et la force, et pour cela faire que ce qui est juste soit fort ou que ce qui est fort soit juste.

La justice est sujette à dispute. La force est très reconnaissable et sans dispute. Aussi on n'a pu donner la force à la justice, parce que la force a contredit la justice et a dit qu'elle était injuste, et a dit que c'était elle qui était juste.

Et ainsi ne pouvant faire que ce qui est juste fût fort on a fait que ce qui est fort fût juste.

104 (322)

Que la noblesse est un grand avantage qui dès 18 ans met un homme en passe, connu et respecté comme un autre pourrait avoir mérité à 50 ans. C'est 30 ans gagnés sans peine.

VI. GRANDEUR

105 (342)

Si un animal faisait par esprit ce qu'il fait par instinct, et s'il parlait par esprit ce qu'il parle par instinct pour la chasse et pour avertir ses camarades que la proie est trouvée ou perdue, il parlerait bien aussi pour des choses où il a plus d'affection, comme pour dire : rongez cette corde qui me blesse et où je ne puis atteindre.

106 (403)

Grandeur.

Les raisons des effets marquent la grandeur de l'homme, d'avoir tiré de la concupiscence un si bel ordre.

107 (343)
Le bec du perroquet qu'il essuie, quoiqu'il **soit** net.

108 (339 *bis*)
Qu'est-ce qui sent du plaisir en nous? Est-ce la main, est-ce le bras, est-ce la chair, est-ce le sang? On verra qu'il faut que ce soit quelque chose d'immatériel.

109 (392)
Contre le pyrrhonisme.
(*C'est donc une chose étrange qu'on ne peut définir ces choses sans les obscurcir. Nous en parlons à toute heure.*) Nous supposons que tous les conçoivent de même sorte. Mais nous le supposons bien gratuitement, car nous n'en avons aucune preuve. Je vois bien qu'on applique ces mots dans les mêmes occasions, et que toutes les fois que deux hommes voient un corps changer de place ils expriment tous deux la vue de ce même objet par le même mot, en disant l'un et l'autre qu'il s'est mû, et de cette conformité d'application on tire une puissante conjecture d'une conformité d'idée, mais cela n'est pas absolument convaincant de la dernière conviction quoiqu'il y ait bien à parier pour l'affirmative, puisqu'on sait qu'on tire souvent les mêmes conséquences des suppositions différentes.

Cela suffit pour embrouiller au moins la matière, non que cela éteigne absolument la clarté naturelle qui nous assure de ces choses. Les académiciens auraient gagé, mais cela la ternit et trouble les dogmatistes, à la gloire de la cabale pyrrhonienne qui consiste à cette ambiguïté ambiguë, et dans une certaine obscurité douteuse dont nos doutes ne peuvent ôter toute la clarté, ni nos lumières naturelles en chasser toutes les ténèbres.

[Verso 109-213] (*la moin*)*dre chose est de cette nature. Dieu est le commencement et la fin. Eccl.*)
1. La raison.

110 (282)

Nous connaissons la vérité non seulement par la raison mais encore par le cœur. C'est de cette dernière sorte que nous connaissons les premiers principes et c'est en vain que le raisonnement, qui n'y a point de part essaie de les combattre. Les pyrrhoniens, qui n'ont que cela pour objet, y travaillent inutilement. Nous savons que nous ne rêvons point. Quelque impuissance où nous soyons de le prouver par raison, cette impuissance ne conclut autre chose que la faiblesse de notre raison, mais non pas l'incertitude de toutes nos connaissances, comme ils le prétendent. Car l(es) connaissances des premiers principes : espace, temps, mouvement, nombres, sont aussi fermes qu'aucune de celles que nos raisonnements nous donnent et c'est sur ces connaissances du cœur et de l'instinct qu'il faut que la raison s'appuie et qu'elle y fonde tout son discours. Le cœur sent qu'il y a trois dimensions dans l'espace et que les nombres sont infinis et la raison démontre ensuite qu'il n'y a point deux nombres carrés dont l'un soit double de l'autre. Les principes se sentent, les propositions se concluent et le tout avec certitude quoique par différentes voies — et il est aussi inutile et aussi ridicule que la raison demande au cœur des preuves de ses premiers principes pour vouloir y consentir, qu'il serait ridicule que le cœur demandât à la raison un sentiment de toutes les propositions qu'elle démontre pour vouloir les recevoir.

Cette impuissance ne doit donc servir qu'à humilier la raison — qui voudrait juger de tout — mais non pas à combattre notre certitude. Comme s'il n'y avait que la raison capable de nous instruire, plût à Dieu que nous n'en eussions au contraire jamais besoin et que nous connussions toutes choses par instinct et par sentiment, mais la nature nous a refusé ce bien; elle ne nous a au contraire donné que très peu de connaissances de cette sorte; toutes les autres ne peuvent être acquises que par raisonnement.

Et c'est pourquoi ceux à qui Dieu a donné la religion par sentiment de cœur sont bienheureux et bien légitimement persuadés, mais ceux qui ne l'ont pas nous ne pouvons la donner que par raisonnement, en attendant que Dieu la leur donne par sentiment de cœur, sans quoi la foi n'est qu'humaine et inutile pour le salut.

111 (339)
Je puis bien concevoir un homme sans mains, pieds, tête, car ce n'est que l'expérience qui nous apprend que la tête est plus nécessaire que les pieds. Mais je ne puis concevoir l'homme sans pensée. Ce serait une pierre ou une brute.

112 (344)
Instinct et raison, marques de deux natures.

113 (348)
Roseau pensant.

Ce n'est point de l'espace que je dois chercher ma dignité, mais c'est du règlement de ma pensée. Je n'aurai point d'avantage en possédant des terres. Par l'espace l'univers me comprend et m'engloutit comme un point : par la pensée je le comprends.

114 (397)
La grandeur de l'homme est grande en ce qu'il se connaît misérable; un arbre ne se connaît pas misérable.

C'est donc être misérable que de (se) connaître misérable, mais c'est être grand que de connaître qu'on est misérable.

115 (349)
Immatérialité de l'âme.

Les philosophes qui ont dompté leurs passions, quelle matière l'a pu faire ?

116 (398)

Toutes ces misères-là même prouvent sa grandeur. Ce sont misères de grand seigneur. Misères d'un roi dépossédé.

117 (409)

La grandeur de l'homme.

La grandeur de l'homme est si visible qu'elle se tire même de sa misère, car ce qui est nature aux animaux nous l'appelons misère en l'homme par où nous reconnaissons que sa nature étant aujourd'hui pareille à celle des animaux il est déchu d'une meilleure nature qui lui était propre autrefois.

Car qui se trouve malheureux de n'être pas roi sinon un roi dépossédé. Trouvait-on Paul Émile malheureux de n'être pas consul ? au contraire tout le monde trouvait qu'il était heureux de l'avoir été, parce que sa condition n'était pas de l'être toujours. Mais on trouvait Persée si malheureux de n'être plus roi, parce que sa condition était de l'être toujours qu'on trouvait étrange de ce qu'il supportait la vie. Qui se trouve malheureux de n'avoir qu'une bouche et qui ne se trouverait malheureux de n'avoir qu'un œil ? On ne s'est peut-être jamais avisé de s'affliger de n'avoir pas trois yeux, mais on est inconsolable de n'en point avoir.

118 (402)

Grandeur de l'homme dans sa concupiscence même, d'en avoir su tirer un règlement admirable et en avoir fait un tableau de charité.

VII. CONTRARIÉTÉS

119 (423)

Contrariétés. Après avoir montré la bassesse et la grandeur de l'homme. Que l'homme maintenant s'estime son prix. Qu'il s'aime, car il y a en lui une nature capable de bien; mais qu'il n'aime pas pour cela les bassesses qui y sont. Qu'il se méprise, parce que cette capacité est vide; mais qu'il ne méprise pas pour cela cette capacité naturelle. Qu'il se haïsse, qu'il s'aime : il a en lui la capacité de connaître la vérité et d'être heureux; mais il n'a point de vérité, ou constante, ou satisfaisante.

Je voudrais donc porter l'homme à désirer d'en trouver, à être prêt et dégagé des passions, pour la suivre où il la trouvera, sachant combien sa connaissance s'est obscurcie par les passions; je voudrais bien qu'il haït en soi la concupiscence qui le détermine d'elle-même, afin qu'elle ne l'aveuglât point pour faire son choix, et qu'elle ne l'arrêtât point quand il aura choisi.

120 (148)

Nous sommes si présomptueux que nous voudrions être connus de toute la terre et même des gens qui viendront quand nous ne serons plus. Et nous sommes si vains que l'estime de 5 ou 6 personnes qui nous environnent nous amuse et nous contente.

121 (418)

Il est dangereux de trop faire voir à l'homme combien il est égal aux bêtes, sans lui montrer sa grandeur. Et il est encore dangereux de lui trop faire voir sa grandeur sans sa bassesse. Il est encore plus dangereux de lui laisser ignorer l'un et l'autre, mais il est très avantageux de lui représenter l'un et l'autre.

Il ne faut pas que l'homme croie qu'il est égal aux bêtes ni aux anges, ni qu'il ignore l'un et l'autre, mais qu'il sache l'un et l'autre.

122 (416)

APR. Grandeur et Misère.

La misère se concluant de la grandeur et la grandeur de la misère, les uns ont conclu la misère d'autant plus qu'ils en ont pris pour preuve la grandeur, et les autres concluant la grandeur avec d'autant plus de force qu'ils l'ont conclue de la misère même.

Tout ce que les uns ont pu dire pour montrer la grandeur n'a servi que d'un argument aux autres pour conclure la misère, puisque c'est être (d')autant plus misérable qu'on est tombé de plus haut, et les autres au contraire. Ils se sont portés les uns sur les autres, par un cercle sans fin, étant certain qu'à mesure que les hommes ont de lumière ils trouvent et grandeur et misère en l'homme. En un mot l'homme connaît qu'il est misérable. Il est donc misérable puisqu'il l'est, mais il est bien grand puisqu'il le connaît.

123 (157)
Contradiction, mépris de notre être, mourir pour rien, haine de notre être.

124 (125)
Contrariétés.
L'homme est naturellement crédule, incrédule, timide, téméraire.

125 (92)
Qu'est-ce que nos principes naturels sinon nos principes accoutumés. Et dans les enfants ceux qu'ils ont reçus de la coutume de leurs pères comme la chasse dans les animaux.
Une différente coutume en donnera d'autres principes naturels. Cela se voit par expérience et s'il y en a d'ineffaçables, à la coutume. Il y en a aussi de la coutume contre la nature ineffaçables à la nature et à une seconde coutume. Cela dépend de la disposition.

126 (93)
Les pères craignent que l'amour naturel des enfants ne s'efface. Quelle est donc cette nature sujette à être effacée.
La coutume est une seconde nature qui détruit la première. Mais qu'est-ce que nature ? pourquoi la coutume n'est-elle pas naturelle ? J'ai grand peur que cette nature ne soit elle-même qu'une première coutume, comme la coutume est une seconde nature.

127 (415)
La nature de l'homme se considère en deux manières,
l'une selon la fin, et alors il est grand et incomparable;
l'autre selon la multitude, comme on juge de la nature
du cheval et du chien par la multitude, d'y voir la
course *et animum arcendi*, et alors l'homme est abject
et vil. Et voilà les deux voies qui en font juger diversement et qui font tant disputer les philosophes.

Car l'un nie la supposition de l'autre. L'un dit :
il n'est point né à cette fin, car toutes ses actions y
répugnent, l'autre dit : il s'éloigne de la fin quand il
fait ces basses actions.

128 (396)
Deux choses instruisent l'homme de toute sa nature :
l'instinct et l'expérience.

129 (116)
Métier. Pensées.
Tout est un, tout est divers.
Que de natures en celle de l'homme. Que de vaca-
tions. Et par quel hasard chacun prend d'ordinaire
ce qu'il a ouï estimé. Talon bien tourné.

130 (420)
S'il se vante je l'abaisse.
S'il s'abaisse je le vante.
Et le contredis toujours.
Jusqu'à ce qu'il comprenne
Qu'il est un monstre incompréhensible.

131 (434)
Les principales forces des pyrrhoniens, je laisse
les moindres, sont que nous n'avons aucune certitude de la vérité de ces principes, hors la foi et la
révélation, sinon en (ce) que nous les sentons naturellement en nous. Or ce sentiment naturel n'est pas
une preuve convaincante de leur vérité, puisque n'y
ayant point de certitude hors la foi, si l'homme est
créé par un dieu bon, par un démon méchant ou à

l'aventure il est en doute si ces principes nous sont donnés ou véritables, ou faux, ou incertains selon notre origine.

De plus que personne n'a d'assurance, hors de la foi — s'il veille ou s'il dort, vu que durant le sommeil on croit veiller aussi fermement que nous faisons. Comme on rêve souvent, qu'on rêve entassant un songe sur l'autre. Ne se peut-il faire que cette moitié de la vie n'est elle-même qu'un songe, sur lequel les autres sont entés, dont nous nous éveillons à la mort, pendant laquelle nous avons aussi peu les principes du vrai et du bien que pendant le sommeil naturel. Tout cet écoulement du temps, de la vie, et ces divers corps que nous sentons, ces différentes pensées qui nous y agitent n'étant peut-être que des illusions pareilles à l'écoulement du temps et aux vains fantômes de nos songes. On croit voir les espaces, les figures, les mouvements, on sent couler le temps, on le mesure, et enfin on agit de même qu'éveillé. De sorte que la moitié de la vie se passant en sommeil, par notre propre aveu ou quoi qu'il nous en paraisse. Nous n'avons aucune idée du vrai, tous nos sentiments étant alors des illusions. Qui sait si cette autre moitié de la vie où nous pensons veiller n'est pas un autre sommeil un peu différent du premier. (*Et qui doute sur lequel nos songes sont entés comme notre sommeil paraît — dont nous nous éveillons quand nous pensons dormir — et qui doute que si on rêvait en compagnie et que par hasard les songes s'accordassent ce qui est — assez — ordinaire et qu'on veillât en solitude on ne crût les choses renversées.*)

Voilà les principales forces de part et d'autre, je laisse les moindres comme les discours qu'ont faits les pyrrhoniens contre les impressions de la coutume, de l'éducation, des mœurs des pays, et les autres choses semblables qui quoiqu'elles entraînent la plus grande partie des hommes communs qui ne dogmatisent que sur ces vains fondements sont renversés par le moindre souffle des pyrrhoniens. On n'a qu'à voir leurs livres; si l'on n'en est pas assez persuadé on le deviendra bien vite, et peut-être trop.

Je m'arrête à l'unique fort des dogmatistes qui est qu'en parlant de bonne foi et sincèrement on ne peut douter des principes naturels.

Contre quoi les pyrrhoniens opposent, en un mot, l'incertitude de notre origine qui enferme celle de notre nature. A quoi les dogmatistes sont encore à répondre depuis que le monde dure.

(*Qui voudra s'éclaircir plus au long du pyrrhonisme voie leurs livres. Il en sera bientôt persuadé et peut-être trop.*)

Voilà la guerre ouverte entre les hommes, où il faut que chacun prenne parti, et se range nécessairement ou au dogmatisme ou au pyrrhonisme. Car qui pensera demeurer neutre sera pyrrhonien par excellence. Cette neutralité est l'essence de la cabale. Qui n'est pas contre eux est excellemment pour eux : en quoi paraît leur avantage. Ils ne sont pas pour eux-mêmes, ils sont neutres, indifférents, suspendus à tout sans s'excepter.

Que fera donc l'homme en cet état ? doutera(-t-)il de tout, doutera(-t-)il s'il veille, si on le pince, si on le brûle, doutera(-t-)il s'il doute, doutera(-t-)il s'il est.

On n'en peut venir là, et je mets en fait qu'il n'y a jamais eu de pyrrhonien effectif parfait. La nature soutient la raison impuissante et l'empêche d'extravaguer jusqu'à ce point.

Dira(-t-)il donc au contraire qu'il possède certainement la vérité lui qui, si peu qu'on le pousse, ne peut en montrer aucun titre et est forcé de lâcher prise.

Quelle chimère est-ce donc que l'homme ? quelle nouveauté, quel monstre, quel chaos, quel sujet de contradictions, quel prodige ? Juge de toutes choses, imbécile ver de terre, dépositaire du vrai, cloaque d'incertitude et d'erreur, gloire et rebut de l'univers.

Qui démêlera cet embrouillement ? (*Certainement cela passe le dogmatisme et pyrrhonisme, et toute la philosophie humaine. L'homme passe l'homme. Qu'on accorde donc aux pyrrhoniens ce qu'ils ont tant crié, que la vérité n'est pas de notre portée, ni de notre gibier, qu'elle ne demeure pas en terre, qu'elle est domestique du ciel, qu'elle loge dans le sein de Dieu, et que l'on ne la peut connaître qu'à mesure qu'il lui plaît de la révéler. Apprenons donc de la vérité incréée et incarnée notre véritable nature.*

On ne peut éviter en cherchant la vérité par la raison, l'une de ces trois sectes — On ne peut être pyrrhonien ni académicien sans étouffer la nature, on ne peut être dogmatiste sans renoncer à la raison. —

La nature confond les pyrrhoniens (*et les académiciens*) et la raison confond les dogmatiques. Que deviendrez-vous donc, ô homme qui cherchez quelle est votre véritable condition par votre raison naturelle, vous ne pouvez fuir une de ces (*trois*) sectes ni subsister dans aucune.

Connaissez donc, superbe, quel paradoxe vous êtes à vous-même. Humiliez-vous, raison impuissante ! Taisez-vous nature imbécile, apprenez que l'homme passe infiniment l'homme et entendez de votre maître votre condition véritable que vous ignorez.

Écoutez Dieu.

(*N'est-il donc pas clair comme le jour que la condition de l'homme est double ?*) Car enfin si l'homme n'avait jamais été corrompu il jouirait dans son innocence et de la vérité et de la félicité avec assurance. Et si l'homme n'avait jamais été que corrompu il n'aurait aucune idée ni de la vérité, ni de la béatitude. Mais malheureux que nous sommes et plus que s'il n'y avait point de grandeur dans notre condition, nous avons une idée du bonheur et nous ne pouvons y arriver. Nous sentons une image de la vérité et ne possédons que le mensonge. Incapables d'ignorer absolument et de savoir certainement, tant il est manifeste que nous avons été dans un degré de perfection dont nous sommes malheureusement déchus.

(*Concevons donc que la condition de l'homme est double.*)

(*Concevons donc que l'homme passe infiniment l'homme, et qu'il était inconcevable à soi-même sans le secours de la foi. Car qui ne voit que sans la connaissance de cette double condition de la nature on était dans une ignorance invincible de la vérité de sa nature.*)

Chose étonnante cependant que le mystère le plus

éloigné de notre connaissance qui est celui de la transmission du péché soit une chose sans laquelle nous ne pouvons avoir aucune connaissance de nous-même.

Car il est sans doute qu'il n'y a rien qui choque plus notre raison que de dire que le péché du premier homme ait rendu coupables ceux qui étant si éloignés de cette source semblent incapables d'y participer. Cet écoulement ne nous paraît pas seulement impossible. Il nous semble même très injuste car qu'y a(-t-)il de plus contraire aux règles de notre misérable justice que de damner éternellement un enfant incapable de volonté pour un péché où il paraît avoir si peu de part, qu'il est commis six mille ans avant qu'il fût en être. Certainement rien ne nous heurte plus rudement que cette doctrine. Et cependant sans ce mystère, le plus incompréhensible de tous nous sommes incompréhensibles à nous-mêmes. Le nœud de notre condition prend ses replis et ses tours dans cet abîme. De sorte que l'homme est plus inconcevable sans ce mystère, que ce mystère n'est inconcevable à l'homme.

(*D'où il paraît que Dieu voulant nous rendre la difficulté de notre être inintelligible à nous-mêmes en a caché le nœud si haut ou pour mieux dire si bas que nous étions bien incapables d'y arriver. De sorte que ce n'est pas par les superbes agitations de notre raison mais par la simple soumission de la raison que nous pouvons véritablement nous connaître.*)

(*Ces fondements solidement établis sur l'autorité inviolable de la religion nous font connaître qu'il y a deux vérités de foi également constantes.*

L'une que l'homme dans l'état de la création, ou dans celui de la grâce est élevé au-dessus de toute la nature, rendu comme semblable à Dieu et participant de la divinité. L'autre qu'en l'état de la corruption, et du péché, il est déchu de cet état et rendu semblable aux bêtes. Ces deux propositions sont également fermes et certaines.

L'Écriture nous les déclare manifestement lorsqu'elle dit en quelques lieux — deliciae meae esse cum filiis hominum — effundam spiritum meum super omnen carnem, etc. — dii estis. Et qu'elle dit en d'autres : omnis caro foenum, homo assimilatus est jumentis insipientibus et similis factus est

illis, dixi in corde meo de filiis hominum — eccle. 3 —
Par où il paraît clairement que l'homme par la grâce est
rendu comme semblable à Dieu et participant de sa divinité,
et que sans la grâce il est censé semblable aux bêtes brutes.)

VIII. DIVERTISSEMENT

132 (170)
Divertissement — Si l'homme était heureux il le
serait d'autant plus qu'il serait moins diverti, comme
les saints et Dieu. Oui ; mais n'est-ce pas être heureux
que de pouvoir être réjoui par le divertissement ?

— Non ; car il vient d'ailleurs et de dehors ; et ainsi
il est dépendant, et partout, sujet à être troublé par
mille accidents, qui font les afflictions inévitables.

133 (169)
Divertissement.
Les hommes n'ayant pu guérir la mort, la misère,
l'ignorance, ils se sont avisés, pour se rendre heureux,
de n'y point penser.

134 (168)
Nonobstant ces misères il veut être heureux et ne
veut être qu'heureux, et ne peut ne vouloir pas l'être.
Mais comment s'y prendra(-t-)il. Il faudrait pour
bien faire qu'il se rendît immortel, mais ne le pouvant
il s'est avisé de s'empêcher d'y penser.

135 (469)
Je sens que je puis n'avoir point été, car le moi consiste
dans ma pensée; donc moi qui pense n'aurais point
été, si ma mère eût été tuée avant que j'eusse été animé,
donc je ne suis pas un être nécessaire. Je ne suis pas
aussi éternel ni infini, mais je vois bien qu'il y a dans
la nature un être nécessaire, éternel et infini.

136 (139)
Divertissement.
Quand je m'y suis mis quelquefois à considérer les

diverses agitations des hommes, et les périls, et les peines où ils s'exposent dans la Cour, dans la guerre d'où naissent tant de querelles, de passions, d'entreprises hardies et souvent mauvaises, etc., j'ai dit souvent que tout le malheur des hommes vient d'une seule chose, qui est de ne savoir pas demeurer en repos dans une chambre. Un homme qui a assez de bien pour vivre, s'il savait demeurer chez soi avec plaisir n'en sortirait pas pour aller sur la mer ou au siège d'une place; on n'achèterait une charge à l'armée si cher que parce qu'on trouverait insupportable de ne bouger de la ville et on ne recherche les conversations et les divertissements des jeux que parce qu'on ne demeure chez soi avec plaisir. Etc.

Mais quand j'ai pensé de plus près et qu'après avoir trouvé la cause de tous nos malheurs j'ai voulu en découvrir les raison(s), j'ai trouvé qu'il y en a une bien effective qui consiste dans le malheur naturel de notre condition faible et mortelle et si misérable que rien ne peut nous consoler lorsque nous y pensons de près.

Quelque condition qu'on se figure, si l'on assemble tous les biens qui peuvent nous appartenir, la royauté est le plus beau poste du monde et cependant, qu'on s'en imagine, accompagné de toutes les satisfactions qui peuvent le toucher, s'il est sans divertissement et qu'on le laisse considérer et faire réflexion sur ce qu'il est — cette félicité languissante ne le soutiendra point — il tombera par nécessité dans les vues qui le menacent, des révoltes qui peuvent arriver et enfin de la mort et des maladies qui sont inévitables, de sorte que s'il est, sans ce qu'on appelle divertissement le voilà malheureux, et plus malheureux que le moindre de ses sujets qui joue et qui se divertit.

(*L'unique bien des hommes consiste donc à être divertis de penser à leur condition ou par une occupation qui les en détourne, ou par quelque passion agréable et nouvelle qui les occupe, ou par le jeu, la chasse, quelque spectacle attachant, et enfin par ce qu'on appelle divertissement.*)

De là vient que le jeu et la conversation des femmes, la guerre, les grands emplois sont si recherchés. Ce

n'est pas qu'il y ait en effet du bonheur, ni qu'on s'imagine que la vraie béatitude, soit d'avoir l'argent qu'on
peut gagner au jeu, ou dans le lièvre qu'on court; on
n'en voudrait pas s'il était offert. Ce n'est pas cet usage
mol et paisible et qui nous laisse penser à notre malheureuse condition qu'on recherche ni les dangers de la
guerre, ni la peine des emplois, mais c'est le tracas
qui nous détourne d'y penser et nous divertit. Raison pourquoi on aime mieux la chasse que la prise.

De là vient que les hommes aiment tant le bruit et
le remuement. De là vient que la prison est un supplice
si horrible, de là vient que le plaisir de la solitude est
une chose incompréhensible. Et c'est enfin le plus
grand sujet de félicité de la condition des rois, de ce
qu'on essaie sans cesse à les divertir et à leur procurer
toutes sortes de plaisirs. Le roi est environné de gens
qui ne pensent qu'à divertir le roi et à l'empêcher de
penser à lui. Car il est malheureux tout roi qu'il est
s'il y pense.

Voilà tout ce que les hommes ont pu inventer pour
se rendre heureux et ceux qui font sur cela les philosophes et qui croient que le monde est bien peu raisonnable de passer tout le jour à courir après un lièvre
qu'ils ne voudraient pas avoir acheté, ne connaissent
guère notre nature. Ce lièvre ne nous garantirait pas
de la vue de la mort et des misères qui nous en détournent, mais la chasse nous en garantit. Et ainsi le
conseil qu'on donnait à Pyrrhus de prendre le repos
qu'il allait chercher par tant de fatigues, recevait bien
des difficultés.

(*Dire à un homme qu'il soit en repos, c'est lui dire qu'il
vive heureux. C'est lui conseiller A.*

*A. d'avoir une condition toute heureuse et laquelle il puisse
considérer à loisir, sans y trouver sujet d'affliction. (— Ce
n'est donc pas entendre la nature.*)

*Aussi les hommes qui sentent naturellement leur condi-
tion n'évitent rien tant que le repos ; il n'y a rien qu'ils ne
fassent pour chercher le trouble.*

*Ainsi on se prend mal pour les blâmer ; leur faute n'est
pas en ce qu'ils cherchent le tumulte. S'ils ne le cherchaient*

que comme un divertissement, mais le mal est qu'ils le re-
cherchent comme si la possession des choses qu'ils recherchent
les devait rendre véritablement heureux, et c'est en quoi on a
raison d'accuser leur recherche de vanité de sorte qu'en tout
cela et ceux qui blâment et ceux qui sont blâmés n'entendent
la véritable nature de l'homme.) Et ainsi quand on leur
reproche que ce qu'ils recherchent avec tant d'ardeur
ne saurait les satisfaire, s'ils répondaient comme ils
devraient le faire, s'ils y pensaient bien, qu'ils ne recherchent en cela qu'une occupation violente et impé-
tueuse qui les détourne de penser à soi et que c'est pour
cela qu'ils se proposent un objet attirant qui les charme
et les attire avec ardeur ils laisseraient leurs adversaires
sans répartie... — La vanité, le plaisir de la montrer
aux autres. — La danse, il faut bien penser où l'on
mettra ses pieds — mais ils ne répondent pas cela parce
qu'ils ne se connaissent pas eux-mêmes. Ils ne savent
pas que ce n'est que la chasse et non la prise qu'ils
recherchent. — Le gentilhomme croit sincèrement que
la chasse est un plaisir grand et un plaisir royal, mais
son piqueur n'est pas de ce sentiment-là. — Ils s'imaginent que s'ils avaient obtenu cette charge, ils se repo-
seraient ensuite avec plaisir et ne sentent pas la nature
insatiable de la cupidité. Ils croient chercher sincèrement le repos et ne cherchent en effet que l'agitation.
   Ils ont un instinct secret qui les porte à chercher le
divertissement et l'occupation au-dehors, qui vient
du ressentiment de leurs misères continuelles. Et ils
ont un autre instinct secret qui reste de la grandeur de
notre première nature, qui leur fait connaître que le
bonheur n'est en effet que dans le repos et non pas
dans le tumulte. Et de ces deux instincts contraires il
se forme en eux un projet confus qui se cache à leur
vue dans le fond de leur âme qui les porte à tendre au
repos par l'agitation et à se figurer toujours que la satisfaction qu'ils n'ont point leur arrivera si en surmontant
quelques difficultés qu'ils envisagent ils peuvent s'ouvrir par là la porte au repos.
   Ainsi s'écoule toute la vie; on cherche le repos en
combattant quelques obstacles et si on les a surmontés

le repos devient insupportable par l'ennui qu'il engendre. Il en faut sortir et mendier le tumulte.

Car ou l'on pense aux misères qu'on a ou à celles qui nous menacent. Et quand on se verrait même assez à l'abri de toutes parts l'ennui de son autorité privée ne laisserait pas de sortir du fond du cœur où il a des racines naturelles, et de remplir l'esprit de son venin. B.

B. Ainsi l'homme est si malheureux qu'il s'ennuierait même sans aucune cause d'ennui par l'état propre de sa complexion. Et il est si vain qu'étant plein de mille causes essentielles d'ennui la moindre chose comme un billard et une balle qu'il pousse, suffisent pour le divertir.

C. Mais direz-vous quel objet a(-t-)il en tout cela ? celui de se vanter demain entre ses amis de ce qu'il a mieux joué qu'un autre. Ainsi les autres suent dans leur cabinet pour montrer aux savants qu'ils ont résolu une question d'algèbre qu'on n'aurait pu trouver jusqu'ici, et tant d'autres s'exposent aux derniers périls pour se vanter ensuite d'une place qu'ils auront prise aussi sottement à mon gré. Et enfin les autres se tuent pour remarquer toutes ces choses, non pas pour en devenir plus sages, mais seulement pour montrer qu'ils les savent, et ceux-là sont les plus sots de la bande puisqu'ils le sont avec connaissance, au lieu qu'on peut penser des autres qu'ils ne le seraient plus s'ils avaient cette connaissance.

Tel homme passe sa vie sans ennui en jouant tous les jours peu de chose. Donnez-lui tous les matins l'argent qu'il peut gagner chaque jour, à la charge qu'il ne joue point, vous le rendez malheureux. On dira peut-être que c'est qu'il recherche l'amusement du jeu et non pas le gain. Faites-le donc jouer pour rien, il ne s'y échauffera pas et s'y ennuiera. Ce n'est donc pas l'amusement seul qu'il recherche. Un amusement languissant et sans passion l'ennuiera. Il faut qu'il s'y échauffe, et qu'il se pipe lui-même en s'imaginant qu'il serait heureux de gagner ce qu'il ne voudrait pas qu'on lui donnât à condition de ne point jouer, afin qu'il se forme un sujet de passion et qu'il excite sur cela son désir, sa colère, sa crainte pour cet objet qu'il s'est formé comme les enfants qui s'effraient du visage qu'ils ont barbouillé.

D'où vient que cet homme qui a perdu depuis peu de mois son fils unique et qui accablé de procès et de querelles était ce matin si troublé, n'y pense plus maintenant. Ne vous en étonnez pas, il est tout occupé à voir par où passera ce sanglier que ses chiens poursuivent avec tant d'ardeur depuis six heures. Il n'en faut pas davantage. L'homme, quelque plein de tristesse qu'il soit, si on peut gagner sur lui de le faire entrer en quelque divertissement le voilà heureux pendant ce temps-là, et l'homme quelqu'heureux qu'il soit s'il n'est diverti et occupé par quelque passion ou quelque amusement, qui empêche l'ennui de se répandre, sera bientôt chagrin et malheureux. Sans divertissement il n'y a point de joie; avec le divertissement il n'y a point de tristesse. Et c'est aussi ce qui forme le bonheur des personnes. D.

D. de grande condition qu'ils ont un nombre de personnes qui les divertissent et qu'ils ont le pouvoir de se maintenir en cet état.

Prenez-y garde, qu'est-ce autre chose d'être surintendant, chancelier, premier président sinon d'être en une condition où l'on a le matin un grand nombre de gens qui viennent de tous côtés pour ne leur laisser pas une heure en la journée où ils puissent penser à eux-mêmes, et quand ils sont dans la disgrâce, et qu'on les renvoie à leurs maisons des champs où ils ne manquent ni de biens ni de domestiques pour les assister dans leur besoin ils ne laissent pas d'être misérables et abandonnés parce que personne ne les empêche de songer à eux.

137 (142)
Divertissement.
La dignité royale n'est-elle pas assez grande d'elle-même pour celui qui la possède pour le rendre heureux par la seule vue de ce qu'il est; faudra(-t-)il le divertir de cette pensée comme les gens du commun ?

Je vois bien que c'est rendre un homme heureux de
le divertir de la vue de ses misères domestiques pour
remplir toute sa pensée du soin de bien danser, mais
en sera(-t-)il de même d'un roi et sera(-t-)il plus heureux en s'attachant à ces vains amusements qu'à la vue
de sa grandeur. Et quel objet plus satisfaisant pourrait-
on donner à son esprit ? ne serait-ce donc pas faire
tort à sa joie d'occuper son âme à penser à ajuster ses
pas à la cadence d'un air ou à placer adroitement une
barre, au lieu de le laisser jouir en repos, de la contem-
plation de la gloire majestueuse qui l'environne. Qu'on
en fasse les preuves, qu'on laisse un roi tout seul sans
aucune satisfaction des sens, sans aucun soin dans
l'esprit, sans compagnies et sans divertissements, penser à lui tout à loisir, et l'on verra qu'un roi sans divertissement est un homme plein de misères. Aussi on
évite cela soigneusement et il ne manque jamais d'y
avoir auprès des personnes des rois un grand nombre
de gens qui veillent à faire succéder le divertissement
à leurs affaires et qui observent tout le temps de leur
loisir pour leur fournir des plaisirs et des jeux en sorte
qu'il n'y ait point de vide. C'est-à-dire qu'ils sont environnés de personnes qui ont un soin merveilleux de
prendre garde que le roi ne soit seul et en état de penser à soi, sachant bien qu'il sera misérable, tout roi
qu'il est, s'il y pense.

Je ne parle point en tout cela des rois chrétiens
comme chrétiens, mais seulement comme rois.

138 (166)
Divertissement.
La mort est plus aisée à supporter sans y penser que
la pensée de mort sans péril.

139 (143)
Divertissement.
On charge les hommes dès l'enfance du soin de
leur honneur, de leur bien, de leurs amis, et encore
du bien et de l'honneur de leurs amis, on les accable
d'affaires, de l'apprentissage des langues et d'exer-

cices, et on leur fait entendre qu'ils ne sauraient être heureux, sans que leur santé, leur honneur, leur fortune, et celles de leurs amis soient en bon état, et qu'une seule chose qui manque les rendra malheureux. Ainsi on leur donne des charges et des affaires qui les font tracasser dès la pointe du jour. Voilà direz-vous une étrange manière de les rendre heureux; que pourrait-on faire de mieux pour les rendre malheureux ? Comment, ce qu'on pourrait faire : il ne faudrait que leur ôter tous ces soucis, car alors ils se verraient, ils penseraient à ce qu'ils sont, d'où ils viennent, où ils vont, et ainsi on ne peut trop les occuper et les détourner. Et c'est pourquoi, après leur avoir tant préparé d'affaires, s'ils ont quelque temps de relâche, on leur conseille de l'employer à se divertir, et jouer, et s'occuper toujours tout entiers.

Que le cœur de l'homme est creux et plein d'ordure.

IX. PHILOSOPHES

140 (466)
Quand Épictète aurait vu parfaitement bien le chemin, il dit aux hommes : vous en suivez un faux. Il montre que c'en est un autre, mais il n'y mène pas. C'est celui de vouloir ce que Dieu veut. J.-C. seul y mène. *Via veritas.*
Les vices de Zénon même.

141 (509)
Philosophes.
La belle chose de crier à un homme qui ne se connaît pas, qu'il aille de lui-même à Dieu. Et la belle chose de le dire à un homme qui se connaît.

142 (463)
(*Contre les philosophes qui ont Dieu sans J.-C.*)
Philosophes.
Ils croient que Dieu est seul digne d'être aimé et d'être admiré, et ont désiré d'être aimés et admirés

des hommes, et ils ne connaissent pas leur corruption. S'ils se sentent pleins de sentiments pour l'aimer et l'adorer, et qu'ils y trouvent leur joie principale, qu'ils s'estiment bons, à la bonne heure ! Mais s'ils s'y trouvent répugnants s'(ils) n'(ont) aucune pente qu'à se vouloir établir dans l'estime des hommes, et que pour toute perfection, ils fassent seulement que, sans forcer les hommes, ils leur fasse trouver leur bonheur à les aimer, je dirai que cette perfection est horrible. Quoi, ils ont connu Dieu et n'ont pas désiré uniquement que les hommes l'aimassent, que les hommes s'arrêtassent à eux. Ils ont voulu être l'objet du bonheur volontaire des hommes.

143 (464)
Philosophes.
Nous sommes pleins de choses qui nous jettent au-dehors.

Notre instinct nous fait sentir qu'il faut chercher notre bonheur hors de nous. Nos passions nous poussent au-dehors, quand même les objets ne s'offriraient pas pour les exciter. Les objets du dehors nous tentent d'eux-mêmes et nous appellent quand même nous n'y pensons pas. Et ainsi les philosophes ont beau dire : rentrez-vous en vous-mêmes, vous y trouverez votre bien; on ne les croit pas et ceux qui les croient sont les plus vides et les plus sots.

144 (360)
Ce que les stoïques proposent est si difficile et si vain.

Les stoïques posent : tous ceux qui ne sont point au haut degré de sagesse sont également fous, et vicieux, comme ceux qui sont à deux doigts dans l'eau.

145 (461)
Les 3 concupiscences ont fait trois sectes et les philosophes n'ont fait autre chose que suivre une des trois concupiscences.

146 (350)
Stoïques.

Ils concluent qu'on peut toujours ce qu'on peut quelquefois et que puisque le désir de la gloire fait bien faire à ceux qu'il possède quelque chose, les autres le pourront bien aussi.

Ce sont des mouvements fiévreux que la santé ne peut imiter.

Épictète conclut de ce qu'il y a des chrétiens constants que chacun le peut bien être.

X. LE SOUVERAIN BIEN

147 (361)
Le Souverain Bien. Dispute du Souverain Bien.
Ut sis contentus temetipso et ex te nascentibus bonis.

Il y a contradiction, car ils conseillent enfin de se tuer.

Oh ! quelle vie heureuse dont on se délivre comme de la peste !

148 (425)
Seconde partie.

Que l'homme sans la foi ne peut connaître le vrai bien, ni la justice.

Tous les hommes recherchent d'être heureux. Cela est sans exception, quelques différents moyens qu'ils y emploient. Ils tendent tous à ce but. Ce qui fait que les uns vont à la guerre et que les autres n'y vont pas est ce même désir qui est dans tous les deux accompagné de différentes vues. La volonté fait jamais la moindre démarche que vers cet objet. C'est le motif de toutes les actions de tous les hommes, jusqu'à ceux qui vont se pendre.

Et cependant depuis un si grand nombre d'années jamais personne, sans la foi, n'est arrivé à ce point où tous visent continuellement. Tous se plaignent, princes, sujets, nobles, roturiers, vieux, jeunes, forts, faibles, savants, ignorants, sains, malades de tous pays, de tous les temps, de tous âges, et de toutes conditions.

Une épreuve si longue, si continuelle et si uniforme devrait bien nous convaincre de notre impuissance d'arriver au bien par nos efforts. Mais l'exemple nous instruit peu. Il n'est jamais si parfaitement semblable qu'il n'y ait quelque délicate différence et c'est de là que nous attendons que notre attente ne sera pas déçue en cette occasion comme en l'autre, et ainsi le présent ne nous satisfaisant jamais, l'expérience nous pipe, et de malheur en malheur nous mène jusqu'à la mort qui en est un comble éternel.

Qu'est-ce donc que nous crie cette avidité et cette impuissance sinon qu'il y a eu autrefois dans l'homme un véritable bonheur, dont il ne lui reste maintenant que la marque et la trace toute vide et qu'il essaye inutilement de remplir de tout ce qui l'environne, recherchant des choses absentes le secours qu'il n'obtient pas des présentes, mais qui en sont toutes incapables parce que ce gouffre infini ne peut être rempli que par un objet infini et immuable, c'est-à-dire que par Dieu même.

Lui seul est son véritable bien. Et depuis qu'il l'a quitté c'est une chose étrange qu'il n'y a rien dans la nature qui n'ait été capable de lui en tenir la place, astres, ciel, terre, éléments, plantes, choux, poireaux, animaux, insectes, veaux, serpents, fièvre, peste, guerre, famine, vices, adultère, inceste. Et depuis qu'il a perdu le vrai bien tout également peut lui paraître tel jusqu'à sa destruction propre, quoique si contraire à Dieu, à la raison et à la nature tout ensemble.

Les uns le cherchent dans l'autorité, les autres dans les curiosités et dans les sciences, les autres dans les voluptés.

D'autres qui en ont en effet plus approché ont considéré qu'il est nécessaire que ce bien universel que tous les hommes désirent ne soit dans aucune des choses particulières qui ne peuvent être possédées que par un seul et qui étant partagées affligent plus leurs possesseurs par le manque de la partie qu'ils n'ont pas, qu'elles ne les contentent par la jouissance de celle qui lui appartient. Ils ont compris que le vrai bien devait être tel que tous pussent le posséder à la fois sans diminution et sans envie, et que personne ne le pût perdre contre son gré, et leur raison est que ce désir étant naturel à l'homme puisqu'il est nécessairement dans tous et qu'il ne peut pas ne le pas avoir, ils en concluent...

XI. A. P. R.

149 (430)

A. P. R. commencement, après avoir expliqué l'incompréhensibilité.

Les grandeurs et les misères de l'homme sont tellement visibles qu'il faut nécessairement que la véritable religion nous enseigne et qu'il y a quelque grand principe de grandeur en l'homme et qu'il y a un grand principe de misère.

Il faut encore qu'elle nous rende raison de ces étonnantes contrariérés.

Il faut que pour rendre l'homme heureux elle lui montre qu'il y a un Dieu, qu'on est obligé de l'aimer, que notre vraie félicité est d'être en lui, et notre unique mal d'être séparé de lui, qu'elle reconnaisse que nous sommes pleins de ténèbres qui nous empêchent de le connaître et de l'aimer, et qu'ainsi nos devoirs nous obligeant d'aimer Dieu et nos concupiscences nous en détournant nous sommes pleins d'injustice. Il faut qu'elle nous rende raison de ces oppositions que nous avons à Dieu et à notre propre bien. Il faut qu'elle nous enseigne les remèdes à ces impuissances et les moyens d'obtenir ces remèdes. Qu'on examine sur cela toutes les religions du monde et qu'on voie s'il y en a une autre que la chrétienne qui y satisfasse.

Sera-ce les philosophes qui nous proposent pour tout bien les biens qui sont en nous ? Ont-ils trouvé le remède à nos maux ? est-ce avoir guéri la présomption de l'homme que de l'avoir mis à l'égal de Dieu ? Ceux qui nous ont égalé aux bêtes et les mahométans qui nous ont donné les plaisirs de la terre pour tout bien, même dans l'éternité, ont-ils apporté le remède à nos concupiscences ?

Quelle religion nous enseignera donc à guérir l'orgueil, et la concupiscence ? quelle religion enfin nous enseignera notre bien, nos devoirs, les faiblesses qui nous en détournent, la cause de ces faiblesses, les remèdes qui les peuvent guérir, et le moyen d'obtenir ces remèdes. Toutes les autres religions ne l'ont pu. Voyons ce que fera la sagesse de Dieu.

N'attendez point, dit-elle, ô hommes, ni vérité, ni consolation des hommes. Je suis celle qui vous ai formés et qui puis seule vous apprendre qui vous êtes.

Mais, vous n'êtes plus maintenant en l'état où je vous ai formés. J'ai créé l'homme saint, innocent, parfait, je l'ai rempli de lumière et d'intelligence, je lui ai communiqué ma gloire et mes merveilles. L'œil de l'homme voyait alors la majesté de Dieu. Il n'était pas alors dans les ténèbres qui l'aveuglent, ni dans la mortalité et dans les misères qui l'affligent.

Mais il n'a pu soutenir tant de gloire sans tomber dans la présomption. Il a voulu se rendre centre de lui-même et indépendant de mon secours. Il s'est soustrait de ma domination et s'égalant à moi par le désir de trouver sa félicité en lui-même je l'ai abandonné à lui, et révoltant les créatures qui lui étaient soumises, je les lui ai rendues ennemies, en sorte qu'aujourd'hui l'homme est devenu semblable aux bêtes, et dans un tel éloignement de moi qu'à peine lui reste(-t-)il une lumière confuse de son auteur tant toutes ses connaissances ont été éteintes ou troublées. Les sens indépendants de la raison et souvent maîtres de la raison l'ont emporté à la recherche des plaisirs. Toutes les créatures ou l'affligent ou le tentent, et dominent sur lui ou en le soumettant par leur force ou en le charmant par leur douceur, ce qui est une domination plus terrible et plus injurieuse.

Voilà l'état où les hommes sont aujourd'hui. Il leur reste quelque instinct impuissant du bonheur de leur première nature, et ils sont plongés dans les misères de leur aveuglement et de leur concupiscence qui est devenue leur seconde nature.

De ce principe que je vous ouvre vous pouvez reconnaître la cause de tant de contrariétés qui ont étonné tous les hommes et qui les ont partagés en de si divers sentiments. Observez maintenant tous les mouvements de grandeur et de gloire que l'épreuve de tant de misères ne peut étouffer et voyez s'il ne faut pas que la cause en soit en une autre nature.

A. P. R. Pour demain. Prosopopée.

C'est en vain, ô hommes, que vous cherchez dans vous-mêmes les remèdes à vos misères. Toutes vos lumières ne peuvent arriver qu'à connaître que ce n'est point dans vous-même que vous trouverez ni la vérité ni le bien.

Les philosophes vous l'ont promis et ils n'ont pu le faire.

Ils ne savent ni quel est votre véritable bien, ni quel est (*votre véritable état*).

Comment auraient-ils donné des remèdes à vos maux qu'ils n'ont pas seulement connus. Vos maladies principales sont l'orgueil qui vous soustrait de Dieu, la concupiscence qui vous attache à la terre; et ils n'ont fait autre chose qu'entretenir au moins l'une de ces maladies. S'ils vous ont donné Dieu pour objet ce n'a été que pour exercer votre superbe; ils vous ont fait penser que vous lui étiez semblables et conformes par votre nature. Et ceux qui ont vu la vanité de cette prétention vous ont jetés dans l'autre précipice en vous faisant entendre que votre nature était pareille à celle des bêtes et vous ont portés à chercher votre bien dans les concupiscences qui sont le partage des animaux.

Ce n'est pas là le moyen de vous guérir de vos injustices que ces sages n'ont point connues. Je puis seule vous faire entendre qui vous êtes, ce...

(*Je ne demande pas de vous une créance aveugle.*)

Adam, J.-C.

Si on vous unit à Dieu c'est par grâce, non par nature.

Si on vous abaisse c'est par pénitence, non par nature.

Ainsi cette double capacité.

Vous n'êtes pas dans l'état de votre création.

Ces deux états étant ouverts il est impossible que vous ne les reconnaissiez pas.

Suivez vos mouvements. Observez-vous vous-même et voyez si vous n'y trouverez pas les caractères vivants de ces deux natures.

Tant de contradictions se trouveraient-elles dans un sujet simple ?

Incompréhensible.

Tout ce qui est incompréhensible ne laisse pas d'être. Le nombre infini, un espace infini égal au fini.

Incroyable que Dieu s'unisse à nous.

Cette considération n'est tirée que de la vue de notre bassesse, mais si vous l'avez bien sincère, suivez-la aussi loin que moi et reconnaissez que nous sommes en effet si bas que nous sommes par nous-mêmes incapables de connaître si sa miséricorde ne peut pas nous rendre capables de lui. Car je voudrais savoir d'où cet animal qui se reconnaît si faible a le droit de mesurer la miséricorde de Dieu et d'y mettre les bornes que sa fantaisie lui suggère. Il sait si peu ce que c'est que Dieu qu'il ne sait pas ce qu'il est lui-même. Et tout troublé de la vue de son propre état il ose dire que Dieu ne le peut pas rendre capable de sa communication. Mais je voudrais lui demander si Dieu demande autre chose de lui sinon qu'il l'aime et le connaisse, et pourquoi il croit que Dieu ne peut se rendre connaissable et aimable à lui puisqu'il est naturellement capable d'amour et de connaissance. Il est sans doute qu'il connaît au moins qu'il est et qu'il aime quelque chose. Donc s'il voit quelque chose dans les ténèbres où il est et s'il trouve quelque sujet d'amour parmi les choses de la terre, pourquoi si Dieu lui découvre quelque rayon de son essence, ne sera(-t-)il pas capable de le connaître et de l'aimer en la manière qu'il lui plaira se communiquer à nous. Il y a donc sans doute une présomption insupportable dans ces sortes de raisonnements, quoiqu'ils paraissent fondés sur une humilité apparente, qui n'est ni sincère, ni raisonnable si elle ne nous fait confesser que ne sachant de nous-mêmes qui nous sommes nous ne pouvons l'apprendre que de Dieu.

Je n'entends pas que vous soumettiez votre créance à moi sans raison, et ne prétends pas vous assujettir avec tyrannie. Je ne prétends pas aussi vous rendre raison de toutes choses. Et pour accorder ces contrariétés j'entends vous faire voir clairement par des preuves convaincantes des marques divines en moi qui vous convainquent de ce que je suis et m'attirer autorité par des merveilles et des preuves que vous ne puissiez refuser et qu'ensuite vous croyiez les choses que je vous enseigne quand vous n'y trouverez autre sujet de les refuser, sinon que vous ne pouvez par vous-même connaître si elles sont ou non.

Dieu a voulu racheter les hommes et ouvrir le salut à ceux qui le chercheraient, mais les hommes s'en rendent si indignes qu'il est juste que Dieu refuse à quelques-uns, à cause de leur endurcissement, ce qu'il accorde aux autres par une miséricorde qui ne leur est pas due.

S'il eût voulu surmonter l'obstination des plus endurcis, il l'eût pu, en se découvrant si manifestement à eux qu'ils n'eussent pu douter de la vérité de son essence comme il paraîtra au dernier jour avec un tel éclat de foudres et un tel renversement de la nature que les morts ressusciteront et les plus aveugles le verront. Ce n'est pas en cette sorte qu'il a voulu paraître dans son avènement de douceur, parce que tant d'hommes se rendant indignes de sa clémence il a voulu les laisser dans la privation du bien qu'ils ne veulent pas. Il n'était donc pas juste qu'il parût d'une manière manifestement divine et absolument capable de convaincre tous les hommes, mais il n'était pas juste aussi qu'il vînt d'une manière si cachée qu'il ne pût être reconnu de ceux qui le chercheraient sincèrement. Il a voulu se rendre parfaitement connaissable à ceux-là, et ainsi voulant paraître à découvert à ceux qui le cherchent de tout leur cœur, et caché à ceux qui le fuient de tout leur cœur il a tempéré.

A. P. R. pour Demain. 2.
tempéré sa connaissance, en sorte qu'il a donné des marques de soi visibles à ceux qui le cherchent et non à ceux qui ne le cherchent pas.

Il y a assez de lumière pour ceux qui ne désirent que de voir, et assez d'obscurité pour ceux qui ont une disposition contraire.

XII. COMMENCEMENT

150 (226)
Les impies qui font profession de suivre la raison doivent être étrangement forts en raison.

Que disent-ils donc ?

Ne voyons-nous pas, disent-ils, mourir et vivre les bêtes comme les hommes, et les Turcs comme les chrétiens; ils ont leurs cérémonies, leurs prophètes, leurs docteurs, leurs saints, leurs religieux comme nous, etc...

Cela est-il contraire à l'Écriture ? ne dit-elle pas tout cela ?

Si vous ne vous souciez guère de savoir la vérité, en voilà assez pour vous laisser en repos. Mais si vous désirez de tout votre cœur de la connaître ce n'est pas assez regardé au détail. C'en serait assez pour une question de philosophie, mais ici où il va de tout... Et cependant après une réflexion légère de cette sorte on s'amusera, etc...

Qu'on s'informe de cette religion, même si elle ne rend pas raison de cette obscurité peut-être qu'elle nous l'apprendra.

151 (211)

Nous sommes plaisants de nous reposer dans la société de nos semblables, misérables comme nous, impuissants comme nous; ils ne nous aideront pas : on mourra seul.

Il faut donc faire comme si on était seul. Et alors bâtirait-on des maisons superbes, etc. on chercherait la vérité sans hésiter. Et si on le refuse on témoigne estimer plus l'estime des hommes que la recherche de la vérité.

152 (213)

Entre nous et l'enfer ou le ciel il n'y a que la vie entre deux qui est la chose du monde la plus fragile.

153 (238)

Que me promettez-vous enfin ? car dix ans est le parti, sinon dix ans d'amour-propre, à bien essayer de plaire sans y réussir, outre les peines certaines ?

154 (237)

Partis.

Il faut vivre autrement dans le monde, selon ces diverses suppositions.

1. (*s'il est sûr qu'on y sera toujours*) si on pourrait y être toujours.

(2. *s'il est incertain si on y sera toujours ou non*)

(3. *s'il est sûr qu'on n'y sera pas toujours — mais qu'on soit assuré d'y être longtemps.*)

(4. *s'il est certain qu'on n'y sera pas toujours et incertain — si on y sera — pas — longtemps — faux*)

5. s'il est sûr qu'on n'y sera pas longtemps, et incertain si on y sera une heure.

Cette dernière supposition est la nôtre.

155 (281)

Cœur

Instinct

Principes

156 (190)

Plaindre les athées qui cherchent, car ne sont-ils pas assez malheureux. Invectiver contre ceux qui en font vanité.

157 (225)

Athéisme marque de force d'esprit, mais jusqu'à un certain degré seulement.

158 (236)

Pour les partis vous devez vous mettre en peine de rechercher la vérité, car si vous mourez sans adorer le vrai principe vous êtes perdu. Mais — dites-vous, s'il avait voulu que je l'adorasse il m'aurait laissé des signes de sa volonté. Aussi a(-t-)il fait, mais vous les négligez. Cherchez-les donc; cela le vaut bien.

159 (204)

Si on doit donner huit jours de la vie on doit donner cent ans.

160 (257)

Il n'y a que trois sortes de personnes : les uns qui servent Dieu l'ayant trouvé, les autres qui s'emploient à le chercher ne l'ayant pas trouvé, les autres qui vivent sans le chercher ni l'avoir trouvé. Les premiers sont raisonnables et heureux, les derniers sont fous et malheureux. Ceux du milieu sont malheureux et raisonnables.

161 (221)

Les athées doivent dire des choses parfaitement claires. Or il n'est point parfaitement clair que l'âme soit matérielle.

162 (189)

Commencer par plaindre les incrédules, ils sont assez malheureux par leur condition.

Il ne les faudrait injurier qu'au cas que cela servît, mais cela leur nuit.

163 (200)
Un homme dans un cachot, ne sachant pas si son arrêt est donné, n'ayant plus qu'une heure pour l'apprendre, cette heure suffisant s'il sait qu'il est donné pour le faire révoquer. Il est contre nature qu'il emploie cette heure-là, non à s'informer si l'arrêt est donné, mais à jouer au piquet.

Ainsi il est surnaturel que l'homme, etc. C'est un appesantissement de la main de Dieu.

Ainsi non seulement le zèle de ceux qui le cherchent prouve Dieu, mais l'aveuglement de ceux qui ne le cherchent pas.

164 (218)
Commencement. Cachot.

Je trouve bon qu'on n'approfondisse pas l'opinion de Copernic. Mais ceci :

Il importe à toute la vie de savoir si l'âme est mortelle ou immortelle.

165 (210)
Le dernier acte est sanglant quelque belle que soit la comédie en tout le reste. On jette enfin de la terre sur la tête et en voilà pour jamais.

166 (183)
Nous courons sans souci dans le précipice après que nous avons mis quelque chose devant nous pour nous empêcher de le voir.

XIII. SOUMISSION ET USAGE
DE LA RAISON

167 (269)
Soumission et usage de la raison : en quoi consiste le vrai christianisme.

168 (224)

Que je hais ces sottises de ne pas croire l'eucharistie, etc.

Si l'évangile est vrai, si J.-C. est Dieu, quelle difficulté y a(-t-)il là.

169 (812)

Je ne serais pas chrétien sans les miracles, dit saint Augustin.

170 (268)
Soumission.

Il faut savoir douter où il faut, assurer où il faut, en se soumettant où il faut. Qui ne fait ainsi n'entend pas la force de la raison. Il y (en) a qui faillent contre ces trois principes, ou en assurant tout comme démonstratif, manque de se connaître en démonstration, ou en doutant de tout, manque de savoir où il faut se soumettre, ou en se soumettant en tout, manque de savoir où il faut juger.

Pyrrhonien, géomètre, chrétien : doute, assurance, soumission.

171 (696)
Susceperunt verbum cum omni aviditate scrutantes scripturas si ita se haberent.

172 (185)
La conduite de Dieu, qui dispose toutes choses avec douceur, est de mettre la religion dans l'esprit par les raisons et dans le cœur par la grâce, mais de la vouloir mettre dans l'esprit et dans le cœur par la force et par les menaces, ce n'est pas y mettre la religion mais la terreur. *Terrorem potius quam religionem.*

73 (273)
Si on soumet tout à la raison notre religion n'aura rien de mystérieux et de surnaturel.

Si on choque les principes de la raison notre religion sera absurde et ridicule.

174 (270)
Saint Augustin. La raison ne se soumettrait jamais si elle ne jugeait qu'il y a des occasions où elle se doit soumettre.

Il est donc juste qu'elle se soumette quand elle juge qu'elle se doit soumettre.

175 (563)
Ce sera une des confusions des damnés de voir qu'ils seront condamnés par leur propre raison par laquelle ils ont prétendu condamner la religion chrétienne.

176 (261)
Ceux qui n'aiment pas la vérité prennent le prétexte de la contestation et de la multitude de ceux qui la nient, et ainsi leur erreur ne vient que de ce qu'ils n'aiment pas la vérité ou la charité. Et ainsi ils ne s'en sont pas excusés.

177 (384)
Contradiction est une mauvaise marque de vérité.
Plusieurs choses certaines sont contredites.
Plusieurs fausses passent sans contradiction.
Ni la contradiction n'est marque de fausseté ni l'incontradiction n'est marque de vérité.

178 (747 *bis*)
Voyez les deux sortes d'hommes dans le titre : Perpétuité.

179 (256)
Il y a peu de vrais chrétiens. Je dis même pour la foi. Il y en a bien qui croient mais par superstition. Il y en a bien qui ne croient pas, mais par libertinage; peu sont entre-deux.

Je ne comprends pas en cela ceux qui sont dans la véritable piété de mœurs et tous ceux qui croient par un sentiment du cœur.

180 (838)

J.-C. a fait des miracles et les apôtres ensuite. Et les premiers saints en grand nombre, parce que les prophéties n'étant pas encore accomplies, et s'accomplissant par eux, rien ne témoignait que les miracles. Il était prédit que le Messie convertirait les nations. Comment cette prophétie se fût-elle accomplie sans la conversion des nations, et comment les nations se fussent-elles converties au Messie, ne voyant pas ce dernier effet des prophéties qui le prouvent. Avant donc qu'il ait été mort, ressuscité et converti les nations tout n'était pas accompli et ainsi il a fallu des miracles pendant tout ce temps. Maintenant il n'en faut plus contre les Juifs, car les prophéties accomplies sont un miracle subsistant.

181 (255)

La piété est différente de la superstition.

Soutenir la piété jusqu'à la superstition c'est la détruire.

Les hérétiques nous reprochent cette soumission superstitieuse; c'est faire ce qu'ils nous reprochent.

Impiété de ne pas croire l'Eucharistie sur ce qu'on ne la voit pas.

Superstition de croire des propositions, etc.

Foi, etc.

182 (272)

Il n'y a rien de si conforme à la raison que ce désaveu de la raison.

183 (253)

2 excès

exclure la raison, n'admettre que la raison.

184 (811)
On n'aurait point péché en ne croyant pas J.-C. sans les miracles.
Videte an mentiar.

185 (265)
La foi dit bien ce que les sens ne disent pas, mais non pas le contraire de ce qu'ils voient; elle est au-dessus, et non pas contre.

186 (947)
Vous abusez de la créance que le peuple a en l'Église et leur faites accroire.

187 (254)
Ce n'est pas une chose rare qu'il faille reprendre le monde de trop de docilité.
C'est un vice naturel comme l'incrédulité et aussi pernicieux.
Superstition.

188 (267)
La dernière démarche de la raison est de reconnaître qu'il y a une infinité de choses qui la surpassent. Elle n'est que faible si elle ne va jusqu'à connaître cela.

Que si les choses naturelles la surpassent, que dira (-t-)on des surnaturelles ?

XIV. EXCELLENCE

189 (547)
Dieu par J.-C.
Nous ne connaissons Dieu que par J.-C. Sans ce médiateur est ôtée toute communication avec Dieu. Par J.-C. nous connaissons Dieu. Tous ceux qui ont prétendu connaître Dieu et le prouver sans J.-C. n'avaient que des preuves impuissantes. Mais pour prouver J.-C. nous avons les prophéties qui sont des

preuves solides et palpables. Et ces prophéties étant accomplies et prouvées véritables par l'événement marquent la certitude de ces vérités et partant la preuve de la divinité de J.-C. En lui et par lui nous connaissons donc Dieu. Hors de là et sans l'Écriture, sans le péché originel, sans médiateur nécessaire, promis et arrivé, on ne peut prouver absolument Dieu ni enseigner ni bonne doctrine, ni bonne morale. Mais par J.-C. et en J.-C. on prouve Dieu et on enseigne la morale et la doctrine. J.-C. est donc le véritable Dieu des hommes.

Mais nous connaissons en même temps notre misère, car ce Dieu-là n'est autre chose que le réparateur de notre misère. Ainsi nous ne pouvons bien connaître Dieu qu'en connaissant nos iniquités.

Aussi ceux qui ont connu Dieu sans connaître leur misère ne l'ont pas glorifié, mais s'en sont glorifiés.

Quia non cognovit per sapientiam, placuit deo per stulti-tiam predicationis salvos facere.

190 (543)
Préface. Les preuves de Dieu métaphysiques sont si éloignées du raisonnement des hommes et si impli-quées, qu'elles frappent peu et quand cela servirait à quelques-unes, cela ne servirait que pendant l'instant qu'ils voient cette démonstration, mais une heure après ils craignent de s'être trompés.

Quod curiositate cognoverunt, superbia amiserunt.

C'est ce que produit la connaissance de Dieu qui se tire sans J.-C. qui est de communiquer sans média-teur, avec le Dieu qu'on a connu sans médiateur.

Au lieu que ceux qui ont connu Dieu par médiateur connaissent leur misère.

191 (549)
Il est non seulement impossible mais inutile de con-naître Dieu sans J.-C. Ils ne s'en sont pas éloignés mais approchés; il ne se sont pas abaissés mais... *Quo quisque optimus eo pessimus si hoc ipsum quod sit optimus ascribat sibi.*

192 (527)

La connaissance de Dieu sans celle de sa misère fait l'orgueil.

La connaissance de sa misère sans celle de Dieu fait le désespoir.

La connaissance de J.-C. fait le milieu parce que nous y trouvons, et Dieu et notre misère.

XV. TRANSITION

193 (98)

La prévention induisant en erreur.

C'est une chose déplorable de voir tous les hommes ne délibérer que des moyens et point de la fin. Chacun songe comment il s'acquittera de sa condition, mais pour le choix de la condition, et de la patrie le sort nous le donne.

C'est une chose pitoyable de voir tant de Turcs, d'hérétiques, d'infidèles, suivre le train de leurs pères, par cette seule raison qu'ils ont été prévenus chacun que c'est le meilleur et c'est ce qui détermine chacun à chaque condition de serrurier, soldat, etc.

C'est par là que les sauvages n'ont que faire de la Provence.

194 (208)

Pourquoi ma connaissance est-elle bornée, ma taille, ma durée à 100 ans plutôt qu'à 1000 ? quelle raison a eu la nature de me la donner telle et de choisir ce milieu plutôt qu'un autre dans l'infinité, desquels il n'y a pas plus de raison de choisir l'un que l'autre, rien ne tentant plus que l'autre ?

195 (37)

(Peu de tout). Puisqu'on ne peut être universel en sachant tout ce qui se peut savoir sur tout, il faut savoir peu de tout, car il est bien plus beau de savoir quelque chose de tout que de savoir tout d'une chose. Cette universalité est la plus belle. Si on pouvait avoir les deux encore mieux, mais s'il faut choisir

il faut choisir celle-là. Et le monde le sait et le fait, car le
monde est un bon juge souvent.

196 (86)

(*Ma fantaisie me fait haïr un coasseur et un qui souffle*
en mangeant. La fantaisie a grand poids. Que profiterons-
nous de là ? que nous suivrons ce poids à cause qu'il est naturel,
non mais que nous y résisterons.)

197 (163 *bis*)

(*Rien ne montre mieux la vanité des hommes que de con-*
sidérer quelle cause et quels effets de l'amour, car tout l'univers
en est changé. Le nez de Cléopâtre.)

198 (693)
H. 5.

En voyant l'aveuglement et la misère de l'homme,
en regardant tout l'univers muet et l'homme sans lumière abandonné à lui-même, et comme égaré dans ce
recoin de l'univers sans savoir qui l'y a mis, ce qu'il
est venu faire, ce qu'il deviendra en mourant, incapable
de toute connaissance, j'entre en effroi comme un
homme qu'on aurait porté endormi dans une île déserte
et effroyable, et qui s'éveillerait sans connaître et sans
moyen d'en sortir. Et sur cela j'admire comment on
n'entre point en désespoir d'un si misérable état. Je
vois d'autres personnes auprès de moi d'une semblable
nature. Je leur demande s'ils sont mieux instruits que
moi. Ils me disent que non et sur cela ces misérables
égarés, ayant regardé autour d'eux et ayant vu quelques
objets plaisants s'y sont donnés et s'y sont attachés.
Pour moi je n'ai pu y prendre d'attache et considérant
combien il y a plus d'apparence qu'il y a autre chose
que ce que je vois j'ai recherché si ce Dieu n'aurait point
laissé quelque marque de soi.

Je vois plusieurs religions contraires et partant
toutes fausses, excepté une. Chacune veut être crue
par sa propre autorité et menace les incrédules. Je ne
les crois donc pas là-dessus. Chacun peut dire cela.
Chacun peut se dire prophète mais je vois la chrétienne
et je trouve des prophéties, et c'est ce que chacun ne
peut pas faire.

199 (72)

H. Disproportion de l'homme.

9 — (*Voilà où nous mènent les connaissances naturelles.*
Si celles-là ne sont véritables il n'y a point de vérité dans
l'homme, et si elles le sont il y trouve un grand sujet d'humi-
liation, forcé à s'abaisser d'une ou d'autre manière.

Et puisqu'il ne peut subsister sans les croire je souhaite
avant que d'entrer dans de plus grandes recherches de la
nature, qu'il la considère une fois sérieusement et à loisir,
qu'il se regarde aussi soi-même — et qu'il juge s'il a quelque
proportion avec elle, par la comparaison qu'il fera de ces deux
objets.)

Que l'homme contemple donc la nature entière
dans sa haute et pleine majesté, qu'il éloigne sa vue
des objets bas qui l'environnent. Qu'il regarde cette
éclatante lumière mise comme une lampe éternelle
pour éclairer l'univers, que la terre lui paraisse comme
un point au prix du vaste tour que cet astre décrit, et
qu'il s'étonne de ce que ce vaste tour lui-même n'est
qu'une pointe très délicate à l'égard de celui que ces
astres, qui roulent dans le firmament, embrassent. Mais
si notre vue s'arrête là que l'imagination passe outre,
elle se lassera plutôt de concevoir que la nature de
fournir. Tout le monde visible n'est qu'un trait imperceptible dans l'ample sein de la nature. Nulle idée n'en
approche, nous avons beau enfler nos conceptions au-
delà des espaces imaginables, nous n'enfantons que
des atomes au prix de la réalité des choses. C'est une
sphère infinie dont le centre est partout, la circonférence nulle part. Enfin c'est le plus grand caractère
sensible de la toute-puissance de Dieu que notre imagination se perde dans cette pensée.

Que l'homme étant revenu à soi considère ce qu'il
est au prix de ce qui est, qu'il se regarde comme égaré,
et que de ce petit cachot où il se trouve logé, j'entends
l'univers, il apprenne à estimer la terre, les royaumes,
les villes, les maisons et soi-même, son juste prix.

Qu'est-ce qu'un homme, dans l'infini ?

Mais pour lui présenter un autre prodige aussi étonnant, qu'il recherche dans ce qu'il connaît les choses les plus délicates, qu'un ciron lui offre dans la petitesse de son corps des parties incomparablement plus petites, des jambes avec des jointures, des veines dans ses jambes, du sang dans ses veines, des humeurs dans ce sang, des gouttes dans ces humeurs, des vapeurs dans ces gouttes, que divisant encore ces dernières choses il épuise ses forces en ces conceptions et que le dernier objet où il peut arriver soit maintenant celui de notre discours. Il pensera peut-être que c'est là l'extrême petitesse de la nature.

Je veux lui faire voir là-dedans un abîme nouveau. Je lui veux peindre non seulement l'univers visible, mais l'immensité qu'on peut concevoir de la nature dans l'enceinte de ce raccourci d'atome, qu'il y voie, une infinité d'univers, dont chacun a son firmament, ses planètes, sa terre, en la même proportion que le monde visible, dans cette terre des animaux, et enfin des cirons dans lesquels il retrouvera ce que les premiers ont donné, et trouvant encore dans les autres la même chose sans fin et sans repos, qu'il se perdra dans ces merveilles aussi étonnantes dans leur petitesse, que les autres par leur étendue, car qui n'admirera que notre corps, qui tantôt n'était pas perceptible dans l'univers imperceptible lui-même dans le sein du tout, soit à présent un colosse, un monde ou plutôt un tout à l'égard du néant où l'on ne peut arriver. Qui se considérera de la sorte s'effraiera de soi-même et se considérant soutenu dans la masse que la nature lui a donnée entre ces deux abîmes de l'infini et du néant, il tremblera dans la vue de ces merveilles et je crois que sa curiosité se changeant en admiration il sera plus disposé à les contempler en silence qu'à les rechercher avec présomption.

Car enfin qu'est-ce que l'homme dans la nature ? Un néant à l'égard de l'infini, un tout à l'égard du néant, un milieu entre rien et tout, infiniment éloigné de comprendre les extrêmes ; la fin des choses et leurs principes sont pour lui invinciblement cachés dans un secret impénétrable.

Également — incapable de voir le néant d'où il est tiré et l'infini où il est englouti.

Que fera(-t-)il donc sinon d'apercevoir quelque apparence du milieu des choses dans un désespoir éternel de connaître ni leur principe ni leur fin. Toutes choses sont sorties du néant et portées jusqu'à l'infini. Qui suivra ces étonnantes démarches ? l'auteur de ces merveilles les comprend. Tout autre ne le peut faire.

Manque d'avoir contemplé ces infinis les hommes se sont portés témérairement à la recherche de la nature comme s'ils avaient quelque proportion avec elle.

C'est une chose étrange qu'ils ont voulu comprendre les principes des choses et de là arriver jusqu'à connaître tout, par une présomption aussi infinie que leur objet. Car il est sans doute qu'on ne peut former ce dessein sans une présomption ou sans une capacité infinie, comme la nature.

Quand on est instruit on comprend que la nature ayant gravé son image et celle de son auteur dans toutes choses elles tiennent presque toutes de sa double infinité. C'est ainsi que nous voyons que toutes les sciences sont infinies en l'étendue de leurs recherches, car qui doute que la géométrie par exemple a une infinité d'infinités de propositions à exposer. Elles sont aussi infinies dans la multitude et la délicatesse de leurs principes, car qui ne voit que ceux qu'on propose pour les derniers ne se soutiennent pas d'eux-mêmes et qu'ils sont appuyés sur d'autres qui en ayant d'autres pour appui ne souffrent jamais de dernier.

Mais nous faisons des derniers qui paraissent à la raison, comme on fait dans les choses matérielles où nous appelons un point indivisible, celui au-delà duquel nos sens n'aperçoivent plus rien, quoique divisible infiniment et par sa nature.

De ces deux infinis des sciences celui de grandeur est bien plus sensible, et c'est pourquoi il est arrivé à peu de personnes de prétendre connaître toutes choses. Je vais parler de tout, disait Démocrite.

Mais l'infinité en petitesse est bien moins visible.

Les philosophes ont bien plutôt prétendu d'y arriver, et c'est là où tous ont achoppé. C'est ce qui a donné lieu à ces titres si ordinaires, *Des principes des choses*, *Des principes de la philosophie*, et aux semblables aussi fastueux en effet, quoique moins en apparence que cet autre qui crève les yeux : *De omni scibili.*

On se croit naturellement bien plus capable d'arriver au centre des choses que d'embrasser leur circonférence, et l'étendue visible du monde nous surpasse visiblement. Mais comme c'est nous qui surpassons les petites choses nous nous croyons plus capables de les posséder, et cependant il ne faut pas moins de capacité pour aller jusqu'au néant que jusqu'au tout. Il la faut infinie pour l'un et l'autre, et il me semble que qui aurait compris les derniers principes des choses pourrait aussi arriver jusqu'à connaître l'infini. L'un dépend de l'autre et l'un conduit à l'autre. Ces extrémités se touchent et se réunissent à force de s'être éloignées et se retrouvent en Dieu, et en Dieu seulement.

Connaissons donc notre portée. Nous sommes quelque chose et ne sommes pas tout. Ce que nous avons d'être nous dérobe la connaissance des premiers principes qui naissent du néant, et le peu que nous avons d'être nous cache la vue de l'infini.

Notre intelligence tient dans l'ordre des choses intelligibles le même rang que notre corps dans l'étendue de la nature.

Bornés en tout genre, cet état qui tient le milieu entre deux extrêmes se trouve en toutes nos puissances. Nos sens n'aperçoivent rien d'extrême, trop de bruit nous assourdit, trop de lumière éblouit, trop de distance et trop de proximité empêche la vue. Trop de longueur et trop de brièveté de discours l'obscurcit, trop de vérité nous étonne. J'en sais qui ne peuvent comprendre que qui de zéro ôte 4 reste zéro. Les premiers principes ont trop d'évidence pour nous; trop de plaisir incommode, trop de consonances déplaisent dans la musique, et trop de bienfaits irritent. Nous voulons avoir de quoi surpasser la dette. *Beneficia eo usque laeta sunt dum videntur exsolvi posse. Ubi multum antevenere pro gratia odium redditur.* Nous ne sentons ni l'extrême chaud, ni l'extrême froid. Les qualités excessives nous sont ennemies et non pas sensibles, nous ne les sentons plus, nous les souffrons. Trop de jeunesse et trop de vieillesse empêche l'esprit; trop et trop peu d'instruction.

Enfin les choses extrêmes sont pour nous comme si elles n'étaient point et nous ne sommes point à leur égard; elles nous échappent ou nous à elles.

Voilà notre état véritable. C'est ce qui nous rend incapables de savoir certainement et d'ignorer absolument. Nous voguons sur un milieu vaste, toujours incertains et flottants, poussés d'un bout vers l'autre; quelque terme où nous pensions nous attacher et nous affermir, il branle, et nous quitte, et si nous le suivons il échappe à nos prises, nous glisse et fuit d'une fuite éternelle; rien ne s'arrête pour nous. C'est l'état qui nous est naturel et toutefois le plus contraire à notre inclination. Nous brûlons du désir de trouver une assiette ferme, et une dernière base constante pour y édifier une tour qui s'élève à (l')infini, mais tout notre fondement craque et la terre s'ouvre jusqu'aux abîmes.

Ne cherchons donc point d'assurance et de fermeté; notre raison est toujours déçue par l'inconstance des apparences : rien ne peut fixer le fini entre les deux infinis qui l'enferment et le fuient.

Cela étant bien compris je crois qu'on se tiendra en repos, chacun dans l'état où la nature l'a placé.

Ce milieu qui nous est échu en partage étant toujours distant des extrêmes, qu'importe qu'un autre ait un peu plus d'intelligence des choses s'il en a, et s'il les prend un peu de plus haut, n'est-il pas toujours infiniment éloigné du bout et la durée de notre vie n'est-elle pas également infime de l'éternité pour durer dix ans davantage.

Dans la vue de ces infinis tous les finis sont égaux et je ne voix pas pourquoi asseoir son imagination plutôt sur un que sur l'autre. La seule comparaison que nous faisons de nous au fini nous fait peine.

Si l'homme s'étudiait il verrait combien il est incapable de passer outre. Comment se pourrait-il qu'une partie connût le tout ? mais il aspirera peut-être à connaître au moins les parties avec lesquelles il a de la proportion. Mais les parties du monde ont toutes un tel rapport et un tel enchaînement l'une avec l'autre que je crois impossible de connaître l'une sans l'autre et sans le tout.

L'homme par exemple a rapport à tout ce qu'il connaît. Il a besoin de lieu pour le contenir, de temps pour durer, de mouvement pour vivre, d'éléments pour le composer, de chaleur et d'aliments pour se nourrir, d'air pour respirer. Il voit la lumière, il sent les corps, enfin tout tombe sous son alliance. Il faut donc pour connaître l'homme savoir d'où vient qu'il a besoin d'air pour subsister et pour connaître l'air, savoir par où il a ce rapport à la vie de l'homme, etc...

La flamme ne subsiste point sans l'air ; donc pour connaître l'un il faut connaître l'autre.

Donc toutes choses étant causées et causantes, aidées et aidantes, médiates et immédiates et toutes s'entretenant par un lien naturel et insensible qui lie les plus éloignées et les plus différentes, je tiens impossible de connaître les parties sans connaître le tout, non plus que de connaître le tout sans connaître particulièrement les parties.

(L'éternité des choses en elles-mêmes ou en Dieu doit encore étonner notre petite durée.

L'immobilité fixe et constante de la nature, comparaison ou changement continuel qui se passe en nous doit faire le même effet.)

Et ce qui achève notre impuissance — à connaître les choses est qu'elles sont simples en elles-mêmes et que nous sommes composés de deux natures opposées et de divers genres, d'âme et de corps. Car il est impossible que la partie qui raisonne en nous soit autre que spirituelle et quand on prétendrait que nous serions simplement corporels cela nous exclurait bien davantage de la connaissance des choses, n'y ayant rien de si inconcevable que de dire que la matière se connaît soi-même. Il ne nous est pas possible de connaître comment elle se connaîtrait.

Et ainsi, si nous (*sommes*) simples matériels nous ne pouvons rien du tout connaître, et si nous sommes composés d'esprit et de matière nous ne pouvons connaître parfaitement les choses simples spirituelles ou corporelles.

De là vient que presque tous les philosophes confondent les idées des choses et parlent des choses corporelles spirituellement et des spirituelles corporellement, car ils disent hardiment que les corps tend-(ent) en bas, qu'ils aspirent à leur centre, qu'ils fuient leur destruction, qu'ils craignent le vide, qu'ils (ont) des inclinations, des sympathies, des antipathies, toutes choses qui n'appartiennent qu'aux esprits. Et en parlant des esprits ils les considèrent comme en un lieu, et leur attribuent le mouvement d'une place à une autre, qui sont choses qui n'appartiennent qu'aux corps.

Au lieu de recevoir les idées de ces choses pures, nous les teignons de nos qualités et empreignons notre être composé (de) toutes les choses simples que nous contemplons.

Qui ne croirait à nous voir composer toutes choses d'esprit et de corps que ce mélange-là nous serait bien compréhensible. C'est néanmoins la chose qu'on comprend le moins; l'homme est à lui-même le plus prodigieux objet de la nature, car il ne peut concevoir ce que c'est que corps et encore moins ce que c'est qu'esprit, et moins qu'aucune chose comment un corps peut être uni avec un esprit. C'est là le comble de ses difficultés et cependant c'est son propre être : *modus quo corporibus adherent spiritus comprehendi ab homine non potest, et hoc tamen homo est.*

Enfin pour consommer la preuve de notre faiblesse je finirai par ces deux considérations...

200 (347)
H. 3. — L'homme n'est qu'un roseau, le plus faible de la nature, mais c'est un roseau pensant. Il

ne faut pas que l'univers entier s'arme pour l'écraser;
une vapeur, une goutte d'eau suffit pour le tuer. Mais
quand l'univers l'écraserait, l'homme serait encore
plus noble que ce qui le tue, puisqu'il sait qu'il meurt et
l'avantage que l'univers a sur lui. L'univers n'en sait
rien.

Toute notre dignité consiste donc en la pensée.
C'est de là qu'il nous faut relever et non de l'espace et
de la durée, que nous ne saurions remplir. Travaillons
donc à bien penser : voilà le principe de la morale.

201 (206)
Le silence éternel de ces espaces infinis m'effraie.

202 (517)
Consolez-vous; ce n'est point de vous que vous
devez l'attendre, mais au contraire en n'attendant rien
de vous que vous devez l'attendre.

XV *bis*. LA NATURE EST
CORROMPUE

[*Il s'agit d'un dossier dont Pascal avait prévu le titre
mais dans lequel il ne classa aucune pensée.*]

XVI. FAUSSETÉ
DES AUTRES RELIGIONS

203 (595)
Fausseté des autres religions.
Mahomet sans autorité.
Il faudrait donc que ses raisons fussent bien puis-
santes, n'ayant que leur propre force.
Que dit-il donc ? qu'il faut le croire.

204 (592)
Fausseté des autres religions.
Ils n'ont point de témoins. Ceux-ci en ont.

Dieu défie les autres religions de produire de telles marques. Is. 43.9-44.8.

205 (489)

S'il y a un seul principe de tout, une seule fin de tout, — tout par lui, tout pour lui, — il faut donc que la vraie religion nous enseigne à n'adorer que lui et à n'aimer que lui. Mais comme nous nous trouvons dans l'impuissance d'adorer ce que nous ne connaissons pas et d'aimer autre chose que nous, il faut que la religion qui instruit de ces devoirs nous instruise aussi de ces impuissances et qu'elle nous apprenne aussi les remèdes. Elle nous apprend que par un homme tout a été perdu et la liaison rompue entre Dieu et nous, et que par un homme la liaison est réparée.

Nous naissons si contraires à cet amour de Dieu et il est si nécessaire qu'il faut que nous naissions coupables, ou Dieu serait injuste.

206 (235)

Rem viderunt, causam non viderunt.

207 (597)

Contre Mahomet.

L'Alcoran n'est pas plus de Mahomet que l'Évangile de saint Matthieu. Car il est cité de plusieurs auteurs de siècle en siècle. Les ennemis mêmes, Celse et Porphyre, ne l'ont jamais désavoué.

L'Alcoran dit que saint Matthieu était homme de bien, donc il était faux prophète ou en appelant gens de bien des méchants, ou en ne demeurant pas d'accord de ce qu'ils ont dit de J.-C.

208 (435)

Sans ces divines connaissances qu'ont pu faire les hommes sinon ou s'élever dans le sentiment intérieur qui leur reste de leur grandeur passée, ou s'abattre dans la vue de leur faiblesse présente. Car ne voyant pas la vérité entière ils n'ont pu arriver à une parfaite vertu, les uns considérant la nature comme incorrompue, les autres comme irréparable, ils n'ont pu fuir ou l'orgueil ou la paresse qui sont les deux sources de tous les vices, puisqu'il ne peut sinon ou s'y abandonner par lâcheté, ou en sortir par l'orgueil. Car s'ils connaissaient l'excellence de l'homme, ils en ignorent la corruption de sorte qu'ils évitaient bien la paresse, mais ils se perdaient dans la superbe et s'ils reconnaissent l'infirmité de la nature ils en ignorent la dignité, de sorte qu'ils pouvaient bien éviter la vanité mais c'était en se précipitant dans le désespoir.

De là viennent les diverses sectes des stoïques et des épicuriens, des dogmatistes et des académiciens, etc...

La seule religion chrétienne a pu guérir ces deux vices, non pas en chassant l'un par l'autre par la sagesse de la terre, mais en chassant l'un et l'autre par la simplicité de l'Évangile. Car elle apprend aux justes qu'elle élève jusqu'à la participation de la divinité même qu'en ce sublime état ils portent encore la source de toute la corruption qui les rend durant toute la vie sujets à l'erreur, à la misère, à la mort, au péché, et elle crie aux plus impies qu'ils sont capables de la grâce de leur rédempteur. Ainsi donnant à trembler à ceux qu'elle justifie et consolant ceux qu'elle condamne, elle tempère avec tant de justesse la crainte avec l'espérance par cette double capacité qui est commune à tous et de la grâce et du péché, qu'elle abaisse infiniment plus que la seule raison ne peut faire mais sans désespérer, et qu'elle élève infiniment plus que l'orgueil de la nature, mais sans enfler, et que faisant bien voir par là qu'étant seule exempte d'erreur et de vice il n'appartient qu'à elle et d'instruire et de corriger les hommes.

Qui peut donc refuser à ces célestes lumières de les croire et de les adorer. Car n'est-il pas plus clair que le jour que nous sentons en nous-mêmes des caractères ineffaçables d'excellence et n'est-il pas aussi véritable que nous éprouvons à toute heure les effets de notre déplorable condition.

Que nous crie donc ce chaos et cette confusion

monstrueuse sinon la vérité de ces deux états avec une voix si puissante qu'il est impossible de résister ?

209 (599)
Différence entre J.-C. et Mahomet.
Mahomet non prédit, J.-C. prédit.
Mahomet en tuant, J.-C. en faisant tuer les siens.
Mahomet en défendant de lire, les apôtres en ordonnant de lire.
Enfin cela est si contraire que si Mahomet a pris la voie de réussir humainement, J.-C. a pris celle de périr humainement et qu'au lieu de conclure que puisque Mahomet a réussi, J.-C. a bien pu réussir, il faut dire que puisque Mahomet a réussi, J.-C. devait périr.

210 (451)
Tous les hommes se haïssent naturellement l'un l'autre. On s'est servi comme on a pu de la concupiscence pour la faire servir au bien public. Mais ce n'est que feindre et une fausse image de la charité, car au fond ce n'est que haine.

211 (453)
On a fondé et tiré de la concupiscence des règles admirables de police, de morale et de justice.
Mais dans le fond, ce vilain fond de l'homme, ce *figmentum malum* n'est que couvert. Il n'est pas ôté.

212 (528)
J.-C. est un Dieu dont on s'approche sans orgueil et sous lequel on s'abaisse sans désespoir.

213 (551)
Dignior plagis quam osculis
non timeo quia amo.

214 (491)
La vraie religion doit avoir pour marque d'obliger à aimer son Dieu. Cela est bien juste et cependant aucune ne l'a ordonné, la nôtre l'a fait.

Elle doit encore avoir connu la concupiscence et l'impuissance, la nôtre l'a fait.

Elle doit y avoir apporté des remèdes, l'un est la prière. Nulle religion n'a demandé à Dieu de l'aimer et de le suivre.

215 (433)

Après avoir entendu toute la nature de l'homme il faut pour faire qu'une religion soit vraie qu'elle ait connu notre nature. Elle doit avoir connu la grandeur et la petitesse et la raison de l'une et de l'autre. Qui l'a connue que la chrétienne ?

216 (493)

La vraie religion enseigne nos devoirs, nos impuissances, orgueil et concupiscence, et les remèdes, humilité, mortification.

217 (650)

Il y a des figures claires et démonstratives, mais il y en a d'autres qui semblent un peu tirées par les cheveux, et qui ne prouvent qu'à ceux qui sont persuadés d'ailleurs. Celles-là sont semblables aux apocalyptiques.

Mais la différence qu'il y a c'est qu'ils n'en ont point d'indubitables tellement qu'il n'y a rien de si injuste que quand ils montrent que les leurs sont aussi bien fondées que quelques-unes des nôtres. Car ils n'en ont pas de démonstratives comme quelques-unes des nôtres.

La partie n'est donc pas égale. Il ne faut pas égaler et confondre ces choses parce qu'elles semblent être semblables par un bout, étant si différentes par l'autre. Ce sont les clartés qui méritent, quand elles sont divines, qu'on révère les obscurités.

(*C'est comme ceux entre lesquels il y a un certain langage obscur ; ceux qui n'entendraient pas cela n'y comprendraient qu'un sot sens.*)

218 (598)

Ce n'est pas par ce qu'il y a d'obscur dans Mahomet

et qu'on peut faire passer pour un sens mystérieux
que je veux qu'on en juge, mais par ce qu'il y a de clair,
par son paradis et par le reste. C'est en cela qu'il est
ridicule. Et c'est pourquoi il n'est pas juste de prendre
ses obscurités pour des mystères, vu que ses clartés
sont ridicules. Il n'en est pas de même de l'Écriture.
Je veux qu'il y ait des obscurités qui soient aussi bizarres
que celles de Mahomet, mais il y a des clartés admirables
et des prophéties manifestes et accomplies. La partie
n'est donc pas égale. Il ne faut pas confondre et égaler
les choses qui ne se ressemblent que par l'obscurité
et non pas par la clarté qui mérite qu'on révère les
obscurités.

219 (251)
Les autres religions, comme les païennes, sont plus
populaires, car elles sont en extérieur, mais elles ne sont
pas pour les gens habiles. Une religion purement intellectuelle serait plus proportionnée aux habiles, mais
elle ne servirait pas au peuple. La seule religion chrétienne est proportionnée à tous, étant mêlée d'extérieur
et d'intérieur. Elle élève le peuple à l'intérieur, et abaisse
les superbes à l'extérieur, et n'est pas parfaite sans les
deux, car il faut que le peuple entende l'esprit de la
lettre et que les habiles soumettent leur esprit à la lettre.

220 (468)
Nulle autre religion n'a proposé de se haïr, nulle
autre religion ne peut donc plaire à ceux qui se haïssent et
qui cherchent un être véritablement aimable. Et ceux-là
s'ils n'avaient jamais ouï parler de la religion d'un Dieu
humilié l'embrasseraient incontinent.

XVII. RENDRE LA RELIGION
AIMABLE

221 (774)
J.-C. pour tous. Moïse pour un peuple.
Les Juifs bénis en Abraham. Je bénirai ceux **qui te**

béniront, mais toutes nations bénies en sa semence.
Parum est ut, etc. Isaïe./*Lumen ad revelationem gentium.*
Non fecit taliter omni nationi, disait David, en parlant
de la loi. Mais en parlant de J.-C. il faut dire : *fecit
taliter omni nationi, parum est ut, etc.* Isaïe.

Aussi c'est à J.-C. d'être universel; l'Église même
n'offre le sacrifice que pour les fidèles. J.-C. a offert
celui de la croix pour tous.

222 (747)
Les Juifs charnels et les païens ont des misères
et les chrétiens aussi. Il n'y a point de rédempteur pour
les païens, car ils (n')en espèrent pas seulement. Il n'y
a point de rédempteur pour les Juifs : ils l'espèrent
en vain. Il n'y a de rédempteur que pour les chrétiens.

Voyez perpétuité.

XVIII. FONDEMENTS

223 (570)
Il faut mettre au chap. des *fondements* ce qui est en
celui des *figuratifs* touchant la cause des figures. Pourquoi J.-C. prophétisé en son premier avènement ?
pourquoi prophétisé obscurément en la manière.

224 (816)
Incrédules les plus crédules, ils croient les miracles
de Vespasien pour ne pas croire ceux de Moïse.

225 (789)
Comme J.-C. est demeuré inconnu parmi les hommes;
ainsi la vérité demeure parmi les opinions communes
sans différence à l'extérieur. Ainsi l'Eucharistie parmi
le pain commun.

226 (523)
Toute la foi consiste en J.-C. et en Adam et toute la
morale en la concupiscence et en la grâce.

227 (223)

Qu'ont-ils à dire contre la résurrection, et contre l'enfantement d'une Vierge. Qu'est-il plus difficile de produire un homme ou un animal, que de le reproduire. Et s'ils n'avaient jamais vu une espèce d'animaux pourraient-ils deviner s'ils se produisent sans la compagnie les uns des autres ?

228 (751)

Que disent les prophètes de J.-C. ? qu'il sera évidemment Dieu ? non mais qu'il est un Dieu véritablement caché, qu'il sera méconnu, qu'on ne pensera point que ce soit lui, qu'il sera une pierre d'achoppement, à laquelle plusieurs heurteront, etc.

Qu'on ne nous reproche donc plus le manque de clarté puisque nous en faisons profession. Mais, dit-on, il y a des obscurités et sans cela on ne serait pas aheurté à J.-C. Et c'est un des desseins formels des prophètes : *excaeca.*

229 (444)

Ce que les hommes par leurs plus grandes lumières avaient pu connaître, cette religion l'enseignait à ses enfants.

230 (430 *bis*)

Tout ce qui est incompréhensible ne laisse pas d'être.

231 (511)

(Si on veut dire que l'homme est trop peu pour mériter la communication avec Dieu, il faut être bien grand pour en juger.)

232 (566)

On n'entend rien aux ouvrages de Dieu si on ne prend pour principe qu'il a voulu aveugler les uns et éclaircir les autres.

233 (796)
J.-C. ne dit pas qu'il n'est pas de Nazareth pour laisser les méchants dans l'aveuglement, ni qu'il n'est pas fils de Joseph.

234 (581)
Dieu veut plus disposer la volonté que l'esprit, la clarté parfaite servirait à l'esprit et nuirait à la volonté.
Abaisser la superbe.

235 (771)
J.-C. est venu aveugler ceux qui voient clair et donner la vue aux aveugles, guérir les malades, et laisser mourir les sains, appeler à pénitence et justifier les pécheurs, et laisser les justes dans leurs péchés, remplir les indigents et laisser les riches vides.

236 (578)
Aveugler. Éclaircir. Saint Aug. Montag. Sebonde.
Il y a assez de clarté pour éclairer les élus et assez d'obscurité pour les humilier. Il y a assez d'obscurité pour aveugler les réprouvés et assez de clarté pour les condamner et les rendre inexcusables.

La généalogie de J.-C. dans l'Ancien Testament est mêlée parmi tant d'autres inutiles, qu'elle ne peut être discernée. Si Moïse n'eût tenu registre que des ancêtres de J.-C., cela eût été trop visible; s'il n'eût pas marqué celle de J.-C. cela n'eût pas été assez visible, mais après tout qui y regarde de près voit celle de J.-C. bien discernée par Thamar, Ruth, etc.

Ceux qui ordonnaient ces sacrifices en savaient l'inutilité et ceux qui en ont déclaré l'inutilité n'ont pas laissé de les pratiquer.

Si Dieu n'eût permis qu'une seule religion elle eût été trop reconnaissable. Mais qu'on y regarde de près on discerne bien la vraie dans cette confusion.
Principe : Moïse était habile homme. Si donc il se

gouvernait par son esprit il ne devait rien mettre qui fût directement contre l'esprit.

Ainsi toutes les faiblesses très apparentes sont des forces. Exemple : Les deux généalogies de saint Matthieu et saint Luc. Qu'y a(-t-)il de plus clair que cela n'a pas été fait de concert.

237 (795)
Si J.-C. n'était venu que pour sanctifier, toute l'Écriture et toutes choses y tendraient et il serait bien aisé de convaincre les infidèles. Si J.-C. n'était venu que pour aveugler toute sa conduite serait confuse et nous n'aurions aucun moyen de convaincre les infidèles, mais comme il est venu *In sanctificationem et in scandalum*, comme dit Isaïe, nous ne pouvons convaincre les infidèles. Et ils ne peuvent nous convaincre, mais par là même nous les convainquons, puisque nous disons qu'il n'y a point de conviction dans toute sa conduite de part ni d'autre.

238 (645)
Figures.
Dieu voulant priver les siens des biens périssables pour montrer que ce n'était pas par impuissance, il a fait le peuple juif.

239 (510)
L'homme n'est pas digne de Dieu mais il n'est pas incapable d'en être rendu digne.
Il est indigne de Dieu de se joindre à l'homme misérable mais il n'est pas indigne de Dieu de le tirer de sa misère.

240 (705)
Preuve.
Prophétie avec l'accomplissement.
Ce qui a précédé et ce qui a suivi J.-C.

241 (765)
Source des contrariétés. Un Dieu humilié et jusqu'à

la mort de la croix. 2 natures en J.-C. Deux avènements. 2 états de la nature de l'homme. Un Messie
triomphant de la mort par sa mort.

242 (585)
Que Dieu s'est voulu cacher.

S'il n'y avait qu'une religion Dieu y serait bien
manifeste.

S'il n'y avait des martyrs qu'en notre religion de
même.

Dieu étant ainsi caché toute religion qui ne dit pas
que Dieu est caché n'est pas véritable, et toute religion
qui n'en rend pas la raison n'est pas instruisante. La
nôtre fait tout cela. *Vere tu es deus absconditus.*

243 (601)
(*Fondement de notre foi.*)

La religion païenne est sans fondement (*aujourd'hui
on dit qu'autrefois qu'elle (en) a eu par les oracles qui ont
parlé. Mais quels sont les livres qui nous en assurent ? sont-ils
si dignes de foi par la vertu de leurs auteurs ? sont-ils conservés avec tant de soin (qu')on puisse s'assurer qu'ils ne sont
point corrompus ?*)

La religion mahométane a pour fondement l'Alcoran, et Mahomet. Mais ce prophète qui devait être
la dernière attente du monde a(-t-)il été prédit ? Et
quelle marque a(-t-)il que n'ait aussi tout homme qui
se voudra dire prophète. Quels miracles dit-il lui-même
avoir faits ? Quel mystère a(-t-)il enseigné selon sa
tradition même ? Quelle morale et quelle félicité !

La religion juive doit être regardée différemment.
Dans la tradition des livres saints et dans la tradition
du peuple. La morale et la félicité en est ridicule dans
la tradition du peuple mais elle est admirable dans celle
de leurs saints. Le fondement en est admirable. C'est le
plus ancien livre du monde et le plus authentique et au
lieu que Mahomet pour faire subsister le sien a défendu
de le lire, Moïse pour faire subsister le sien a ordonné
à tout le monde de le lire. Et toute religion est de même.

Car la chrétienne est bien différente dans les livres
saints et dans les casuistes.

Notre religion est si divine qu'une autre religion divine n'en a que le fondement.

244 (228)
Objection des athées.
Mais nous n'avons nulle lumière.

XIX. LOI FIGURATIVE

245 (647)
Que la loi était figurative.

246 (657)
Figures.
Les peuples juif et égyptien visiblement prédits par ces deux particuliers, que Moïse rencontra : l'égyptien battant le juif, Moyse le vengeant et tuant l'égyptien et le juif en étant ingrat.

247 (674)
Figuratives.
Fais toutes choses selon le patron qui t'a été montré en la montagne, sur quoi saint Paul dit que les Juifs ont peint les choses célestes.

248 (653)
Figures.
Les prophètes prophétisaient par figures, de ceinture, de barbe et cheveux brûlés, etc.

249 (681)
Figuratives.
Clef du chiffre.
Veri adoratores. Ecce agnus dei qui tollit peccata mundi.

250 (667)
Figurat.
Ces termes d'épée, d'écu, *potentissime.*

251 (900)

Qui veut donner le sens de l'Écriture et ne le prend point de l'Écriture est ennemi de l'Écriture. Aug. d.d. Ch.

252 (648)

Deux erreurs. 1. prendre tout littéralement. 2. prendre tout spirituellement.

253 (679)

Figures.

J.-C. leur ouvrit l'esprit pour entendre les Écritures.

Deux grandes ouvertures sont celles-là. 1. Toutes choses leur arrivaient en figures — *Vere Israelitae*, *Vere liberi*, Vrai pain du ciel.

2. — Un Dieu humilié jusqu'à la croix. Il a fallu que le Christ ait souffert pour entrer en sa gloire, qu'il vaincrait la mort par sa mort — deux avènements.

254 (649)

Parler contre les trop grands figuratifs.

255 (758)

Dieu pour rendre le Messie connaissable aux bons et méconnaissable aux méchants l'a fait prédire en cette sorte. Si la manière du Messie eût été prédite clairement il n'y eût point eu d'obscurité même pour les méchants.

Si le temps eût été prédit obscurément il y eût eu obscurité même pour les bons (*car la bonté de leur cœur*) ne leur eût pas fait entendre que par exemple (le mem) signifie 600 ans. Mais le temps a été prédit clairement et la manière en figures.

Par ce moyen les méchants prenant les biens promis pour matériels s'égarent malgré le temps prédit clairement et les bons ne s'égarent pas.

Car l'intelligence des biens promis dépend du cœur qui appelle bien ce qu'il aime, mais l'intelligence du temps promis ne dépend point du cœur. Et ainsi la prédiction claire du temps et obscure des biens ne déçoit que les seuls méchants.

256 (662)

Les Juifs charnels n'entendaient ni la grandeur, ni l'abaissement du Messie prédit dans leurs prophéties. Ils l'ont méconnu dans sa grandeur prédite, comme quand il dit que le Messie sera seigneur de David, quoique son fils qu'il est devant qu'Abraham et qu'il l'a vu. Ils ne le croyaient pas si grand qu'il fût éternel, et ils l'ont méconnu de même dans son abaissement et dans sa mort. Le Messie, disaient-ils, demeure éternellement et celui-ci dit qu'il mourra. Ils ne le croyaient donc ni mortel, ni éternel; ils ne cherchaient en lui qu'une grandeur charnelle.

257 (684)

Contradiction.

On ne peut faire une bonne physionomie qu'en accordant toutes nos contrariétés et il ne suffit pas de suivre une suite de qualités accordantes sans accorder les contraires; pour entendre le sens d'un auteur il faut accorder tous les passages contraires.

Ainsi pour entendre l'Écriture il faut avoir un sens dans lequel tous les passages contraires s'accordent; il ne suffit pas d'en avoir un qui convienne à plusieurs passages accordants, mais d'en avoir un qui accorde les passages même contraires.

Tout auteur a un sens auquel tous les passages contraires s'accordent ou il n'a point de sens du tout. On ne peut pas dire cela de l'Écriture et des prophètes : ils avaient assurément trop de bon sens. Il faut donc en chercher un qui accorde toutes les contrariétés.

Le véritable sens n'est donc pas celui des juifs, mais en J.-C. toutes les contradictions sont accordées.

Les juifs ne sauraient accorder la cessation de la royauté et principauté prédite par Osée, avec la prophétie de Jacob.

Si on prend la loi, les sacrifices et le royaume pour réalités on ne peut accorder tous les passages; il faut donc par nécessité qu'ils ne soient que figures. On ne saurait pas même accorder les passages d'un même auteur, ni d'un même livre, ni quelquefois d'un même chapitre, ce qui marque trop quel était le sens de l'auteur; comme quand Ézéchiel, ch. 20 dit qu'on vivra dans les commandements de Dieu et qu'on n'y vivra pas.

258 (728)

Il n'était point permis de sacrifier hors de Jérusalem, qui était le lieu que le Seigneur avait choisi, ni même de manger ailleurs les décimes. deut. 12.5 etc. deut. 14. 23, etc. 15. 20. 16. 2. 7. 11. 15.

Osée a prédit qu'il serait sans roi, sans prince, sans sacrifices, etc., sans idoles, ce qui est accompli aujourd'hui, ne pouvant faire sacrifice légitime hors de Jérusalem.

259 (685) Figure.

Si la loi et les sacrifices sont la vérité il faut qu'elle plaise à Dieu et qu'elle ne lui déplaise point. S'ils sont figures il faut qu'ils plaisent et déplaisent.

Or dans toute l'Écriture ils plaisent et déplaisent. Il est dit que la loi sera changée, que le sacrifice sera changé, qu'ils seront sans roi, sans princes et sans sacrifices, qu'il sera fait une nouvelle alliance, que la loi sera renouvelée, que les préceptes qu'ils ont reçus ne sont pas bons, que leurs sacrifices sont abominables, que Dieu n'en a point demandé.

Il est dit au contraire que la loi durera éternellement, que cette alliance sera éternelle, que le sacrifice sera éternel, que le sceptre ne sortira jamais d'avec eux, puis qu'il n'en doit point sortir que le roi éternel n'arrive.

Tous ces passages marquent-ils que ce soit réalité ? non; marquent-ils aussi que ce soit figure ? non, mais que c'est réalité ou figure; mais les premiers excluant la réalité marquent que ce n'est que figure.

Tous ces passages ensemble ne peuvent être dits de la réalité; tous peuvent être dits de la figure. Ils ne sont pas dits de la réalité mais de la figure.

Agnus occisus est ab origine mundi, juge sacrificium.

260 (678)

Un portrait porte absence et présence, plaisir et déplaisir. La réalité exclut absence et déplaisir.

Figures.

Pour savoir si la loi et les sacrifices sont réalité ou figure il faut voir si les prophètes en parlant de ces choses y arrêtaient leur vue et leur pensée, en sorte qu'ils n'y vissent que cette ancienne alliance, ou s'ils y voient quelque autre chose dont elle fut la peinture. Car dans un portrait on voit la chose figurée. Il ne faut pour cela qu'examiner ce qu'ils en disent.

Quand ils disent qu'elle sera éternelle entendent-ils parler de l'alliance de laquelle ils disent qu'elle sera changée et de même des sacrifices etc...

Le chiffre a deux sens. Quand on surprend une lettre importante où l'on trouve un sens clair, et où il est dit néanmoins que le sens en est voilé et obscurci, qu'il est caché en sorte qu'on verra cette lettre sans la voir et qu'on l'entendra sans l'entendre, que doit-on penser sinon que c'est un chiffre à double sens.

Et d'autant plus qu'on y trouve des contrariétés manifestes dans le sens littéral.

Les prophètes ont dit clairement qu'Israël serait toujours aimé de Dieu et que la loi serait éternelle et ils ont dit que l'on n'entendrait point leur sens et qu'il était voilé.

Combien doit-on donc estimer ceux qui nous découvrent le chiffre et nous apprennent à connaître le sens caché, et principalement quand les principes qu'ils en prennent sont tout à fait naturels et clairs ? C'est ce qu'a fait J.-C. Et les apôtres. Ils ont levé le sceau. Il a rompu le voile et a découvert l'esprit. Ils nous ont appris pour cela que les ennemis de l'homme sont ses passions, que le rédempteur serait spirituel et son règne spirituel, qu'il y aurait deux avènements l'un de misère pour abaisser l'homme superbe, l'autre de gloire pour élever l'homme humilié, que J.-C. serait Dieu et homme.

261 (757)

Le temps du premier avènement sciemment prédit, le temps du second ne l'est point, parce que le premier devait être caché, le second devait être éclatant, et tellement manifeste que ses ennemis mêmes le devaient reconnaître, mais il ne devait venir qu'obscurément et que pour être connu de ceux qui sonderaient les Écritures.

262 (762)

Que pouvaient faire les Juifs, ses ennemis ?

S'ils le reçoivent ils le prouvent par leur réception, car les dépositaires de l'attente du Messie le recevaient et s'ils le renoncent ils le prouvent par leur renonciation.

263 (686)

Contrariétés.

Le sceptre jusqu'au Messie sans roi — ni prince.

Loi éternelle, changée.

Alliance éternelle, alliance nouvelle.

Loi bonne, préceptes mauvais. Éze 20.

264 (746)

Les Juifs étaient accoutumés aux grands et éclatants miracles et ainsi ayant eu les grands coups de la mer rouge et la terre de Canaan comme un abrégé des grandes choses de leur Messie ils en attendaient donc de plus éclatants, dont ceux de Moïse n'étaient que l'échantillon.

265 (677)

Figure porte absence et présence, plaisir et déplaisir.

Chiffre à double sens. Un clair et où il est dit que le sens est caché.

266 (719)

On pourrait peut-être penser que quand les prophètes ont prédit que le sceptre ne sortirait point de Juda jusqu'au roi éternel ils auraient parlé pour flatter le peuple et que leur prophétie se serait trouvée fausse à Hérode. Mais pour montrer que ce n'est pas leur sens, et qu'ils savaient bien au contraire que ce royaume temporel devait cesser, ils disent qu'ils seront sans roi et sans prince. Et longtemps durant. Osée.

267 (680)
Figures.
Dès qu'on a ouvert ce secret il est impossible de ne le pas voir. Qu'on lise le vieil testament en cette vue et qu'on voie si les sacrifices étaient vrais, si la parenté d'Abraham était la vraie cause de l'amitié de Dieu, si la terre promise était le véritable lieu de repos ? non, donc c'étaient des figures.

Qu'on voie de même toutes les cérémonies ordonnées et tous les commandements qui ne sont point pour la charité, on verra que c'en sont les figures.

Tous ces sacrifices et cérémonies étaient donc figures ou sottises, or il y a des choses claires trop hautes pour les estimer des sottises.

Savoir si les prophètes arrêtaient leur vue dans l'Ancien Testament ou s'ils y voyaient d'autres choses.

268 (683)
Figures.
La lettre tue — Tout arrivait en figures — Il fallait que le Christ souffrît — Un Dieu humilié — Voilà le chiffre que saint Paul nous donne.

Circoncision du cœur, vrai jeûne, vrai sacrifice, vrai temple : les prophètes ont indiqué qu'il fallait que tout cela fut spirituel.

Non la viande qui périt, mais celle qui ne périt point.

Vous serez vraiment libre; donc l'autre liberté n'est qu'une figure de liberté.

Je suis le vrai pain du ciel.

269 (692)
Il y en a qui voient bien qu'il n'y a pas d'autre ennemi de l'homme que la concupiscence qui les détourne

de Dieu, et non pas des (ennemis), ni d'autre bien que Dieu, et non pas une terre grasse. Ceux qui croient que le bien de l'homme est en la chair et le mal en ce qui le détourne des plaisirs des sens qu'il(s) s'en soûle(nt) et qu'il(s) y meure(nt). Mais ceux qui cherchent Dieu de tout leur cœur, qui n'ont de déplaisir que d'être privés de sa vue, qui n'ont de désir que pour le posséder et d'ennemis que ceux qui les en détournent, qui s'affligent de se voir environnés et dominés de tels ennemis, qu'ils se consolent, je leur annonce une heureuse nouvelle; il y a un Libérateur pour eux; je le leur ferai voir; je leur montrerai qu'il y a un Dieu pour eux; je ne le ferai pas voir aux autres. Je ferai voir qu'un Messie a été promis pour délivrer des ennemis, et qu'il en est venu un pour délivrer des iniquités, mais non des ennemis.

Quand David prédit que le Messie délivrera son peuple de ses ennemis on peut croire charnellement que ce sera des Égyptiens. Et alors je ne saurais montrer que la prophétie soit accomplie, mais on peut bien croire aussi que ce sera des iniquités. Car dans la vérité les Égyptiens ne sont point ennemis, mais les iniquités le sont.

Ce mot d'ennemis est donc équivoque, mais s'il dit ailleurs comme il fait qu'il délivrera son peuple de ses péchés, aussi bien qu'Isaïe et les autres, l'équivoque est ôtée, et le sens double des ennemis réduit au sens simple d'iniquités. Car s'il avait dans l'esprit les péchés il les pouvait bien dénoter par ennemis mais s'il pensait aux ennemis il ne les pouvait pas désigner par iniquités.

Or Moïse et David et Isaïe usaient de mêmes termes. Qui dira donc qu'ils n'avaient pas même sens et que le sens de David qui était manifestement d'iniquités lorsqu'il parlait d'ennemis, ne fut pas le même que Moïse en parlant d'ennemis.

Daniel, IX, prie pour la délivrance du peuple de la captivité de leurs ennemis. Mais il pensait aux péchés, et pour le montrer, il dit que Gabriel lui vint dire qu'il était exaucé et qu'il n'y avait plus que 70 semaines à attendre, après quoi le peuple serait délivré d'iniquités. Le péché prendrait fin et le Libérateur, le saint des saints amènerait la justice éternelle, non la légale, mais l'éternelle.

270 (670)
A. figures.

Les Juifs avai(en)t vieilli dans ces pensées terrestres : que Dieu aimait leur père Abraham, sa chair et ce qui en sortait, que pour cela il les avait multipliés et distingués de tous les autres peuples sans souffrir qu'ils s'y mélassent, que quand ils languissaient dans l'Égypte il les en retira avec tous ses grands signes en leur faveur, qu'il les nourrit de la manne dans le désert, qu'il les mena dans une terre bien grasse, qu'il leur donna des rois et un temple bien bâti pour y offrir des bêtes, et, par le moyen de l'effusion de leur sang qu'ils seraient purifiés, et qu'il leur devait enfin envoyer le Messie pour les rendre maîtres de tout le monde, et il a prédit le temps de sa venue.

Le monde ayant vieilli dans ces erreurs charnelles, J.-C. est venu dans le temps prédit, mais non pas dans l'éclat attendu, et ainsi ils n'ont pas pensé que ce fut lui. Après sa mort saint Paul est venu apprendre aux hommes que toutes ces choses étaient arrivées en figures, que le royaume de Dieu ne consistait pas en la chair, mais en l'esprit, que les ennemis des hommes n'étaient pas les Babyloniens, mais leurs passions, que Dieu ne se plaisait pas aux temples faits de main, mais en un cœur pur et humilié, que la circoncision du corps était inutile, mais qu'il fallait celle du cœur, que Moïse ne leur avait pas donné le pain du ciel etc.

Mais Dieu n'ayant pas voulu découvrir ces choses à ce peuple qui en était indigne et ayant voulu néanmoins les produire afin qu'elles fussent crues, il en a prédit le temps clairement et les a quelquefois exprimées clairement mais abondamment en figures afin que ceux qui aimaient les choses figurantes s'y arrêtassent et que ceux qui aimaient les figurées les y vissent.

Tout ce qui ne va point à la charité est figure.

L'unique objet de l'Écriture est la charité.

Tout ce qui ne va point à l'unique bien en est la figure. Car puisqu'il n'y a qu'un but tout ce qui n'y va point en mots propres est figure.

Dieu diversifie ainsi cet unique précepte de charité pour satisfaire notre curiosité qui recherche la diversité par cette diversité qui nous mène toujours à notre unique nécessaire. Car une seule chose est nécessaire et nous aimons la diversité, et Dieu satisfait à l'un et à l'autre par ces diversités qui mènent au seul nécessaire.

Les Juifs ont tant aimé les choses figurantes et les ont si bien attendues qu'ils ont méconnu la réalité quand elle est venue dans le temps et en la manière prédite.

Les Rabbins prennent pour figure les mamelles de l'épouse et tout ce qui n'exprime pas l'unique but qu'ils ont des biens temporels.

Et les chrétiens prennent même l'Eucharistie pour figure de la gloire où ils tendent.

271 (545)
J.-C. n'a fait autre chose qu'apprendre aux hommes qu'ils s'aimaient eux-mêmes, qu'ils étaient esclaves, aveugles, malades, malheureux et pécheurs; qu'il fallait qu'il les délivrât, éclairât, béatifiât et guérît, que cela se ferait en se haïssant soi-même et en le suivant par la misère et la mort de la croix.

272 (687)
Figures.
Quand la parole de Dieu qui est véritable est fausse littéralement elle est vraie spirituellement. *Sede a dextris*

meis : cela est faux littéralement, donc cela est vrai spirituellement.

En ces expressions il est parlé de Dieu à la manière des hommes. Et cela ne signifie autre chose sinon que l'intention que les hommes ont en faisant asseoir à leur droite Dieu l'aura aussi. C'est donc une marque de l'intention de Dieu, non de sa manière de l'exécuter.

Ainsi quand il dit : Dieu a reçu l'odeur de vos parfums et vous donnera en récompense une terre grasse, c'est-à-dire la même intention qu'aurait un homme qui, agréant vos parfums, vous donnerait en récompense une terre grasse, Dieu aura la même intention pour vous parce que vous avez eu pour lu(i) même intention qu'un homme a pour celui à qui il donne des parfums.

Ainsi *iratus est,* Dieu jaloux, etc. Car les choses de Dieu étant inexprimables elles ne peuvent être dites autrement et l'Église d'aujourd'hui en use encore, *quia confortavit seras,* etc.

Il n'est pas permis d'attribuer à l'Écriture des sens qu'elle ne nous a pas révélé qu'elle a. Ainsi de dire que le (mem) d'Isaïe signifie 600 cela n'est pas révélé. Il n'est pas dit que les (tsade) et les (he) déficientes signifieraient des mystères. Il n'est donc pas permis de le dire. Et encore moins de dire que c'est la manière de la pierre philosophale. Mais nous disons que le sens littéral n'est pas le vray parce que les prophètes l'ont dit eux-mêmes.

273 (745)

Ceux qui ont peine à croire cherchent un sujet en ce que les Juifs ne croient pas. Si cela était si clair, dit-on, pourquoi ne croiraient-ils pas ? et voudraient quasi qu'ils crussent afin de n'être point arrêtés par l'exemple de leur refus. Mais c'est leur refus même qui est le fondement de notre créance. Nous y serions bien moins disposés s'ils étaient des nôtres : nous aurions alors un bien plus ample prétexte.

Cela est admirable d'avoir rendu les Juifs grands

amateurs des choses prédites et grands ennemis de
l'accomplissement.

274 (642)
Preuves des deux testaments à la fois.

Pour prouver d'un coup tous les deux il ne faut
que voir si les prophéties de l'un sont accomplies
en l'autre.

Pour examiner les prophéties il faut les entendre.

Car si on croit qu'elles n'ont qu'un sens il est sûr
que le Messie ne sera point venu, mais si elles ont deux
sens il est sûr qu'il sera venu en J.-C.

Toute la question est donc de savoir si elles ont
deux sens.

Que l'Écriture a deux sens.

Que J.-C. et les apôtres ont donnés dont voici les
preuves.

1. Preuve par l'Écriture même.

2. Preuves par les Rabbins. Moïse Mammon dit
qu'elle a deux faces prou(vées) et que les prophètes
n'ont prophétisé que de J.-C.

3. Preuves par la Caballe.

4. Preuves par l'interprétation mystique que les
Rabbins mêmes donnent de l'Écriture.

5. Preuves par les principes des Rabbins qu'il y a
deux sens.

qu'il y a deux avènements du Messie, glorieux ou
abject selon leur mérite — que les prophètes n'ont
prophétisé que du Messie — la loi n'est pas éternelle,
mais doit changer au Messie — qu'alors on ne se
souviendra plus de la mer Rouge — que les juifs et
les gentils seront mêlés.

(6. *Preuves par la clef que J.-C. et les apôtres nous en
donnent.*)

275 (643)
A. Figures.

Isaïe — 51. la mer rouge image de la rédemption.

*Ut sciatis quod filius hominis habet potestatem remittendi
peccata tibi dico surge.*

Dieu voulant faire paraître qu'il pouvait former un peuple saint d'une sainteté invisible et le remplir d'une gloire éternelle a fait des choses visibles. Comme la nature est une image de la grâce il a fait dans les biens de la nature ce qu'il devait faire dans ceux de la grâce, afin qu'on jugeât qu'il pouvait faire l'invisible puisqu'il faisait bien le visible.

Il a donc sauvé le peuple du déluge; il l'a fait naître d'Abraham, il l'a racheté d'entre ses ennemis et l'a mis dans le repos.

L'objet de Dieu n'était pas de sauver du déluge, et de faire naître tout un peuple d'Abraham pour nous introduire que dans une terre grasse.

Et même la grâce n'est que la figure de la gloire. Car elle n'est pas la dernière fin. Elle a été figurée par la loi et figure elle-même la grâce, mais elle en est la figure et le principe ou la cause.

La vie ordinaire des hommes est semblable à celle des saints. Ils recherchent tous leur satisfaction et ne diffèrent qu'en l'objet où ils la placent. Ils appellent leurs ennemis ceux qui les en empêchent, etc... Dieu a donc montré le pouvoir qu'il a de donner les biens invisibles par celui qu'il a montré qu'il avait sur les visibles.

276 (691)

De deux personnes qui disent de sots contes, l'une qui voit double sens entendu dans la caballe, l'autre qui n'a que ce sens, si quelqu'un n'étant pas du secret entend discourir les deux en cette sorte il en fera même jugement. Mais si ensuite dans le reste du discours l'un dit des choses angéliques et l'autre toujours des choses plates et communes il jugera que l'un parlait avec mystère et non pas l'autre, l'un ayant assez montré qu'il est incapable de telles sottises et capable d'être mystérieux, l'autre qu'il est incapable de mystère et capable de sottise.

Le vieux testament est un chiffre.

XX. RABBINAGE

277 (635)
Chronologie du Rabbinisme.
Les citations des pages sont du livre Pugio.
p. 27. R. Hakadosch.
auteur du Mischna ou loi vocale, ou seconde loi
— an 200.

Commentaires du Mischna { l'un siphra / Barajetot / Talmud hyerosol. / Tosiphtot } an 340

Bereschit Rabah, par R. Osaia Rabah, commentaire du Mischna.

Bereschit Rabah, Bar Nachoni, sont des discours subtils, agréables, historiques et théologiques.

Ce même auteur a fait des livres appelés Rabot.

Cent ans après le Talmud hieros. fut fait le Talmud Babylonique par R. Ase, par le consentement universel de tous les Juifs qui sont nécessairement obligés d'observer tout ce qui y est contenu.

L'addition de R. Ase s'appelle Gemara, c'est-à-dire le commentaire du Mischna.

Et le Talmud comprend ensemble le Mischna et le Gemara.

278 (446)
Tradition ample du péché originel selon les Juifs.
Sur le mot de la Genèse 8, la composition du cœur de l'homme est mauvaise dès son enfance.

R. Moyse Haddarschan. Ce mauvais levain est mis dans l'homme dès l'heure où il est formé.

Massachet Succa. Ce mauvais levain a sept noms : dans l'Écriture il est appelé mal, prépuce, immonde, ennemi, scandale, cœur de pierre, aquilon, tout cela signifie la malignité qui est cachée et empreinte dans le cœur de l'homme. Misdrach Tillim dit la même chose et que Dieu délivrera la bonne nature de l'homme de la mauvaise.

Cette malignité se renouvelle tous les jours contre l'homme comme il est écrit Ps. 137. L'impie observe le juste et cherche à le faire mourir, mais Dieu ne l'abandonnera point.

Cette malignité tente le cœur de l'homme en cette vie et l'accusera en l'autre.

Tout cela se trouve dans le Talmud.

Midrasch Tillim sur le Ps. 4. Frémissez et vous ne pécherez point. Frémissez et épouvantez votre concupiscence et elle ne vous induira point à pécher. Et sur le Ps. 36. L'impie a dit en son cœur que la crainte de Dieu ne soit point devant moi, c'est-à-dire que la malignité naturelle de l'homme a dit cela à l'impie.

Midrasch et Kohelet. Meilleur est l'enfant pauvre et sage que le roi vieux et fol qui ne sait pas prévoir l'avenir. L'enfant est la vertu et le roi est la malignité de l'homme. Elle est appelée roi parce que tous les membres lui obéissent et vieux parce qu'il est dans le cœur de l'homme depuis l'enfance jusqu'à la vieillesse, et fol parce que il conduit l'homme dans la voie de (per)dition qu'il ne prévoit point.

La même chose est dans Midrasch Tillim.

Bereschist Rabba sur le Ps. 35. Seigneur tous mes os te béniront parce que tu délivres le pauvre du tyran et y a(-t-)il un plus grand tyran que le mauvais levain.

Et sur les Proverbes 25. Si ton ennemi a faim donne-lui à manger, c'est-à-dire si le mauvais levain a faim donnez-lui du pain de la sagesse dont il est parlé Proverbe 9. Et s'il a soif donne-lui de l'eau dont il est parlé. Isaïe 55.

Midrasch Tillim dit la même chose et que l'Écriture en cet endroit, en parlant de notre ennemi entend le mauvais levain et qu'en lui ce pain et cette eau on lui assemblera des charbons sur la tête.

Midrasch Kohelet sur l'Ecc. 9. Un grand roi a assiégé une petite ville. Ce grand roi est le mauvais levain. Les grandes machines dont il l'environne sont les tentations, et il a été — trouver un homme sage et pauvre qui l'a délivrée, c'est-à-dire la vertu.

Et sur le Ps 41. Bienheureux qui a égard aux pauvres.

Et sur le Ps. 78. L'esprit s'en va et ne revient plus, d'où quelques-uns ont pris sujet d'errer contre l'immortalité de l'âme; mais le sens est que cet esprit est le mauvais levain, qui s'en va avec l'homme jusqu'à la mort et ne reviendra point en la résurrection.

Et sur le Ps. 103. la même chose.

Et sur le Ps. 16.

Principes des Rabbins : deux Messies.

XXI. PERPÉTUITÉ

279 (690)

Un mot de David ou de Moïse, comme que Dieu circoncira leur cœur fait juger de leur esprit.

Que tous leurs autres discours soient équivoques et douteux d'être philosophes ou chrétiens, enfin un mot de cette nature détermine tous les autres comme un mot d'Épictète détermine tout le reste au contraire. Jusque-là l'ambiguïté dure et non pas après.

280 (614)

Les états périraient si on ne faisait ployer souvent les lois à la nécessité, mais jamais la religion n'a souffert cela et n'en a usé. Aussi il faut ces accommodements ou des miracles.

Il n'est pas étrange qu'on se conserve en ployant, et ce n'est pas proprement se maintenir, et encore périssent-ils enfin entièrement. Il n'y en a point qui ait duré 1000 ans. Mais que cette religion se soit toujours maintenue et inflexible... Cela est divin.

281 (613)

Perpétuité.

Cette religion qui consiste à croire que l'homme est déchu d'un état de gloire et de communication avec

Dieu en un état de tristesse, de pénitence et d'éloignement de Dieu, mais qu'après cette vie nous serons rétablis par un Messie qui devait venir, a toujours été sur la terre.

Toutes choses ont passé et celle-là a subsisté par laquelle sont toutes choses.

Les hommes dans le premier âge du monde ont été emportés dans toutes sortes de désordres, et il y avait cependant des saints comme Enoch, Lamech, et d'autres qui attendaient en patience le Christ promis dès le commencement du monde. Noé a vu la malice des hommes au plus haut degré et il a mérité de sauver le monde en sa personne par l'espérance du Messie, dont il a été la figure. Abraham était environné d'idolâtres quand Dieu lui a fait connaître le mystère du Messie qu'il a salué de loin; au temps d'Isaac et de Jacob, l'abomination était répandue sur toute la terre, mais ces saints vivaient en leur foi, et Jacob mourant et bénissant ses enfants s'écrie par un transport qui lui fait interrompre son discours : j'attends, ô mon Dieu, le sauveur que vous avez promis, *salutare tuum expectabo domine.*

Les Égyptiens étaient infectés et d'idolâtrie et de magie, le peuple de Dieu même était entraîné par leur exemple. Mais cependant Moïse et d'autres voyaient celui qu'ils ne voyaient pas, et l'adoraient en regardant aux dons éternels qu'il leur préparait.

Les Grecs et les Latins ensuite ont fait régner les fausses déités, les poètes ont fait cent diverses théologies. Les philosophes se sont séparés en mille sectes différentes. Et cependant il y avait toujours au cœur de la Judée des hommes choisis qui prédisaient la venue de ce Messie qui n'était connu que d'eux. Il est venu enfin en la consommation des temps et depuis on a vu naître tant de schismes et d'hérésies, tant renverser d'états, tant de changements en toutes choses, et cette église qui adore celui qui a toujours été a subsisté sans interruption et ce qui est admirable, incomparable et tout à fait divin, est que cette religion qui a toujours duré a toujours été combattue. Mille fois elle a été à la veille d'une destruction universelle, et toutes les fois qu'elle a été en cet état Dieu l'a relevée par des coups extraordinaires de sa puissance. Car ce qui est étonnant est qu'elle s'est maintenue sans fléchir et plier sous la volonté des tyrans, car il n'est pas étrange qu'un état subsiste lorsque l'on fait quelquefois céder ses lois à la nécessité; mais que — Voyez le rond dans Montaigne.

282 (616)
Perpétuité.
Le Messie a toujours été cru. La tradition d'Adam était encore nouvelle en Noé et en Moïse. Les prophètes l'ont prédit depuis en prédisant toujours d'autres choses dont les événements qui arrivaient de temps en temps à la vue des hommes marquaient la vérité de leur mission et par conséquent celle de leurs promesses touchant le Messie. J.-C. a fait des miracles et les apôtres aussi qui ont converti tous les païens et par là toutes les prophéties étant accomplies le Messie est prouvé pour jamais.

283 (655)
Les six âges, les six pères des six âges, les six merveilles à l'entrée des six âges, les six orients à l'entrée des six âges.

284 (605)
La seule religion contre la nature, contre le sens commun, contre nos plaisirs est la seule qui ait toujours été.

285 (867)
Si l'ancienne Église était dans l'erreur l'Église est tombée. Quand elle y serait aujourd'hui ce n'est pas de même car elle a toujours la maxime supérieure de la tradition de la créance de l'ancienne Église. Et ainsi cette soumission et cette conformité à l'ancienne Église prévaut et corrige tout. Mais l'ancienne Église ne supposait pas l'Église future et ne la regardait pas,

comme nous supposons et regardons l'ancienne.

286 (609)
2 sortes d'hommes en chaque religion.

Parmi les païens des adorateurs de bêtes, et les autres adorateurs d'un seul Dieu dans la religion naturelle.

Parmi les juifs les charnels et les spirituels qui étaient les chrétiens de la loi ancienne.

Parmi les chrétiens les grossiers qui sont les juifs de la loi nouvelle.

Les juifs charnels attendaient un Messie charnel et les chrétiens grossiers croient que le Messie les a dispensés d'aimer Dieu. Les vrais Juifs et les vrais chrétiens adorent un Messie qui leur fait aimer Dieu.

287 (607)
Qui jugera de la religion des Juifs par les grossiers la connaîtra mal. Elle est visible dans les saints livres et dans la tradition des prophètes qui ont assez fait entendre qu'ils n'entendaient pas la loi à la lettre. Ainsi notre religion est divine dans l'Évangile, les apôtres et la tradition, mais elle est ridicule dans ceux qui la traitent mal.

Le Messie selon les Juifs charnels doit être un grand prince temporel. J.-C. selon les chrétiens charnels est venu nous dispenser d'aimer Dieu, et nous donner des sacrements qui opèrent tout sans nous; ni l'un ni l'autre n'est la religion chrétienne, ni juive.

Les vrais juifs et les vrais chrétiens ont toujours attendu un Messie qui les ferait aimer Dieu et par cet amour triompher de leurs ennemis.

288 (689)
Moïse, Deut. 30. promet que Dieu circoncira leur cœur pour les rendre capables de l'aimer.

289 (608)
Les Juifs charnels tiennent le milieu entre les chrétiens et les païens. Les païens ne connaissent point

Dieu et n'aiment que la terre, les juifs connaissent le vrai Dieu et n'aiment que la terre, les chrétiens connaissent le vrai Dieu et n'aiment point la terre. Les juifs et les païens aiment les mêmes biens. Les juifs et les chrétiens connaissent le même Dieu.

Les juifs étaient de deux sortes. Les uns n'avaient que les affections païennes, les autres avaient les affections chrétiennes.

XXII. PREUVES DE MOÏSE

290 (626)
Autre rond.

La longueur de la vie des patriarches, au lieu de faire que les histoires des choses passées se perdissent, servait au contraire à les conserver. Car ce qui fait que l'on n'est pas quelquefois assez instruit dans l'histoire de ses ancêtres est que l'on n'a jamais guère vécu avec eux, et qu'ils sont morts souvent devant que l'on eût atteint l'âge de raison. Or, lorsque les hommes vivaient si longtemps, les enfants vivaient longtemps avec leurs pères. Ils les entretenaient longtemps. Or, de quoi les eussent-ils entretenus, sinon de l'histoire de leurs ancêtres, puisque toute l'histoire était réduite à celle-là, qu'ils n'avaient point d'études, ni de sciences, ni d'arts, qui occupent une grande partie des discours de la vie ? Aussi l'on voit qu'en ce temps les peuples avaient un soin particulier de conserver leurs généalogies.

291 (587)
Cette religion si grande en miracles, saints, purs, irréprochables, savants et grands témoins, martyrs; rois — David — établis; Isaïe prince du sang; si grande en science après avoir étalé tous ses miracles et toute sa sagesse. Elle réprouve tout cela et dit qu'elle n'a ni sagesse, ni signe, mais la croix et la folie.

Car ceux qui par ces signes et cette sagesse ont mérité votre créance et qui vous ont prouvé leur caractère, vous déclarent que rien de tout cela ne peut nous changer et nous rendre capable de connaître et aimer Dieu que la vertu de la folie de la croix, sans sagesse ni signe et point non les signes sans cette vertu.

Ainsi notre religion est folle en regardant à la cause efficace et sage en regardant à la sagesse qui y prépare.

292 (624)
Preuves de Moïse.
Pourquoi Moïse va(-t-)il faire la vie des hommes si longue et si peu de générations.

Car ce n'est pas la longueur des années mais la multitude des générations qui rendent les choses obscures.

Car la vérité ne s'altère que par le changement des hommes.

Et cependant il met deux choses les plus mémorables qui se soient jamais imaginées, savoir la création et le déluge si proches qu'on y touche.

293 (204 *bis*)
Si on doit donner huit jours on doit donner toute la vie.

294 (703)
Tandis que les prophètes ont été pour maintenir la loi le peuple a été négligent. Mais depuis qu'il n'y a plus eu de prophètes le zèle a succédé.

295 (629)
Josèphe cache la honte de sa nation.
Moïse ne cache pas la honte propre ni...
Quis mihi det ut omnes prophetent.
Il était las du peuple.

296 (625)
Sem qui a vu Lamech qui a vu Adam a vu aussi Jacob qui a vu ceux qui ont vu Moïse : donc le déluge

et la création sont vrais. Cela conclut entre de certaines gens qui l'entendent bien.

297 (702)
Zèle du peuple juif pour sa loi et principalement depuis qu'il n'y a plus eu de prophètes.

XXIII. PREUVES DE JÉSUS-CHRIST

298 (283)
L'ordre. Contre l'objection que l'Écriture n'a pas d'ordre.

Le cœur a son ordre, l'esprit a le sien qui est par principe et démonstration. Le cœur en a un autre. On ne prouve pas qu'on doit être aimé en exposant d'ordre les causes de l'amour; cela serait ridicule.

J.-C., saint Paul ont l'ordre de la charité, non de l'esprit, car ils voulaient rabaisser, non instruire.

Saint Augustin de même. Cet ordre consiste principalement à la digression sur chaque point qui a rapport à la fin, pour la montrer toujours.

299 (742)
L'Évangile ne parle de la virginité de la vierge que jusques à la naissance de J.-C. Tout par rapport à J.-C.

300 (786)
J.-C. dans une obscurité (selon ce que le monde appelle obscurité), telle que les historiens n'écrivant que les importantes choses des états l'ont à peine aperçu.

301 (772)
Sainteté.
Effundam spiritum meum. Tous les peuples étaient dans l'infidélité et dans la concupiscence, toute la terre fut ardente de charité : les princes quittent leur gran-

deur, les filles souffrent le martyre. D'où vient cette
force ? c'est que le Messie est arrivé. Voilà l'effet et
les marques de sa venue.

302 (809)
Les combinaisons des miracles.

303 (799)
Un artisan qui parle des richesses, un procureur qui
parle de la guerre, de la royauté, etc., mais le riche
parle bien des richesses, le roi parle froidement d'un
grand don qu'il vient de faire, et Dieu parle bien de
Dieu.

304 (743)
Preuves de J.-C.
Pourquoi le livre de Ruth, conservé.
Pourquoi l'histoire de Thamar.

305 (638)
Preuves de J.-C.
Ce n'est pas avoir été captif que de l'avoir été avec
assurance d'être délivré, dans 70 ans, mais maintenant
ils le sont sans aucun espoir.
Dieu leur a promis qu'encore qu'il les dispersât
aux bouts du monde, néanmoins s'ils étaient fidèles à
sa loi il les rassemblerait. Ils y sont très fidèles et demeurent opprimés.

306 (763)
Les Juifs en éprouvant s'il était Dieu ont montré
qu'il était homme.

307 (764)
L'Église a eu autant de peine à montrer que J.-C.
était homme, contre ceux qui le niaient qu'à montrer
qu'il était Dieu, et les apparences étaient aussi grandes.

308 (793)
La distance infinie des corps aux esprits figure la

distance infiniment plus infinie des esprits à la charité, car elle est surnaturelle.

Tout l'éclat des grandeurs n'a point de lustre pour les gens qui sont dans les recherches de l'esprit.

La grandeur des gens d'esprit est invisible aux rois, aux riches, aux capitaines, à tous ces grands de chair.

La grandeur de la sagesse, qui n'est nulle sinon de Dieu, est invisible aux charnels et aux gens d'esprit. Ce sont trois ordres différents, de genre.

Les grands génies ont leur empire, leur éclat, leur grandeur, leur victoire et leur lustre, et n'ont nul besoin des grandeurs charnelles où elles n'ont pas de rapport. Ils sont vus, non des yeux mais des esprits. C'est assez.

Les saints ont leur empire, leur éclat, leur victoire, leur lustre et n'ont nul besoin des grandeurs charnelles ou spirituelles, où elles n'ont nul rapport, car elles n'y ajoutent ni ôtent. Ils sont vus de Dieu et des anges et non des corps ni des esprits curieux. Dieu leur suffit.

Archimède sans éclat serait en même vénération. Il n'a pas donné des batailles pour les yeux, mais il a fourni à tous les esprits ses inventions. O qu'il a éclaté aux esprits.

J.-C. sans biens, et sans aucune production au-dehors de science, est dans son ordre de sainteté. Il n'a point donné d'inventions. Il n'a point régné, mais il a été humble, patient, saint, saint, saint à Dieu, terrible aux démons, sans aucun péché. O qu'il est venu en grande pompe et en une prodigieuse magnificence aux yeux du cœur et qui voyent la sagesse.

Il eût été inutile à Archimède de faire le prince dans ses livres de géométrie, quoiqu'il le fût.

Il eût été inutile à N.-S. J.-C. pour éclater dans son règne de sainteté, de venir en roi, mais il y est bien venu avec l'éclat de son ordre.

Il est bien ridicule de se scandaliser de la bassesse de J.-C., comme si cette bassesse était du même ordre duquel est la grandeur qu'il venait faire paraître.

Qu'on considère cette grandeur-là dans sa vie, dans sa passion, dans son obscurité, dans sa mort, dans l'élection des siens, dans leur abandonnement, dans sa secrète résurrection et dans le reste. On la verra si grande qu'on n'aura pas sujet de se scandaliser d'une bassesse qui n'y est pas.

Mais il y en a qui ne peuvent admirer que les grandeurs charnelles comme s'il n'y en avait pas de spirituelles. Et d'autres qui n'admirent que les spirituelles comme s'il n'y en avait pas d'infiniment plus hautes dans la sagesse.

Tous les corps, le firmament, les étoiles, la terre et ses royaumes, ne valent pas le moindre des esprits. Car il connaît tout cela, et soi, et les corps rien.

Tous les corps ensemble et tous les esprits ensemble et toutes leurs productions ne valent pas le moindre mouvement de charité. Cela est d'un ordre infiniment plus élevé.

De tous les corps ensemble on ne saurait en faire réussir une petite pensée. Cela est impossible et d'un autre ordre. De tous les corps et esprits on n'en saurait tirer un mouvement de vraie charité, cela est impossible, et d'un autre ordre surnaturel.

309 (797)
Preuves de J.-C.

J.-C. a dit les choses grandes si simplement qu'il semble qu'il ne les a pas pensées, et si nettement néanmoins qu'on voit bien ce qu'il en pensait. Cette clarté jointe à cette naïveté est admirable.

310 (801)
Preuves de J.-C.

L'hypothèse des apôtres fourbes est bien absurde. Qu'on la suive tout au long, qu'on s'imagine ces douze hommes assemblés après la mort de J.-C., faisant le complot de dire qu'il est ressuscité. Ils attaquent par là toutes les puissances. Le cœur des hommes est étrangement penchant à la légèreté, au changement, aux promesses, aux biens, si peu que l'un de ceux-là se fût démenti par tous ces attraits, et qui plus est par les prisons, par les tortures et par la mort, ils étaient perdus. Qu'on suive cela.

311 (640)

C'est une chose étonnante et digne d'une étrange attention de voir ce peuple juif subsister depuis tant d'années et de le voir toujours misérable, étant nécessaire pour la preuve de J.-C. et qu'il subsiste pour le prouver et qu'il soit misérable, puisqu'ils l'ont crucifié. Et quoiqu'il soit contraire d'être misérable et de subsister il subsiste néanmoins toujours malgré sa misère.

312 (697)
Prodita lege.
Impleta cerne.
Implenda collige.

313 (569) Canoniques.
Les hérétiques au commencement de l'Église servent à prouver les canoniques.

314 (639)
Quand Nabuchodonosor emmena le peuple de peur qu'on ne crût que le sceptre fût ôté de Juda il leur dit auparavant qu'ils y seraient peu, et qu'ils y seraient, et qu'ils seraient rétablis.

Ils furent toujours consolés par les prophètes; leurs rois continuèrent.

Mais la seconde destruction est sans promesse de rétablissement, sans prophètes, sans roi, sans consolation, sans espérance parce que le sceptre est ôté pour jamais.

315 (752)
Moïse d'abord enseigne la Trinité, le péché originel, le Messie.

David grand témoin.

Roi, bon, pardonnant, belle âme, bon esprit, puissant. Il prophétise et son miracle arrive. Cela est infini.

Il n'avait qu'à dire qu'il était le Messie s'il eût eu de la vanité, car les prophéties sont plus claires de lui que de J.-C.

Et saint Jean de même.

316 (800)
Qui a appris aux évangélistes les qualités d'une âme parfaitement héroïque, pour la peindre si parfaitement en J.-C. ? Pourquoi le font-ils faible dans son agonie ? Ne savent-ils pas peindre une mort constante ? Oui, car le même saint Luc peint celle de saint Étienne plus forte que celle de J.-C.

Ils le font capable de crainte, avant que la nécessité de mourir soit arrivée, et ensuite tout fort.

Mais quand ils le font si troublé c'est quand il se trouble lui-même et quand les hommes le troublent il est fort.

317 (701)
Le zèle des juifs pour leur loi et leur temple. Josèphe et Philon juif, *ad Caium*.

Quel autre peuple a un tel zèle, il fallait qu'ils l'eussent.

J.-C. prédit quant au temps et à l'état du monde. Le duc ôté de la cuisse, et la 4ᵉ monarchie.

Qu'on est heureux d'avoir cette lumière dans cette obscurité.

Qu'il est beau de voir par les yeux de la foi, Darius et Cyrus, Alexandre, les Romains, Pompée et Hérode, agir sans le savoir pour la gloire de l'Évangile.

318 (755)
La discordance apparente des évangiles.

319 (699)
La synagogue a précédé l'Église, les Juifs les chrétiens. Les prophètes ont prédit les chrétiens. Saint Jean. J.-C.

320 (178)
Macrobe. Des innocents tués par Hérode.

321 (600)
Tout homme peut faire ce qu'a fait Mahomet. Car il n'a point fait de miracles, il n'a point été prédit. Nul homme ne peut faire ce qu'a fait J.-C.

322 (802)
Les apôtres ont été trompés ou trompeurs. L'un et l'autre est difficile. Car il n'est pas possible de prendre un homme pour être ressuscité.

Tandis que J.-C. était avec eux, il les pouvait soutenir, mais après cela, s'il ne leur est apparu, qui les a fait agir ?

XXIV. PROPHÉTIES

323 (773)
Ruine des Juifs et des païens par Jésus-Christ : *omnes gentes venient et adorabunt eum. Parum est ut*, etc. *Postula a me.*
Adorabunt eum omnes reges.
Testes iniqui.
Dabit maxillam percutienti. Dederunt fel in escam.

324 (730)
Qu'alors l'idolâtrie serait renversée, que ce Messie abattrait toutes les idoles et ferait entrer les hommes dans le culte du vrai Dieu.

Que les temples des idoles seraient abattus et que parmi toutes les nations et en tous les lieux du monde lui serait offerte une hostie pure, non point des animaux.

324 (730)

Qu'il serait roi des Juifs et des gentils, et voilà ce roi des Juifs et des gentils opprimé par les uns et les autres qui conspirent à sa mort dominant des uns et des autres, et détruisant et le culte de Moïse dans Jérusalem, qui en était le centre, dont il fait sa première église et le culte des idoles dans Rome qui en était le centre et dont il fait sa principale église.

325 (733)

Qu'il enseignerait aux hommes la voie parfaite.
Et jamais il n'est venu ni devant ni après aucun homme qui ait enseigné rien de divin approchant de cela.

326 (694)

Et ce qui couronne tout cela est la prédiction afin qu'on ne dît point que c'est le hasard qui l'a fait.

Quiconque n'ayant plus que 8 jours à vivre ne trouvera pas que le parti est de croire que tout cela n'est pas un coup du hasard.

Or si les passions ne nous tenaient point, 8 jours et cent ans sont une même chose.

327 (770)

Après que bien des gens sont venus devant il est venu enfin J.-C. dire : me voici et voici le temps. Ce que les prophètes ont dit devoir advenir dans la suite des temps je vous dis que mes apôtres le vont faire. Les Juifs vont être rebutés. Hierusalem sera bientôt détruite et les païens vont entrer dans la connaissance de Dieu. Mes apôtres le vont faire après que vous aurez tué l'héritier de la vigne.

Et puis les apôtres ont dit aux Juifs : Vous allez être maudits. Celsus s'en moquait. Et aux païens : Vous allez entrer dans la connaissance de Dieu, et cela est arrivé alors.

328 (732)

Qu'alors on n'enseignera plus son prochain disant :
voici le Seigneur. Car Dieu se fera sentir à tous. Vos fils
prophétiseront. Je mettrai mon esprit et ma crainte
en votre cœur.

Tout cela est la même chose.

Prophétiser c'est parler de Dieu, non par preuves
de dehors, mais par sentiment intérieur et immédiat.

329 (734)

Que J.-C. serait petit en son commencement et
croîtrait ensuite. La petite pierre de Daniel.

Si je n'avais ouï parler en aucune sorte du Messie,
néanmoins après les prédictions si admirables de l'ordre
du monde que je vois accomplies, je vois que cela est
divin et si je savais que ces mêmes livres prédisent un
Messie je m'assurerais qu'il serait certain, et voyant
qu'ils mettent son temps avant la destruction du 2^e
temple je dirais qu'il serait venu.

330 (725)

Prophéties.

La conversion des Égyptiens.

Is. 19. 19.

Un autel en Égypte au vrai Dieu.

331 (748)

Au temps du Messie ce peuple se partage.

Les spirituels ont embrassé le Messie, les grossiers
sont demeurés pour lui servir de témoins.

332 (710)

Prophéties.

Quand un seul homme aurait fait un livre des prédictions de J.-C. pour le temps et pour la manière et
que J.-C. serait venu conformément à ces prophéties
ce serait une force infinie.

Mais il y a bien plus ici. C'est une suite d'hommes
durant quatre mille ans qui constamment et sans

variations viennent l'un ensuite de l'autre prédire ce même avènement. C'est un peuple tout entier qui l'annonce et qui subsiste depuis 4 000 années pour rendre en corps témoignages des assurances qu'ils en ont, et dont ils ne peuvent être divertis par quelques menaces et persécutions qu'on leur fasse. Ceci est tout autrement considérable.

333 (708)
Prophéties.
Le temps prédit par l'état du peuple juif, par l'état du peuple païen, par l'état du temple, par le nombre des années.

334 (716)
Osée — 3 (*4*)

Isaïe 4 (*2*) 48. Je l'ai prédit depuis longtemps afin qu'on sût que c'est moi. 54. 60 (*61*) et dernier.

Jaddus à Alexandre.

335 (706)
La plus grande des preuves de J.-C. sont les prophéties. C'est à quoi Dieu a le plus pourvu, car l'événement qui les a remplies est un miracle subsistant depuis la naissance de l'Église jusques à la fin. Aussi Dieu a suscité des prophètes durant 1.600 ans et pendant 400 ans après il a dispersé toutes ces prophéties avec tous les juifs qui les portaient dans tous les lieux du monde. Voilà quelle a été la préparation à la naissance de J.-C. dont l'Évangile devant être cru de tout le monde, il a fallu non seulement qu'il y ait eu des prophéties pour le faire croire mais que ces prophéties fussent par tout le monde pour le faire embrasser par tout le monde.

336 (709)
Il faut être hardi pour prédire une même chose en tant de manières.
Il fallait que l(*es*) 4 monarchies, idolâtres ou païennes,

la fin du règne de Juda, et les 70 semaines arrivassent
en même temps, et le tout avant que le 2ᵉ temple fût
détruit.

337 (753)

Hérode crut le Messie. Il avait ôté le sceptre de Juda,
mais il n'était pas de Juda. Cela fit une secte considérable.

Et Barcosba et un autre reçu par les Juifs. Et le
bruit qui était partout en ce temps-là.

Suét. — Tacite. Josèphe.

Comment fallait-il que fût le Messie, puisque par lui
le sceptre devait être éternellement en Juda et qu'à son
arrivée le sceptre devait être ôté de Juda.

Pour faire qu'en voyant ils ne voient point et qu'en
entendant ils n'entendent point rien ne pouvait être
mieux fait.

Malédiction des grecs contre ceux qui comptent
les périodes des temps.

338 (724)

Prédiction.

Qu'en la 4ᵉ monarchie, avant la destruction du 2ᵉ
temple, avant que la domination des Juifs fût ôtée en
la 70ᵉ semaine de Daniel, pendant la durée du 2ᵉ temple
les païens seraient instruits et amenés à la connaissance
du Dieu adoré par les Juifs, que ceux qui l'aiment seraient délivrés de leurs ennemis, remplis de sa crainte
et de son amour.

Et il est arrivé qu'en la 4ᵉ monarchie avant la destruction du 2ᵉ temple, etc. les païens en foule adorent Dieu
et mènent une vie angélique.

Les filles consacrent à Dieu leur virginité et leur
vie, les hommes renoncent à tous plaisirs. Ce que Platon n'a pu persuader à quelque peu d'hommes choisis
et si instruits une force secrète le persuade à cent milliers
d'hommes ignorants, par la vertu de peu de paroles.

Les riches quittent leurs biens, les enfants quittent

la maison délicate de leurs pères pour aller dans l'austérité d'un désert, etc. Voyez Philon juif.

Qu'est-ce que tout cela ? c'est ce qui a été prédit
si longtemps auparavant; depuis 2.000 années aucun
païen n'avait adoré le Dieu des Juifs et dans le temps
prédit la foule des païens adore cet unique Dieu. Les
temples sont détruits, les rois mêmes se soumettent
à la croix. Qu'est-ce que tout cela ? C'est l'esprit de
Dieu qui est répandu sur la terre.

Nul païen depuis Moïse jusqu'à J.-C. selon les rabbins
mêmes; la foule des païens après J.-C. croit les livres
de Moïse et en observe l'essence et l'esprit et n'en rejette
que l'inutile.

339 (738)

Les prophètes ayant donné diverses marques qui
devaient toutes arriver à l'avènement du Messie, il
fallait que toutes ces marques arrivassent en même
temps. Ainsi il fallait que la quatrième monarchie fût
venue lorsque les septante semaines de Daniel seraient
accomplies et que le sceptre fût alors ôté de Juda.

Et tout cela est arrivé sans aucune difficulté et qu'alors
il arrivât le Messie et J.-C. est arrivé alors qui s'est dit
le Messie et tout cela est encore sans difficulté et cela
marque bien la vérité de prophétie.

340 (720)

Non habemus regem nisi Cesarem. Donc J.-C. était le
Messie puisqu'ils n'avaient plus de roi qu'un étranger
et qu'ils n'en voulaient point d'autre.

341 (723)

Prophéties.

Les 70 semaines de Daniel sont équivoques pour le
terme du commencement à cause des termes de la prophétie. Et pour le terme de la fin à cause des diversités
des chronologistes. Mais toute cette différence ne va
qu'à 200 ans.

342 (637)
Prophéties.
Le sceptre ne fut point interrompu par la captivité de Babylone à cause que leur retour était prompt et prédit.

343 (695)
Prophéties. Le grand Pan est mort.

344 (756)
Que peut-on avoir sinon de la vénération d'un homme qui prédit clairement des choses qui arrivent et qui déclare son dessein et d'aveugler et d'éclaircir et qui mêle des obscurités parmi des choses claires qui arrivent.

345 (727 *bis*)
Parum est ut... Vocation des Gentils (Is. LII, 15).

346 (729)
Prédictions.
Il est prédit qu'au temps du Messie il viendrait établir une nouvelle alliance qui ferait oublier la sortie d'Égypte — Jer. 23. 5. — Is. 43. 16 — qui mettrait sa loi non dans l'extérieur mais dans le cœur, qu'il mettrait sa crainte qui n'avait été qu'au dehors, dans le milieu du cœur...

Qui ne voit la loi chrétienne en tout cela ?

347 (735)
Prophéties.
Que les Juifs réprouveraient J.-C. et qu'ils seraient réprouvés de Dieu par cette raison; que la vigne élue ne donnerait que du verjus; que le peuple choisi serait infidèle, ingrat et incrédule *Populum non credentem et contradicentem.*

Que Dieu les frappera d'aveuglement et qu'ils tâtonneront en plein midi comme des aveugles.

Qu'un précurseur viendrait avant lui.

348 (718)
Le règne éternel de la race de David, 2. Chron.
par toutes les prophéties et avec serment. Et n'est
point accompli temporellement. Jer. 33. 20.

XXV. FIGURES PARTICULIÈRES

349 (652)
Figures particulières.
(*T*). Double loi, doubles tables de la loi, double
temple, double captivité.

350 (623)
(*Japhet commence la généalogie.*)

Joseph croise ses bras et préfère le jeune.

XXVI. MORALE CHRÉTIENNE

351 (537)
Le christianisme est étrange; il ordonne à l'homme
de reconnaître qu'il est vil et même abominable, et lui
ordonne de vouloir être semblable à Dieu. Sans un tel
contrepoids cette élévation le rendrait horriblement
vain, ou cet abaissement le rendrait horriblement abject.

352 (526)
La misère persuade le désespoir.
L'orgueil persuade la présomption.
L'incarnation montre à l'homme la grandeur de
sa misère par la grandeur du remède qu'il a fallu.

353 (529)
Non pas un abaissement qui nous rende incapables
du bien ni une sainteté exempte de mal.

354 (524)
Il n'y a point de doctrine plus propre à l'homme que celle-là qui l'instruit de sa double capacité de recevoir et de perdre la grâce à cause du double péril où il est toujours exposé de désespoir ou d'orgueil.

355 (767)
De tout ce qui est sur la terre, il ne prend part qu'aux déplaisirs non aux plaisirs. Il aime ses proches, mais sa charité ne se renferme pas dans ces bornes et se répand sur ses ennemis et puis sur ceux de Dieu.

356 (539)
Quelle différence entre un soldat et un chartreux quant à l'obéissance ? Car ils sont également obéissants et dépendants, et dans des exercices également pénibles, mais le soldat espère toujours devenir maître et ne le devient jamais, car les capitaines et princes mêmes sont toujours esclaves et dépendants, mais il l'espère toujours, et travaille toujours à y venir, au lieu que le Chartreux fait vœu de n'être jamais que dépendant. Ainsi ils ne diffèrent pas dans la servitude perpétuelle, que tous deux ont toujours, mais dans l'espérance que l'un a toujours et l'autre jamais.

357 (541)
Nul n'est heureux comme un vrai chrétien, ni raisonnable, ni vertueux, ni aimable.

358 (538)
Avec combien peu d'orgueil un chrétien se croit-il uni à Dieu. Avec combien peu d'abjection s'égale(-t-)il aux vers de la terre. La belle manière de recevoir la vie et la mort, les biens et les maux.

359 (481)
Les exemples des morts généreuses des lacédémoniens et autres, ne nous touchent guère, car qu'est-ce que cela nous apporte.
Mais l'exemple de la mort des martyrs nous touche

car ce sont nos membres. Nous avons un lien commun avec eux. Leur résolution peut former la nôtre, non seulement par l'exemple, mais parce qu'elle a peut-être mérité la nôtre.

Il n'est rien de cela aux exemples des païens. Nous n'avons point de liaison à eux. Comme on ne devient pas riche pour voir un étranger qui l'est, mais bien pour voir son père ou son mari qui le soient.

360 (482)

Commencement des membres pensants. Morale.

Dieu ayant fait le ciel et la terre qui ne sentent point le bonheur de leur être, il a voulu faire des êtres qui le connussent et qui composassent un corps de membres pensants. Car nos membres ne sentent point le bonheur de leur union, de leur admirable intelligence, du soin que la nature a d'y influer les esprits et de les faire croître et durer. Qu'ils seraient heureux s'ils le sentaient, s'ils le voyaient, mais il faudrait pour cela qu'ils eussent intelligence pour le connaître, et bonne volonté pour consentir à celle de l'âme universelle. Que si ayant reçu l'intelligence ils s'en servaient à retenir en eux-mêmes la nourriture, sans la laisser passer aux autres membres, ils seraient non seulement injustes mais encore misérables, et se haïraient plutôt que de s'aimer, leur béatitude aussi bien que leur devoir consistant à consentir à la conduite de l'âme entièr(e) à qui ils appartiennent, qui les aime mieux qu'ils ne s'aiment eux-mêmes.

361 (209)

Es-tu moins esclave pour être aimé et flatté de ton maître; tu as bien du bien, esclave, ton maître te flatte. Il te battra tantôt.

362 (472)

La volonté propre ne satisfera jamais, quand elle aurait pouvoir de tout ce qu'elle veut; mais on est satisfait dès l'instant qu'on y renonce. Sans elle on ne peut être malcontent; par elle on ne peut être content.

363 (914)
Ils laissent agir la concupiscence et retiennent le scrupule, au lieu qu'il faudrait faire au contraire.

364 (249)
C'est être superstitieux de mettre son espérance dans les formalités, mais c'est être superbe de ne vouloir s'y soumettre.

365 (496)
L'expérience nous fait voir une différence énorme entre la dévotion et la bonté.

366 (747 *ter*)
Deux sortes d'hommes en chaque religion. (Voyez Perpétuité). Superstition, concupiscence.

367 (672)
Point formalistes.

Quand saint Pierre et les apôtres délibèrent d'abolir la circoncision où il s'agissait d'agir contre la loi de Dieu, ils ne consultent point les prophètes mais simplement la réception du Saint-Esprit en la personne des incirconcis.

Ils jugent plus sûr que Dieu approuve ceux qu'il remplit de son esprit que non pas qu'il faille observer la loi.

Ils savaient que la fin de la loi n'était que le Saint-Esprit et qu'ainsi puisqu'on l'avait bien sans circoncision elle n'était pas nécessaire.

368 (474)
Membres. Commencer par là.

Pour régler l'amour qu'on se doit à soi-même il faut s'imaginer un corps plein de membres pensants, car nous sommes membres du tout, et voir comment chaque membre devrait s'aimer, etc.

369 (611)
République.

La République chrétienne et même judaïque n'a

eu que Dieu pour maître comme remarque Philon Juif, *De la monarchie*.

Quand ils combattaient ce n'était que pour Dieu et n'espéraient principalement que de Dieu. Ils ne considéraient leurs villes que comme étant à Dieu et les conservaient pour Dieu. 1. Paralip. 19. 13.

370 (480)
Pour faire que les membres soient heureux il faut qu'ils aient une volonté et qu'ils la conforment au corps.

371 (473)
Qu'on s'imagine un corps plein de membres pensants.

372 (483)
Être membre est n'avoir de vie, d'être et de mouvement que par l'esprit du corps. Et pour le corps, le membre séparé ne voyant plus le corps auquel il appartient n'a plus qu'un être périssant et mourant. Cependant il croit être un tout et ne se voyant point de corps dont il dépende, il croit ne dépendre que de soi et veut se faire centre et corps lui-même. Mais n'ayant point en soi de principe de vie il ne fait que s'égarer et s'étonne dans l'incertitude de son être, sentant bien qu'il n'est pas corps, et cependant ne voyant point qu'il soit membre d'un corps. Enfin quand il vient à se connaître il est comme revenu chez soi et ne s'aime plus que pour le corps. Il plaint ses égarements passés.

Il ne pourrait pas par sa nature aimer une autre chose sinon pour soi-même et pour se l'asservir parce que chaque chose s'aime plus que tout.

Mais en aimant le corps il s'aime soi-même parce qu'il n'a d'être qu'en lui, par lui et pour lui. *Qui adhaeret deo unus spiritus est.*

Le corps aime la main, et la main si elle avait une volonté devrait s'aimer de la même sorte que l'âme l'aime; tout amour qui va au-delà est injuste.

Adhaerens deo unus spiritus est ; on s'aime parce qu'on est membre de J.-C.; on aime J.-C. parce qu'il est le corps dont on est membre. Tout est un. L'un est en l'autre comme les trois personnes.

373 (476)
Il faut n'aimer que Dieu et ne haïr que soi.

Si le pied avait toujours ignoré qu'il appartînt au corps et qu'il y eût un corps dont il dépendît, s'il n'avait eu que la connaissance et l'amour de soi et qu'il vînt à connaître qu'il appartient à un corps duquel il dépend, quel regret, quelle confusion de sa vie passée, d'avoir été inutile au corps qui lui a influé la vie, qui l'eût anéanti s'il l'eût rejeté et séparé de soi, comme il se séparait de lui. Quelles prières d'y être conservé ! et avec quelle soumission se laisserait-il gouverner à la volonté qui régit le corps, jusqu'à consentir à être retranché s'il le faut ! ou il perdrait sa qualité de membre; car il faut que tout membre veuille bien périr pour le corps qui est le seul pour qui tout est.

374 (475)
Si les pieds et les mains avaient une volonté particulière, jamais ils ne seraient dans leur ordre qu'en soumettant cette volonté particulière à la volonté première qui gouverne le corps entier. Hors de là ils sont dans le désordre et dans le malheur; mais en ne voulant que le bien du corps, ils font leur propre bien.

375 (503)
Les philosophes ont consacré les vices en les mettant en Dieu même; les chrétiens ont consacré les vertus.

376 (484)
2 lois suffisent pour régler toute la République chrétienne, mieux que toutes les lois politiques.

XXVII. CONCLUSION

377 (280)
Qu'il y a loin de la connaissance de Dieu à l'aimer.

378 (470)
Si j'avais vu un miracle, disent-ils, je me converti-
rais. Comment assurent-ils qu'ils feraient ce qu'ils
ignorent. Ils s'imaginent que cette conversion consiste
en une adoration qui se fait de Dieu comme un commerce et une conversation telle qu'ils se la figurent.
La conversion véritable consiste à s'anéantir devant
cet être universel qu'on a irrité tant de fois et qui peut
vous perdre légitimement à toute heure, à reconnaître
qu'on ne peut rien sans lui et qu'on n'a rien mérité
de lui que sa disgrâce. Elle consiste à connaître qu'il
y a une opposition invincible entre Dieu et nous et que
sans un médiateur il ne peut y avoir de commerce.

379 (825)
Les miracles ne servent pas à convertir mais à condamner. 1. p. q. 113. a. 10. ad. 2.

380 (284)
Ne vous étonnez pas de voir des personnes simples
croire sans raisonnement. Dieu leur donne l'amour de
soi et la haine d'eux-mêmes. Il incline leur cœur à croire.
On ne croira jamais, d'une créance utile et de foi si
Dieu n'incline le cœur et on croira dès qu'il l'inclinera.
Et c'est ce que David connaissait bien. *Inclina cor
meum Deus in*, etc.

381 (286)
Ceux qui croient sans avoir lu les Testaments c'est
parce qu'ils ont une disposition intérieure toute sainte
et que ce qu'ils entendent dire de notre religion y est
conforme. Ils sentent qu'un Dieu les a faits. Ils ne
veulent aimer que Dieu, ils ne veulent haïr qu'eux-mêmes.

Ils sentent qu'ils n'en ont pas la force d'eux-mêmes, qu'ils sont incapables d'aller à Dieu et que si Dieu ne vient à eux ils sont incapables d'aucune communication avec lui et ils entendent dire dans notre religion qu'il ne faut aimer que Dieu et ne haïr que soi-même, mais qu'étant tous corrompus et incapables de Dieu, Dieu s'est fait homme pour s'unir à nous. Il n'en faut pas davantage pour persuader des hommes qui ont cette disposition dans le cœur et qui ont cette connaissance de leur devoir et de leur incapacité.

382 (287)
Connaissance de Dieu.

Ceux que nous voyons chrétiens sans la connais-sance des prophéties et des preuves ne laissent pas d'en juger aussi bien que ceux qui ont cette connaissance. Ils en jugent par le cœur comme les autres en jugent par l'esprit. C'est Dieu lui-même qui les incline à croire et ainsi ils sont très efficacement persuadés.

(On dira que cette manière d'en juger n'est pas certaine et que c'est en la suivant que les hérétiques et les infidèles s'égarent.)

(On répondra que les hérétiques et les infidèles diront la même chose ; mais je réponds à cela que nous avons des preuves que Dieu-imprime-incline véritablement ceux qu'il aime à croire la religion chrétienne et que les infidèles n'ont aucune preuve de ce qu'ils disent et ainsi nos propositions étant sem-blables dans les termes elles diffèrent en ce que l'une est sans aucune preuve et l'autre très solidement prouvée.)

(eorum qui amant — Dieu incline le cœur de ceux qu'il aime — Deus inclina corda eorum — celui qui l'aime — celui qu'il aime.)

J'avoue bien qu'un de ces chrétiens qui croient sans preuves n'aura peut être pas de quoi convaincre un infidèle, qui en dira autant de soi, mais ceux qui savent les preuves de la religion prouveront sans difficulté que ce fidèle est véritablement inspiré de Dieu, quoi-qu'il ne peut le prouver lui-même.

Car Dieu ayant dit dans ses prophètes, (qui sont

indubitablement prophètes) que dans le règne de J.-C.
il répandrait son esprit sur les nations et que les fils,
les filles et les enfants de l'Église prophétiseraient il
est sans doute que l'esprit de Dieu est sur ceux-là et
qu'il n'est point sur les autres.

Section 2

Papiers non classés

383 (197)
D'être insensible à mépriser les choses intéressantes, et devenir insensible au point qui nous intéresse le plus.

384 (630) Macchabées, depuis qu'il n'eût plus eu de prophètes. Massor, depuis Jésus-Christ.

385 (707)
Mais ce n'était pas assez que ces prophéties fussent il fallait qu'elles fussent distribuées par tous les lieux et conservées dans tous les temps.

Et afin qu'on ne prenne point l'avènement pour un effet du hasard il fallait que cela fût prédit.

Il est bien plus glorieux au Messie qu'ils soient les spectateurs et même les instruments de sa gloire, outre que Dieu les ait réservés.

386 (203)
Fascinatio nugacitatis.

Afin que la passion ne nuise point faisons comme s'il n'y avait que 8 jours de vie.

387 (241)
Ordre.
J'aurais bien plus peur de me tromper et de trouver que la religion chrétienne soit vraie que non pas de me tromper en la croyant vraie.

388 (740)

J.-C. que les deux Testaments regardent, l'ancien comme son attente le nouveau comme son modèle, tous deux comme leur centre.

389 (794)

Pourquoi J.-C. n'est-il pas venu d'une manière visible au lieu de tirer sa preuve des prophéties précédentes.

Pourquoi s'est-il fait prédire en figures !

390 (617)

Perpétuité.

Qu'on considère que depuis le commencement du monde, l'attente ou l'adoration du Messie subsiste sans interruption, qu'il s'est trouvé des hommes qui ont dit que Dieu leur avait révélé qu'il devait naître un rédempteur qui sauverait son peuple. Qu'Abraham est venu ensuite dire qu'il avait eu révélation qu'il naîtrait de lui par un fils qu'il aurait, que Jacob a déclaré que de ses douze enfants il naîtrait de Juda, que Moïse et ses prophètes sont venus ensuite déclarer le temps et la manière de sa venue. Qu'ils ont dit que la loi qu'ils avaient n'était qu'en attendant celle du Messie, que jusque-là elle serait perpétuelle, mais que l'autre durerait éternellement, qu'ainsi leur loi ou celle du Messie dont elle était la promesse serait toujours sur la terre, qu'en effet elle a toujours duré, qu'enfin est venu J.-C. dans toutes les circonstances prédites. Cela est admirable.

391 (749)

Si cela est si clairement prédit aux Juifs comment ne l'ont-ils point cru ou comment n'ont-ils point été exterminés de résister à une chose si claire.

Je réponds. Premièrement cela a été prédit, et qu'ils ne croiraient point une chose si claire et qu'ils ne seraient point exterminés. Et rien n'est plus glorieux au Messie, car il ne suffisait pas qu'il y eût des prophètes il fallait qu'ils fussent conservés sans soupçon, or..., etc.

392 (644)
Figures.

Dieu voulant se former un peuple saint, qu'il sépa-
rerait de toutes les autres nations, qu'il délivrerait de
ses ennemis, qu'il mettrait dans un lieu de repos, a promis de le faire et a prédit par ses prophètes le temps
et la manière de sa venue. Et cependant pour affermir
l'espérance de ses élus dans tous les temps il leur en a
fait voir l'image, sans les laisser jamais sans des assurances de sa puissance et de sa volonté pour leur salut,
car dans la création de l'homme Adam en était le témoin et le dépositaire de la promesse du sauveur qui
devait naître de la femme.

Lorsque les hommes étaient encore si proches de
la création qu'ils ne pouvaient avoir oublié leur création et leur chute, lorsque ceux qui avaient vu Adam
n'ont plus été au monde, Dieu a envoyé Noé et l'a
sauvé et noyé toute la terre par un miracle qui marquait
assez et le pouvoir qu'il avait de sauver le monde et la
volonté qu'il avait de le faire et de faire naître de la
semence de la femme celui qu'il avait promis.

Ce miracle suffisait pour affermir l'espérance des
(élus).

La mémoire du déluge étant encore si fraîche parmi
les hommes lorsque Noé vivait encore, Dieu fit ses promesses à Abraham et lorsque Sem vivait encore Dieu
envoya Moïse, etc.

393 (442)
La vraie nature de l'homme, son vrai bien et la vraie
vertu et la vraie religion sont choses dont la connaissance est inséparable.

394 (288)
Au lieu de vous plaindre de ce que Dieu s'est caché
vous lui rendrez grâces de ce qu'il s'est tant découvert
et vous lui rendrez grâces encore de ce qu'il ne s'est pas
découvert aux sages superbes indignes de connaître
un Dieu si saint.

Deux sortes de personnes connaissent, ceux qui ont

le cœur humilié et qui aiment leur bassesse, quelque degré d'esprit qu'ils aient haut ou bas, ou ceux qui ont assez d'esprit pour voir la vérité quelques oppositions qu'ils y aient.

395 (478)

Quand nous voulons penser à Dieu n'y a(-t-)il rien qui nous détourne, nous tente de penser ailleurs; tout cela est mauvais et né avec nous.

396 (471)

Il est injuste qu'on s'attache à moi quoiqu'on le fasse avec plaisir et volontairement. Je tromperais ceux à qui j'en ferais naître le désir, car je ne suis la fin de personne et n'ai de quoi les satisfaire. Ne suis-je pas prêt à mourir et ainsi l'objet de leur attachement mourra. Donc comme je serais coupable de faire croire une fausseté, quoique je la persuadasse doucement, et qu'on la crût avec plaisir et qu'en cela on me fît plaisir; de même je suis coupable de me faire aimer. Et si j'attire les gens à s'attacher à moi, je dois avertir ceux qui seraient prêts à consentir au mensonge, qu'ils ne le doivent pas croire, quelque avantage qui m'en revînt; et de même qu'ils ne doivent pas s'attacher à moi, car il faut qu'ils passent leur vie et leurs soins à plaire à Dieu ou à le chercher.

Mademoiselle Périer a l'original de ce billet.

397 (426)

La vraie nature étant perdue, tout devient sa nature; comme le véritable bien étant perdu, tout devient son véritable bien.

398 (525)

Les philosophes ne prescrivaient point des sentiments proportionnés aux deux états.

Ils inspiraient des mouvements de grandeur pure et ce n'est pas l'état de l'homme.

Ils inspiraient des mouvements de bassesse pure et ce n'est pas l'état de l'homme.

Il faut des mouvements de bassesse, non de nature, mais de pénitence non pour y demeurer mais pour aller à la grandeur. Il faut des mouvements de grandeur, non de mérite mais de grâce et après avoir passé par la bassesse.

399 (438)

Si l'homme n'est fait pour Dieu pourquoi n'est-il heureux qu'en Dieu.

Si l'homme est fait pour Dieu pourquoi est-il si contraire à Dieu.

400 (427)

L'homme ne sait à quel rang se mettre, il est visiblement égaré et tombé de son vrai lieu sans le pouvoir retrouver. Il le cherche partout avec inquiétude et sans succès dans des ténèbres impénétrables.

401 (437)

Nous souhaitons la vérité et ne trouvons en nous qu'incertitude.

Nous recherchons le bonheur et ne trouvons que misère et mort.

Nous sommes incapables de ne pas souhaiter la vérité et le bonheur et sommes incapables ni de certitude ni de bonheur.

Ce désir nous est laissé tant pour nous punir que pour nous faire sentir d'où nous sommes tombés.

402 (290)

Preuves de la religion.

Morale. / Doctrine. / Miracles. / Prophéties. / Figures.

403 (174)

Misère.

Salomon et Job ont le mieux connu et le mieux parlé de la misère de l'homme, l'un le plus heureux et l'autre le plus malheureux. L'un connaissant la vanité des plaisirs par expérience, l'autre la réalité des maux.

404 (424)

Toutes ces contrariétés qui semblaient le plus m'éloigner de la connaissance d'une religion est ce qui m'a le plus tôt conduit à la véritable.

405 (421)

Je blâme également et ceux qui prennent parti de louer l'homme, et ceux qui le prennent de le blâmer, et ceux qui le prennent de se divertir et je ne puis approuver que ceux qui cherchent en gémissant.

406 (395)

Instinct, raison.

Nous avons une impuissance de prouver, invincible à tout le dogmatisme.

Nous avons une idée de la vérité invincible à tout le pyrrhonisme.

407 (465)

Les stoïques disent : rentrez au-dedans de vous-même, c'est là où vous trouverez votre repos. Et cela n'est pas vrai.

Les autres disent : sortez dehors et cherchez le bonheur en un divertissement. Et cela n'est pas vrai, les maladies viennent.

Le bonheur n'est ni hors de nous ni dans nous; il est en Dieu et hors et dans nous.

408 (74)

Une lettre de la folie de la science humaine et de la philosophie.

Cette lettre avant le divertissement.

Felix qui potuit.

Felix nihil admirari.

280 sortes de souverain bien dans Montaigne.

409 (220)

Fausseté des philosophes qui ne discutaient pas l'immortalité de l'âme.

Fausseté de leur dilemme dans Montaigne.

410 (413)

Cette guerre intérieure de la raison contre les passions a fait que ceux qui ont voulu avoir la paix se sont partagés en deux sectes. Les uns ont voulu renoncer aux passions et devenir dieux, les autres ont voulu renoncer à la raison et devenir bête brute. Des Barreaux. Mais ils ne l'ont pu ni les uns ni les autres, et la raison demeure toujours qui accuse la bassesse et l'injustice des passions et qui trouble le repos de ceux qui s'y abandonnent. Et les passions sont toujours vivantes dans ceux qui y veulent renoncer.

411 (400)

Grandeur de l'homme.

Nous avons une si grande idée de l'âme de l'homme que nous ne pouvons souffrir d'en être méprisés et de n'être pas dans l'estime d'une âme. Et toute la félicité des hommes consiste dans cette estime.

412 (414)

Les hommes sont si nécessairement fous que ce serait fou par un autre tour de folie de n'être pas fou.

413 (162)

Qui voudra connaître à plein la vanité de l'homme n'a qu'à considérer les causes et les effets de l'amour. La cause en est un je ne sais quoi. Corneille. Et les effets en sont effroyables. Ce je ne sais quoi, si peu de chose qu'on ne peut le reconnaître remue toute la terre, les princes, les armées, le monde entier.

Le nez de Cléopâtre s'il eût été plus court toute la face de la terre aurait changé.

414 (171)

Misère.

La seule chose qui nous console de nos misères est le divertissement. Et cependant c'est la plus grande de nos misères. Car c'est cela qui nous empêche principalement de songer à nous et qui nous fait perdre insensiblement. Sans cela nous serions dans l'ennui, et cet ennui nous pousserait à chercher un moyen plus solide d'en sortir, mais le divertissement nous amuse et nous fait arriver insensiblement à la mort.

415 (130)
Agitation.

Quand un soldat se plaint de la peine qu'il a ou un laboureur, etc. qu'on les mette sans rien faire.

416 (546)
La nature est corrompue.

Sans J.-C. il faut que l'homme soit dans le vice et dans la misère. Avec J.-C. l'homme est exempt de vice et de misère.

En lui est toute notre vertu et toute notre félicité.

Hors de lui il n'y a que vice, misère, erreur, ténèbres, mort, désespoir.

417 (548)
Non seulement nous ne connaissons Dieu que par Jésus-Christ mais nous ne nous connaissons nous-mêmes que par J.-C.; nous ne connaissons la vie, la mort que par Jésus-Christ. Hors de J.-C. nous ne savons ce que c'est ni que notre vie ni que notre mort, ni que Dieu, ni que nous-mêmes.

Ainsi sans l'Écriture qui n'a que J.-C. pour objet nous ne connaissons rien et ne voyons qu'obscurité et confusion dans la nature de Dieu et dans la propre nature.

SÉRIE II

418 (233)
Infini rien.

Notre âme est jetée dans le corps où elle trouve nombre, temps, dimensions, elle raisonne là-dessus et appelle cela nature, nécessité, et ne peut croire autre chose.

L'unité jointe à l'infini ne l'augmente de rien, non plus que un pied à une mesure infinie; le fini s'anéantit en présence de l'infini et devient un pur néant. Ainsi notre esprit devant Dieu, ainsi notre justice devant la justice divine. Il n'y a pas si grande disproportion entre notre justice et celle de Dieu qu'entre l'unité et l'infini.

Il faut que la justice de Dieu soit énorme comme sa miséricorde. Or la justice envers les réprouvés est moins énorme et doit moins choquer que la miséricorde envers les élus.

Nous connaissons qu'il y a un infini, et ignorons sa nature comme nous savons qu'il est faux que les nombres soient finis. Donc il est vrai qu'il y a un infini en nombre, mais nous ne savons ce qu'il est. Il est faux qu'il soit pair, il est faux qu'il soit impair, car en ajoutant l'unité il ne change point de nature. Cependant c'est un nombre, et tout nombre est pair ou impair. Il est vrai que cela s'entend de tout nombre fini.

Ainsi on peut bien connaître qu'il y a un Dieu sans savoir ce qu'il est.

N'y a(-t-)il point une vérité substantielle, voyant tant de choses vraies qui ne sont point la vérité même ?

Nous connaissons donc l'existence et la nature du fini parce que nous sommes finis et étendus comme lui.

Nous connaissons l'existence de l'infini et ignorons sa nature, parce qu'il a étendue comme nous, mais non pas des bornes comme nous.

Mais nous ne connaissons ni l'existence ni la nature de Dieu, parce qu'il n'a ni étendue, ni bornes.

Mais par la foi nous connaissons son existence, par la gloire, nous connaîtrons sa nature.

Or j'ai déjà montré qu'on peut bien connaître l'existence d'une chose sans connaître sa nature. O. Tournez.

O. Parlons maintenant selon les lumières naturelles.

S'il y a un Dieu il est infiniment incompréhensible, puisque n'ayant ni parties ni bornes, il n'a nul rapport à nous. Nous sommes donc incapables de connaître ni ce qu'il est, ni s'il est. Cela étant qui osera entreprendre de résoudre cette question ? ce n'est pas nous qui n'avons aucun rapport à lui.

Qui blâmera donc les chrétiens de ne pouvoir rendre raison de leur créance, eux qui professent une religion dont ils ne peuvent rendre raison; ils déclarent en l'exposant au monde que c'est une sottise, *stultitiam*, et puis vous vous plaignez de ce qu'ils ne la prouvent pas. S'ils la prouvaient ils ne tiendraient pas parole. C'est en manquant de preuve qu'ils ne manquent pas de sens. Oui mais encore que cela excuse ceux qui l'offrent telle, et que cela les ôte du blâme de la produire sans raison cela n'excuse pas ceux qui la reçoivent. Examinons donc ce point. Et disons : Dieu est ou il n'est pas; mais de quel côté pencherons-nous ? la raison n'y peut rien déterminer. Il y a un chaos infini qui nous sépare. Il se joue un jeu à l'extrémité de cette distance infinie, où il arrivera croix ou pile. Que gagerez-vous ? par raison vous ne pouvez faire ni l'un ni l'autre; par raison vous ne pouvez défaire nul des deux.

Ne blâmez donc pas de fausseté ceux qui ont pris un choix, car vous n'en savez rien. Non, mais je les blâmerai d'avoir fait non ce choix, mais un choix, car encore que celui qui prend croix et l'autre soient en pareille faute ils sont tous deux en faute; le juste est de ne point parier.

Oui, mais il faut parier. Cela n'est pas volontaire, vous êtes embarqués. Lequel prendrez-vous donc ? Voyons; puisqu'il faut choisir voyons ce qui vous intéresse le moins. Vous avez deux choses à perdre : le vrai et le bien, et 2 choses à engager : votre raison et votre volonté, votre connaissance et votre béatitude, et votre nature deux choses à fuir : l'erreur et la misère. Votre raison n'est pas plus blessée puisqu'il faut nécessairement choisir, en choisissant l'un que l'autre. Voilà un point vidé. Mais votre béatitude ? Pesons le gain et la perte en prenant croix que Dieu est. Estimons ces deux cas : si vous gagnez vous gagnez tout, et si vous perdez vous ne perdez rien : gagez donc qu'il est sans hésiter. Cela est admirable. Oui il faut gager, mais je gage peut-être trop. Voyons puisqu'il y a pareil hasard de gain et de perte, si vous n'aviez qu'à gagner deux vies pour une vous pourriez encore gager, mais s'il y en avait 3 à gagner ?

Il faudrait jouer (puisque vous êtes dans la nécessité de jouer) et vous seriez imprudent lorsque vous êtes forcé à jouer de ne pas hasarder votre vie pour en gagner 3 à un jeu où il y a pareil hasard de perte et de gain. Mais il y a une éternité de vie et de bonheur. Et cela étant quand il y aurait une infinité de hasards dont un seul serait pour vous, vous auriez encore raison de gager un pour avoir deux, et vous agirez de mauvais sens, en étant obligé à jouer, de refuser de jouer une vie contre trois à un jeu où d'une infinité de hasards il y en a un pour vous, s'il y avait une infinité de vie infiniment heureuse à gagner : mais il y a ici une infinité de vie infiniment heureuse à gagner, un hasard de gain contre un nombre fini de hasards de perte et ce que vous jouez est fini. Cela ôte tout parti partout où est l'infini et où il n'y a pas infinité de hasards de perte contre celui de gain. Il n'y a point à balancer, il faut tout donner. Et ainsi quand on est forcé à jouer, il faut renoncer à la raison pour garder la vie plutôt que de la hasarder pour le gain infini aussi prêt à arriver que la perte du néant.

Car il ne sert de rien de dire qu'il est incertain si on gagnera, et qu'il est certain qu'on hasarde, et que l'infinie distance qui est entre la certitude de ce qu'on expose et l'incertitude de ce qu'on gagnera égale le bien fini qu'on expose certainement à l'infini qui est incertain. Cela n'est pas ainsi. Tout joueur hasarde avec certitude pour gagner avec incertitude, et néanmoins il hasarde certainement le fini pour gagner incertainement [le fini, sans pécher contre la raison. Il n'y a pas infinité de distance entre cette certitude de ce qu'on expose et l'incertitude du gain : cela est faux. Il y a, à la vérité, infinité entre la certitude de gagner et la certitude de perdre, mais l'incertitude de gagner est proportionnée à la certitude de ce qu'on hasarde selon la proportion des hasards de gain et de perte. Et de là vient que s'il y a autant de hasards d'un côté que de l'autre le parti est à jouer égal contre égal. Et alors la certitude de ce qu'on s'expose est égale à l'incertitude du gain, tant s'en faut qu'elle en soit infiniment distante. Et ainsi notre proposition est dans une force infinie, quand il y a le fini à hasarder, à un jeu où il y a pareils hasards de gain que de perte, et l'infini à gagner.

Cela est démonstratif et si les hommes sont capables de quelque vérité celle-là l'est.

Je le confesse, je l'avoue, mais encore n'y a(-t-)il point moyen de voir le dessous du jeu ? oui l'Écriture et le reste, etc. Oui mais j'ai les mains liées et la bouche muette, on me force à parier, et je ne suis pas en liberté, on ne me relâche pas et je suis fait d'une telle sorte que je ne puis croire. Que voulez-vous donc que je fasse ? — Il est vrai, mais apprenez au moins que votre impuissance à croire vient de vos passions. Puisque la raison vous y porte et que néanmoins vous ne le pouvez, travaillez donc non pas à vous convaincre par l'augmentation des preuves de Dieu, mais par la diminution de vos passions. Vous voulez aller à la foi et vous n'en savez pas le chemin. Vous voulez vous guérir de l'infidélité et vous en demandez les remèdes, apprenez de ceux, etc. qui ont été liés comme vous et qui parient maintenant tout leur bien. Ce sont gens qui savent ce chemin que vous voudriez suivre et guéris d'un mal dont vous voulez guérir; suivez la manière par où ils ont commencé. C'est en faisant tout comme s'ils croyaient, en prenant de l'eau bénite, en faisant dire des messes, etc. Naturellement même cela vous fera croire et vous abêtira. Mais c'est ce que je crains. — Et pourquoi ? qu'avez-vous à perdre ? mais pour vous montrer que cela y mène, c'est que cela diminue les passions qui sont vos grands obstacles, etc.

Fin de ce discours.

Or quel mal vous arrivera(-t-)il en prenant ce parti ? Vous serez fidèle, honnête, humble, reconnaissant, bienfaisant, ami, sincère, véritable... A la vérité vous ne serez point dans les plaisirs empestés, dans la gloire, dans les délices, mais n'en aurez-vous point d'autres ?

Je vous dis que vous y gagnerez en cette vie, et que à chaque pas que vous ferez dans ce chemin, vous verrez, tant de certitude de gain, et tant de néant de ce que vous hasardez, que vous connaîtrez à la fin que vous avez parié pour une chose certaine, infinie, pour laquelle vous n'avez rien donné.

O ce discours me transporte, me ravit, etc. Si ce discours vous plaît et vous semble fort, sachez qu'il est fait par un homme qui s'est mis à genoux auparavant et après, pour prier cet être infini et sans parties, auquel il soumet tout le sien, de se soumettre aussi le vôtre pour votre propre bien et pour sa gloire; et qu'ainsi la force s'accorde avec cette bassesse.

419 (89)

La coutume est notre nature. Qui s'accoutume à la foi la croit, et ne peut plus ne pas craindre l'enfer, et ne croit autre chose.

Qui s'accoutume à croire que le roi est terrible, etc.

Qui doute donc que notre âme étant accoutumée à voir nombre, espace, mouvement, croit cela et rien que cela.

420 (231)

Croyez-vous qu'il soit impossible que Dieu soit infini, sans parties ? Oui. Je vous veux donc faire voir une chose infinie et indivisible : c'est un point se mouvant partout d'une vitesse infinie.

Car il est un en tous lieux et est tout entier en chaque endroit.

Que cet effet de nature qui vous semblait impossible auparavant vous fasse connaître qu'il peut y en avoir d'autres que vous ne connaissez pas encore. Ne tirez pas cette conséquence de votre apprentissage, qu'il ne vous reste rien à savoir, mais qu'il vous reste infiniment à savoir.

421 (477)

Il est faux que nous soyons dignes que les autres nous aiment. Il est injuste que nous le voulions. Si nous naissions raisonnables et indifférents, et connaissant nous et les autres nous ne donnerions point cette inclination à notre volonté. Nous naissons pourtant avec elle, nous naissons donc injustes.

Car tout tend à soi : cela est contre tout ordre.

Il faut tendre au général, et la pente vers soi est le commencement de tout désordre, en guerre, en police, en économie, dans le corps particulier de l'homme.

La volonté est donc dépravée. Si les membres des communautés naturelles et civiles tendent au bien du corps, les communautés elles-mêmes doivent tendre à un autre corps plus général dont elles sont membres. L'on doit donc tendre au général. Nous naissons donc injustes et dépravés.

421 (606)

Nulle religion que la nôtre n'a enseigné que l'homme naît en péché, nulle secte de philosophes ne l'a dit, nulle n'a donc dit vrai.

Nulle secte ni religion n'a toujours été sur la terre que la religion chrétienne.

422 (535)

On a bien de l'obligation à ceux qui avertissent des défauts, car ils mortifient, ils apprennent qu'on a été méprisé, ils n'empêchent pas qu'on ne le soit à l'avenir, car on a bien d'autres défauts pour l'être. Ils préparent l'exercice de la correction, et l'exemption d'un défaut.

423 (277)

Le cœur a ses raisons que la raison ne connaît point; on le sait en mille choses.

Je dis que le cœur aime l'être universel naturellement et soi-même naturellement, selon qu'il s'y adonne, et il se durcit contre l'un ou l'autre à son choix. Vous avez rejeté l'un et conservé l'autre; est-ce par raison que vous vous aimez ?

424 (278)

C'est le cœur qui sent Dieu et non la raison. Voilà ce que c'est que la foi. Dieu sensible au cœur, non à la raison.

425 (604)

La seule science qui est contre le sens commun et

la nature des hommes est la seule qui ait toujours subsisté parmi les hommes.

426 (542)

Il n'y a que la religion chrétienne qui rende l'homme
aimable et heureux tout ensemble; dans l'honnêteté
on ne peut être aimable et heureux ensemble.

SÉRIE III

427 (194)

...Qu'ils apprennent au moins quelle est la religion
qu'ils combattent avant que de la combattre. Si cette
religion se vantait d'avoir une vue claire de Dieu, et de
le posséder à découvert et sans voile, ce serait la combattre que de dire qu'on ne voit rien dans le monde qui
le montre avec cette évidence. Mais puisqu'elle dit, au
contraire, que les hommes sont dans les ténèbres et
dans l'éloignement de Dieu, qu'il s'est caché à leur connaissance, que c'est même le nom qu'il se donne dans
les Écritures, *Deus absconditus ;* et, enfin, si elle travaille
également à établir ces deux choses : que Dieu a établi
des marques sensibles dans l'Église pour se faire reconnaître à ceux qui le chercheraient sincèrement; et qu'il
les a couvertes néanmoins de telle sorte qu'il ne sera
aperçu que de ceux qui le cherchent de tout leur cœur,
quel avantage peuvent-ils tirer, lorsque dans la négligence où ils font profession d'être de chercher la vérité,
ils crient que rien ne la leur montre, puisque cette obscurité où ils sont, et qu'ils objectent à l'Église, ne fait
qu'établir une des choses qu'elle soutient, sans toucher
à l'autre, et établit sa doctrine, bien loin de la ruiner ?

Il faudrait, pour la combattre, qu'ils criassent qu'ils
ont fait tous leurs efforts pour la chercher partout, et,
même dans ce que l'Église propose pour s'en instruire,
mais sans aucune satisfaction. S'ils parlaient de la sorte,
ils combattraient à la vérité une de ses prétentions. Mais
j'espère montrer ici qu'il n'y a personne raisonnable
qui puisse parler de la sorte; et j'ose même dire que

jamais personne ne l'a fait. On sait assez de quelle manière agissent ceux qui sont dans cet esprit. Ils croient
avoir fait de grands efforts pour s'instruire, lorsqu'ils
ont employé quelques heures à la lecture de quelque
livre de l'Écriture, et qu'ils ont interrogé quelque
ecclésiastique sur les vérités de la foi. Après cela, ils se
vantent d'avoir cherché sans succès dans les livres et
parmi les hommes. Mais, en vérité, je leur dirais ce que
j'ai dit souvent, que cette négligence n'est pas supportable. Il ne s'agit pas ici de l'intérêt léger de quelque
personne étrangère, pour en user de cette façon; il
s'agit de nous-mêmes, et de notre tout.

L'immortalité de l'âme est une chose qui n us importe si fort, qui nous touche si profondément, qu'il
faut avoir perdu tout sentiment pour être dans l'indifférence de savoir ce qui en est. Toutes nos actions et nos
pensées doivent prendre des routes si différentes, selon
qu'il y aura des biens éternels à espérer ou non, qu'il
est impossible de faire une démarche avec sens et jugement, qu'en les réglant par la vue de ce point, qui doit
être notre dernier objet.

Ainsi notre premier intérêt et notre premier devoir
est de nous éclaircir sur ce sujet, d'où dépend toute
notre conduite. Et c'est pourquoi, entre ceux qui n'en
sont pas persuadés, je fais une extrême différence de
ceux qui travaillent de toutes leurs forces à s'en instruire, à ceux qui vivent sans s'en mettre en peine et
sans y penser.

Je ne puis avoir que de la compassion pour ceux
qui gémissent sincèrement dans ce doute, qui le regardent comme le dernier des malheurs, et qui, n'épar-
gnant rien pour en sortir, font de cette recherche leurs
principales et leurs plus sérieuses occupations.

Mais pour ceux qui passent leur vie sans penser à
cette dernière fin de la vie, et qui, par cette seule raison qu'ils ne trouvent pas en eux-mêmes les lumières
qui les en persuadent, négligent de les chercher ailleurs,
et d'examiner à fond si cette opinion est de celles que
le peuple reçoit par une simplicité crédule, ou de celles
qui, quoique obscures d'elles-mêmes, ont néanmoins

un fondement très solide et inébranlable, je les considère d'une manière toute différente.

Cette négligence en une affaire où il s'agit d'eux-mêmes, de leur éternité, de leur tout, m'irrite plus qu'elle ne m'attendrit; elle m'étonne et m'épouvante : c'est un monstre pour moi. Je ne dis pas ceci par le zèle pieux d'une dévotion spirituelle. J'entends au contraire qu'on doit avoir ce sentiment par un principe d'intérêt humain et par un intérêt d'amour-propre : il ne faut pour cela que voir ce que voient les personnes les moins éclairées.

Il ne faut pas avoir l'âme fort élevée pour comprendre qu'il n'y a point ici de satisfaction véritable et solide, que tous nos plaisirs ne sont que vanité, que nos maux sont infinis, et qu'enfin la mort, qui nous menace à chaque instant, doit infailliblement nous mettre, dans peu d'années, dans l'horrible nécessité d'être éternellement ou anéantis ou malheureux.

Il n'y a rien de plus réel que cela, ni de plus terrible. Faisons tant que nous voudrons les braves : voilà la fin qui attend la plus belle vie du monde. Qu'on fasse réflexion là-dessus, et qu'on dise ensuite s'il n'est pas indubitable qu'il n'y a de bien en cette vie qu'en l'espérance d'une autre vie, qu'on n'est heureux qu'à mesure qu'on s'en approche, et que, comme il n'y aura plus de malheurs pour ceux qui avaient une entière assurance de l'éternité, il n'y a point aussi de bonheur pour ceux qui n'en ont aucune lumière.

C'est donc assurément un grand mal que d'être dans ce doute; mais c'est au moins un devoir indispensable de chercher, quand on est dans ce doute; et ainsi celui qui doute et qui ne recherche pas est tout ensemble et bien malheureux et bien injuste. Que s'il est avec cela tranquille et satisfait, qu'il en fasse profession, et enfin qu'il en fasse le sujet de sa joie et de sa vanité, je n'ai point de termes pour qualifier une si extravagante créature.

Où peut-on prendre ces sentiments ? Quel sujet de joie trouve-t-on à n'attendre plus que des misères sans ressources ? Quel sujet de vanité de se voir dans des obscurités impénétrables, et comment se peut-il faire que ce raisonnement se passe dans un homme raisonnable ?

" Je ne sais qui m'a mis au monde, ni ce que c'est que le monde, ni que moi-même; je suis dans une ignorance terrible de toutes choses; je ne sais ce que c'est que mon corps, que mes sens, que mon âme et cette partie même de moi qui pense ce que je dis, qui fait réflexion sur tout et sur elle-même, et ne se connaît non plus que le reste.

" Je vois ces effroyables espaces de l'univers qui m'enferment, et je me trouve attaché à un coin de cette vaste étendue, sans que je sache pourquoi je suis plutôt placé en ce lieu qu'en un autre, ni pourquoi ce peu de temps qui m'est donné à vivre m'est assigné à ce point plutôt qu'à un autre de toute l'éternité qui m'a précédé et de toute celle qui me suit. Je ne vois que des infinités de toutes parts, qui m'enferment comme un atome et comme une ombre qui ne dure qu'un instant sans retour. Tout ce que je connais est que je dois bientôt mourir; mais ce que j'ignore le plus est cette mort même que je ne saurais éviter.

" Comme je ne sais d'où je viens, aussi je ne sais où je vais; et je sais seulement qu'en sortant de ce monde je tombe pour jamais ou dans le néant, ou dans les mains d'un Dieu irrité, sans savoir à laquelle de ces deux conditions je dois être éternellement en partage. Voilà mon état, plein de faiblesse et d'incertitude. Et, de tout cela, je conclus que je dois donc passer tous les jours de ma vie sans songer à chercher ce qui doit m'arriver. Peut-être que je pourrais trouver quelque éclaircissement dans mes doutes; mais je n'en veux pas prendre la peine, ni faire un pas pour le chercher; et après, en traitant avec mépris ceux qui se travailleront de ce soin, — (quelque certitude qu'ils en eussent, c'est un sujet de désespoir, plutôt que de vanité) — je veux aller, sans prévoyance et sans crainte, tenter un si grand événement, et me laisser mollement conduire à la mort, dans l'incertitude de l'éternité de ma condition future. "

Qui souhaiterait d'avoir pour ami un homme qui discourt de cette manière ? qui le choisirait entre les autres pour lui communiquer ses affaires ? qui aurait recours à lui dans ses afflictions ? et enfin à quel usage de la vie on le pourrait destiner ?

En vérité, il est glorieux à la religion d'avoir pour ennemis des hommes si déraisonnables; et leur opposition lui est si peu dangereuse, qu'elle sert au contraire à l'établissement de ses vérités. Car la foi chrétienne ne va presque qu'à établir ces deux choses : la corruption de la nature, et la rédemption de Jésus-Christ. Or, je soutiens que s'ils ne servent pas à montrer la vérité de la rédemption par la sainteté de leurs mœurs, ils servent au moins admirablement à montrer la corruption de la nature, par des sentiments si dénaturés.

Rien n'est si important à l'homme que son état; rien ne lui est si redoutable que l'éternité. Et ainsi, qu'il se trouve des hommes indifférents à la perte de leur être et au péril d'une éternité de misères, cela n'est point naturel. Ils sont tout autres à l'égard de toutes les autres choses : ils craignent jusqu'aux plus légères, ils les prévoient, ils les sentent; et ce même homme qui passe tant de jours et de nuits dans la rage et dans le désespoir pour la perte d'une charge ou pour quelque offense imaginaire à son honneur, c'est celui-là même qui sait qu'il va tout perdre par la mort, sans inquiétude et sans émotion. C'est une chose monstrueuse de voir dans un même cœur et en même temps cette sensibilité pour les moindres choses et cette étrange insensibilité pour les plus grandes. C'est un enchantement incompréhensible, et un assoupissement surnaturel, qui marque une force toute-puissante qui le cause.

Il faut qu'il y ait un étrange renversement dans la nature de l'homme pour faire gloire d'être dans cet état, dans lequel il semble incroyable qu'une seule personne puisse être. Cependant l'expérience m'en fait voir un si grand nombre, que cela serait surprenant si nous ne savions que la plupart de ceux qui s'en mêlent se contrefont et ne sont pas tels en effet. Ce sont des gens qui ont ouï dire que les belles manières du monde consistent à faire ainsi l'emporté. C'est ce qu'ils appellent avoir secoué le joug, et qu'ils essayent d'imiter. Mais il ne serait pas difficile de leur faire entendre combien ils s'abusent en cherchant par là de l'estime. Ce n'est pas le moyen d'en acquérir, je dis même parmi les personnes du monde qui jugent sainement des choses et qui savent que la seule voie d'y réussir est de se faire paraître honnête, fidèle, judicieux et capable de servir utilement son ami, parce que les hommes n'aiment naturellement que ce qui peut leur être utile. Or, quel avantage y a-t-il pour nous à ouïr dire à un homme qu'il a donc secoué le joug, qu'il ne croit pas qu'il y ait un Dieu qui veille sur ses actions, qu'il se considère comme seul maître de sa conduite, et qu'il ne pense en rendre compte qu'à soi-même ? Pense-t-il nous avoir porté par là à avoir désormais bien de la confiance en lui, et en attendre des consolations, des conseils et des secours dans tous les besoins de la vie ? Prétendent-ils nous avoir bien réjoui, de nous dire qu'ils tiennent que notre âme n'est qu'un peu de vent et de fumée, et encore de nous le dire d'un ton de voix fier et content ? Est-ce donc une chose à dire gaiement ? et n'est-ce pas une chose à dire tristement, au contraire, comme la chose du monde la plus triste ?

S'ils y pensaient sérieusement, ils verraient que cela est si mal pris, si contraire au bon sens, si opposé à l'honnêteté, et si éloigné en toutes manières de ce bon air qu'ils cherchent, qu'ils seraient plutôt capables de redresser que de corrompre ceux qui auraient quelque inclination à les suivre. Et, en effet, faites-leur rendre compte de leurs sentiments et des raisons qu'ils ont de douter de la religion; ils vous diront des choses si faibles et si basses, qu'ils vous persuaderont du contraire. C'était ce que leur disait un jour fort à propos une personne : " Si vous continuez à discourir de la sorte, leur disait-il, en vérité vous me convertirez. " Et il avait raison, car qui n'aurait horreur de se voir dans des sentiments où l'on a pour compagnons des personnes si méprisables ?

Ainsi ceux qui ne font que feindre ces sentiments

seraient bien malheureux de contraindre leur naturel pour se rendre les plus impertinents des hommes. S'ils sont fâchés dans le fond de leur cœur de n'avoir pas plus de lumière, qu'ils ne le dissimulent pas : cette déclaration ne sera point honteuse. Il n'y a de honte qu'à n'en point avoir. Rien n'accuse davantage une extrême faiblesse d'esprit que de ne pas connaître quel est le malheur d'un homme sans Dieu; rien ne marque davantage une mauvaise disposition du cœur que de ne pas souhaiter la vérité des promesses éternelles; rien n'est plus lâche que de faire le brave contre Dieu. Qu'ils laissent donc ces impiétés à ceux qui sont assez mal nés pour en être véritablement capables; qu'ils soient au moins honnêtes gens s'ils ne peuvent être chrétiens, et qu'ils reconnaissent enfin qu'il n'y a que deux sortes de personnes qu'on puisse appeler raisonnables : ou ceux qui servent Dieu de tout leur cœur parce qu'ils le connaissent, ou ceux qui le cherchent de tout leur cœur parce qu'ils ne le connaissent pas.

Mais pour ceux qui vivent sans le connaître et sans le chercher, ils se jugent eux-mêmes si peu dignes de leur soin, qu'ils ne sont pas dignes du soin des autres et qu'il faut avoir toute la charité de la religion qu'ils méprisent pour ne les pas mépriser jusqu'à les abandonner dans leur folie. Mais, parce que cette religion nous oblige de les regarder toujours, tant qu'ils seront en cette vie, comme capables de la grâce qui peut les éclairer, et de croire qu'ils peuvent être dans peu de temps plus remplis de foi que nous ne sommes, et que nous pouvons au contraire tomber dans l'aveuglement où ils sont, il faut faire pour eux ce que nous voudrions qu'on fît pour nous si nous étions à leur place, et les appeler à avoir pitié d'eux-mêmes, et à faire au moins quelques pas pour tenter s'ils ne trouveront pas de lumières. Qu'ils donnent à cette lecture quelques-unes de ces heures qu'ils emploient si inutilement ailleurs : quelque aversion qu'ils y apportent, peut-être rencontreront-ils quelque chose, et pour le moins ils n'y perdront pas beaucoup. Mais pour ceux qui y apporteront une sincérité parfaite et un véritable désir de rencontrer la vérité, j'espère qu'ils auront satisfaction, et qu'ils seront convaincus des preuves d'une religion si divine, que j'ai ramassées ici, et dans lesquelles j'ai suivi à peu près cet ordre...

428 (195)

Avant que d'entrer dans les preuves de la religion chrétienne, je trouve nécessaire de représenter l'injustice des hommes qui vivent dans l'indifférence de chercher la vérité d'une chose qui leur est si importante, et qui les touche de si près.

De tous leurs égarements, c'est sans doute celui qui les convainc le plus de folie et d'aveuglement, et dans lequel il est le plus facile de les confondre par les premières vues du sens commun et par les sentiments de la nature. Car il est indubitable que le temps de cette vie n'est qu'un instant, que l'état de la mort est éternel, de quelque nature qu'il puisse être, et qu'ainsi toutes nos actions et nos pensées doivent prendre des routes si différentes selon l'état de cette éternité, qu'il est impossible de faire une démarche avec sens et jugement qu'en la réglant par la vue de ce point qui doit être notre dernier objet.

Il n'y a rien de plus visible que cela et qu'ainsi, selon les principes de la raison, la conduite des hommes est tout à fait déraisonnable, s'ils ne prennent une autre voie. Que l'on juge donc là-dessus de ceux qui vivent sans songer à cette dernière fin de la vie, qui se laissant conduire à leurs inclinations et à leurs plaisirs sans réflexion et sans inquiétude, et, comme s'ils pouvaient anéantir l'éternité en en détournant leur pensée, ne pensent à se rendre heureux que dans cet instant seulement.

Cependant, cette éternité subsiste, et la mort, qui la doit ouvrir et qui les menace à toute heure, les doit mettre infailliblement dans peu de temps dans l'horrible nécessité d'être éternellement ou anéantis ou malheureux, sans qu'ils sachent laquelle de ces éternités leur est à jamais préparée.

Voilà un doute d'une terrible conséquence. Ils sont

dans le péril de l'éternité de misères; et sur cela, comme si la chose n'en valait pas la peine, ils négligent d'examiner si c'est de ces opinions que le peuple reçoit avec une facilité trop crédule, ou de celles qui, étant obscures d'elles-mêmes, ont un fondement très solide, quoique caché. Ainsi ils ne savent s'il y a vérité ou fausseté dans la chose, ni s'il y a force ou faiblesse dans les preuves. Ils les ont devant les yeux; ils refusent d'y regarder, et, dans cette ignorance, ils prennent le parti de faire tout ce qu'il faut pour tomber dans ce malheur au cas qu'il soit, d'attendre à en faire l'épreuve à la mort, d'être cependant fort satisfaits en cet état, d'en faire profession et enfin d'en faire vanité. Peut-on penser sérieusement à l'importance de cette affaire sans avoir horreur d'une conduite si extravagante ?

Ce repos dans cette ignorance est une chose monstrueuse, et dont il faut faire sentir l'extravagance et la stupidité à ceux qui y passent leur vie, en la leur représentant à eux-mêmes, pour les confondre par la vue de leur folie. Car voici comme raisonnent les hommes quand ils choisissent de vivre dans cette ignorance de ce qu'ils sont et sans rechercher d'éclaircissement. " Je ne sais ", disent-ils.

429 (229)

Voilà ce que je vois et ce qui me trouble. Je regarde de toutes parts, et je ne vois partout qu'obscurité. La nature ne m'offre rien qui ne soit matière de doute et d'inquiétude. Si je n'y voyais rien qui marquât une Divinité, je me déterminerais à la négative; si je voyais partout les marques d'un Créateur, je reposerais en paix dans la foi. Mais, voyant trop pour nier et trop peu pour m'assurer, je suis dans un état à plaindre, et où j'ai souhaité cent fois que, si un Dieu la soutient, elle le marquât sans équivoque; et que, si les marques qu'elle en donne sont trompeuses, elle les supprimât tout à fait; qu'elle dît tout ou rien, afin que je visse quel parti je dois suivre. Au lieu qu'en l'état où je suis, ignorant ce que je suis et ce que je dois faire, je ne connais ni ma condition, ni mon devoir. Mon cœur tend tout entier à connaître où est le vrai bien, pour le suivre; rien ne me serait trop cher pour l'éternité.

Je porte envie à ceux que je vois dans la foi vivre avec tant de négligence, et qui usent si mal d'un don duquel il me semble que je ferais un usage si différent.

430 (431)

Nul autre n'a connu que l'homme est la plus excellente créature. Les uns, qui ont bien connu la réalité de son excellence, ont pris pour lâcheté et pour ingratitude les sentiments bas que les hommes ont naturellement d'eux-mêmes; et les autres, qui ont bien connu combien cette bassesse est effective ont traité d'une superbe ridicule ces sentiments de grandeur, qui sont aussi naturels à l'homme.

Levez vos yeux vers Dieu, disent les uns; voyez celui auquel vous ressemblez, et qui vous a fait pour l'adorer. Vous pouvez vous rendre semblable à lui; la sagesse vous y égalera, si vous voulez le suivre. " Haussez la tête, hommes libres ", dit Épictète. Et les autres lui disent : " Baissez vos yeux vers la terre, chétif ver que vous êtes, et regardez les bêtes dont vous êtes le compagnon. "

Que deviendra donc l'homme ? Sera-t-il égal à Dieu ou aux bêtes ? Quelle effroyable distance ! Que serons-nous donc ? Qui ne voit par tout cela que l'homme est égaré, qu'il est tombé de sa place, qu'il la cherche avec inquiétude, qu'il ne la peut plus retrouver. Et qui l'y adressera donc ? Les plus grands hommes ne l'ont pu.

431 (560)

Nous ne concevons ni l'état glorieux d'Adam, ni la nature de son péché, ni la transmission qui s'en est faite en nous. Ce sont choses qui se sont passées dans l'état d'une nature toute différente de la nôtre et qui passent l'état de notre capacité présente.

Tout cela nous est inutile à savoir pour en sortir; et tout ce qu'il nous importe de connaître est que nous sommes misérables, corrompus, séparés de Dieu, mais rachetés par Jésus-Christ; et c'est de quoi nous avons des preuves admirables sur la terre.

Ainsi, les deux preuves de la corruption et de la rédemption se tirent des impies, qui vivent dans l'indifférence de la religion, et des Juifs, qui en sont les ennemis irréconciliables.

SÉRIE IV

432 (194 *bis* et *ter*)

(23) amour-propre, et parce que c'est une chose qui nous intéresse assez pour nous en émouvoir, d'être assurés, qu'après tous les maux de la vie, une mort inévitable qui nous menace à chaque instant doit infailliblement, dans peu d'années (*nous mettre*) dans l'horrible nécessité (*d'être éternellement ou anéantis ou malheureux*).

(24) Les trois conditions.

(25) Il ne faut pas dire de cela que c'est une marque de raison.

(26) C'est tout ce que pourrait faire un homme qui serait assuré de la fausseté de cette nouvelle, encore ne devrait-il pas en être dans la joie, mais dans l'abattement.

(27) Rien n'est important que cela, et on ne néglige que cela.

(28) Notre imagination nous grossit si fort le temps présent à force d'y faire des réflexions continuelles, et amoindrit tellement l'éternité, manque d'y faire réflexion, que nous faisons de l'éternité un néant, et du néant une éternité; et tout cela a ses racines si vives en nous que toute notre raison ne nous en peut défendre, et que...

(29) Je leur demanderais s'il n'est pas vrai qu'ils vérifient par eux-mêmes ce fondement de la foi qu'ils combattent, qui est que la nature des hommes est dans la corruption.

433 (783)

... Alors Jésus-Christ vient dire aux hommes qu'ils

n'ont point d'autres ennemis qu'eux-mêmes, que ce sont leurs passions qui les séparent de Dieu, qu'il vient pour les détruire, et pour leur donner sa grâce, afin de faire d'eux tous une Église sainte, qu'il vient ramener dans cette Église les païens et les Juifs, qu'il vient détruire les idoles des uns et la superstition des autres. A cela s'opposent tous les hommes, non seulement par l'opposition naturelle de la concupiscence; mais, par-dessus tout, les rois de la terre s'unissent pour abolir cette religion naissante, comme cela avait été prédit (*Proph.: Quare fremuerunt gentes... reges terrae... adversus Christum*).

Tout ce qu'il y a de grand sur la terre s'unit, les savants, les sages, les rois. Les uns écrivent, les autres condamnent, les autres tuent. Et nonobstant toutes ces oppositions, ces gens simples et sans force résistent à toutes ces puissances et se soumettent même ces rois, ces savants, ces sages, et ôtent l'idolâtrie de toute la terre. Et tout cela se fait par la force qui l'avait prédit.

434 (199)

Qu'on s'imagine un nombre d'hommes dans les chaînes, et tous condamnés à la mort, dont les uns étant chaque jour égorgés à la vue des autres, ceux qui restent voient leur propre condition dans celle de leurs semblables, et, se regardant les uns et les autres avec douleur et sans espérance, attendent à leur tour. C'est l'image de la condition des hommes.

435 (621)

La création et le déluge étant passés, et Dieu ne devant plus détruire le monde, non plus que le recréer, ni donner de ces grandes marques de lui, il commença d'établir un peuple sur la terre, formé exprès, qui devait durer jusqu'au peuple que le Messie formerait par son esprit.

SÉRIE V

436 (628)

Antiquité des Juifs. — Qu'il y a de différence d'un livre à un autre ! Je ne m'étonne pas de ce que les Grecs ont fait l'*Iliade*, ni les Égyptiens et les Chinois leurs histoires. Il ne faut que voir comment cela est né. Ces historiens fabuleux ne sont pas contemporains des choses dont ils écrivent. Homère fait un roman, qu'il donne pour tel et qui est reçu pour tel; car personne ne doutait que Troie et Agamemnon n'avaient non plus été que la pomme d'or. Il ne pensait pas aussi à en faire une histoire, mais seulement un divertissement; il est le seul qui écrit de son temps, la beauté de l'ouvrage fait durer la chose : tout le monde l'apprend et en parle; il la faut savoir, chacun la sait par cœur. Quatre cents ans après, les témoins des choses ne sont plus vivants; personne ne sait plus par sa connaissance si c'est une fable ou une histoire : on l'a seulement appris de ses ancêtres, cela peut passer pour vrai.

Toute histoire qui n'est pas contemporaine est suspecte; ainsi les livres des sibylles et de Trismégiste, et tant d'autres qui ont eu crédit au monde, sont faux et se trouvent faux à la suite des temps. Il n'en est pas ainsi des auteurs contemporains.

Il y a bien de la différence entre un livre que fait un particulier, et qu'il jette dans le peuple, et un livre que fait lui-même un peuple. On ne peut douter que le livre ne soit aussi ancien que le peuple.

437 (399)

On n'est pas misérable sans sentiment : une maison ruinée ne l'est pas. Il n'y a que l'homme de misérable. *Ego vir videns*.

438 (848)

Que si la miséricorde de Dieu est si grande qu'il nous instruit salutairement, même lorsqu'il se cache, quelle lumière n'en devons-nous pas attendre, lorsqu'il se découvre ?

439 (565)

Reconnaissez donc la vérité de la religion dans l'obscurité même de la religion, dans le peu de lumière que nous en avons, dans l'indifférence que nous avons de la connaître.

440 (559 *bis*) L'être éternel est toujours s'il est une fois.

441 (201)

Toutes les objections des uns et des autres ne vont que contre eux-mêmes, et point contre la religion. Tout ce que disent les impies...

442 (560 *bis*)

... Ainsi tout l'univers apprend à l'homme, ou qu'il est corrompu, ou qu'il est racheté. Tout lui apprend sa grandeur ou sa misère. L'abandon de Dieu paraît dans les païens ; la protection de Dieu paraît dans les Juifs.

443 (863)

Tous errent d'autant plus dangereusement qu'ils suivent chacun une vérité ; leur faute n'est pas de suivre une fausseté, mais de ne pas suivre une autre vérité.

444 (557)

Il est donc vrai que tout instruit l'homme de sa condition, mais il le faut bien entendre : car il n'est pas vrai que tout découvre Dieu, et il n'est pas vrai que tout cache Dieu. Mais il est vrai tout ensemble qu'il se cache à ceux qui le tentent, et qu'il se découvre à ceux qui le cherchent, parce que les hommes sont tout ensemble indignes de Dieu et capables de Dieu : indignes par leur corruption, capables par leur première nature.

445 (558)
Que conclurons-nous de toutes nos obscurités, sinon notre indignité ?

446 (586)
S'il n'y avait point d'obscurité, l'homme ne sentirait point sa corruption; s'il n'y avait point de lumière, l'homme n'espérerait point de remède. Ainsi, il est non seulement juste, mais utile pour nous que Dieu soit caché en partie, et découvert en partie, puisqu'il est également dangereux à l'homme de connaître Dieu sans connaître sa misère, et de connaître sa misère sans connaître Dieu.

447 (769)
La conversion des païens n'était réservée qu'à la grâce du Messie. Les Juifs ont été si longtemps à les combattre sans succès : tout ce qu'en ont dit Salomon et les prophètes a été inutile. Les sages, comme Platon et Socrate, n'ont pu les persuader.

448 (559)
S'il n'avait jamais rien paru de Dieu, cette privation éternelle serait équivoque, et pourrait aussi bien se rapporter à l'absence de toute divinité, qu'à l'indignité où seraient les hommes de la connaître; mais de ce qu'il paraît quelquefois, et non pas toujours, cela ôte l'équivoque. S'il paraît une fois, il est toujours; et ainsi on n'en peut conclure, sinon qu'il y a un Dieu, et que les hommes en sont indignes.

449 (556)
... Ils blasphèment ce qu'ils ignorent. La religion chrétienne consiste en deux points; il importe également aux hommes de les connaître et il est également dangereux de les ignorer; et il est également de la miséricorde de Dieu d'avoir donné des marques des deux.

Et cependant ils prennent sujet de conclure qu'un de ces points n'est pas, de ce qui leur devrait faire conclure l'autre. Les sages qui ont dit qu'il n'y avait qu'un Dieu ont été persécutés, les Juifs haïs, les chrétiens encore plus. Ils ont vu par lumière naturelle que s'il y a une véritable religion sur la terre, la conduite de toutes choses doit y tendre comme à son centre. Toute la conduite des choses doit avoir pour objet l'établissement et la grandeur de la religion; les hommes doivent avoir en eux-mêmes des sentiments conformes à ce qu'elle nous enseigne; et enfin elle doit être tellement l'objet et le centre où toutes choses tendent, que qui en saura les principes puisse rendre raison et de toute la nature de l'homme en particulier, et de toute la conduite du monde en général.

Et sur ce fondement, ils prennent lieu de blasphémer la religion chrétienne, parce qu'ils la connaissent mal. Ils s'imaginent qu'elle consiste simplement en l'adoration d'un Dieu considéré comme grand et puissant et éternel; ce qui est proprement le déisme, presque aussi éloigné de la religion chrétienne que l'athéisme, qui y est tout à fait contraire. Et de là ils concluent que cette religion n'est pas véritable, parce qu'ils ne voient pas que toutes choses concourent à l'établissement de ce point, que Dieu ne se manifeste pas aux hommes avec toute l'évidence qu'il pourrait faire.

Mais qu'ils en concluent ce qu'ils voudront contre le déisme, ils n'en concluront rien contre la religion chrétienne, qui consiste proprement au mystère du Rédempteur, qui unissant en lui les deux natures, humaine et divine, a retiré les hommes de la corruption du péché pour les réconcilier à Dieu en sa personne divine.

Elle enseigne donc ensemble aux hommes ces deux vérités : et qu'il y a un Dieu, dont les hommes sont capables, et qu'il y a une corruption dans la nature, qui les en rend indignes. Il importe également aux hommes de connaître l'un et l'autre de ces points; et il est également dangereux à l'homme de connaître Dieu sans connaître sa misère, et de connaître sa misère sans connaître le Rédempteur qui l'en peut guérir. Une seule de ces connaissances fait, ou la superbe des philosophes, qui ont connu Dieu et non leur misère, ou le désespoir des athées, qui connaissent leur misère sans Rédempteur.

Et ainsi, comme il est également de la nécessité de l'homme de connaître ces deux points, il est aussi également de la miséricorde de Dieu de nous les avoir fait connaître. La religion chrétienne le fait, c'est en cela qu'elle consiste.

Qu'on examine l'ordre du monde sur cela, et qu'on voie si toutes choses ne tendent pas à l'établissement des deux chefs de cette religion : Jésus-Christ est l'objet de tout, et le centre où tout tend. Qui le connaît connaît la raison de toutes choses.

Ceux qui s'égarent ne s'égarent que manque de voir une de ces deux choses. On peut donc bien connaître Dieu sans sa misère, et sa misère sans Dieu; mais on ne peut connaître Jésus-Christ sans connaître tout ensemble et Dieu et sa misère.

Et c'est pourquoi je n'entreprendrai pas ici de prouver par des raisons naturelles, ou l'existence de Dieu, ou la Trinité, ou l'immortalité de l'âme, ni aucune des choses de cette nature; non seulement parce que je ne me sentirais pas assez fort pour trouver dans la nature de quoi convaincre des athées endurcis, mais encore parce que cette connaissance, sans Jésus-Christ, est inutile et stérile. Quand un homme serait persuadé que les proportions des nombres sont des vérités immatérielles, éternelles et dépendantes d'une première vérité en qui elles subsistent, et qu'on appelle Dieu, je ne le trouverais pas beaucoup avancé pour son salut.

Le Dieu des chrétiens ne consiste pas en un Dieu simplement auteur des vérités géométriques et de l'ordre des éléments; c'est la part des païens et des épicuriens. Il ne consiste pas seulement en un Dieu qui exerce sa providence sur la vie et sur les biens des hommes, pour donner une heureuse suite d'années à ceux qui l'adorent; c'est la portion des Juifs. Mais le Dieu d'Abraham, le Dieu d'Isaac, le Dieu de Jacob, le Dieu des chrétiens, est un Dieu d'amour et de consolation; c'est un Dieu qui remplit l'âme et le cœur de ceux qu'il possède; c'est un Dieu qui leur fait sentir intérieurement leur misère, et sa miséricorde infinie; qui s'unit au fond de leur âme; qui la remplit d'humilité, de joie, de confiance, d'amour; qui les rend incapables d'autre fin que de lui-même.

Tous ceux qui cherchent Dieu hors de Jésus-Christ, et qui s'arrêtent dans la nature, ou ils ne trouvent aucune lumière qui les satisfasse, ou ils arrivent à se former un moyen de connaître Dieu et de le servir sans médiateur, et par là ils tombent ou dans l'athéisme ou dans le déisme, qui sont deux choses que la religion chrétienne abhorre presque également.

Sans Jésus-Christ, le monde ne subsisterait pas; car il faudrait, ou qu'il fût détruit, ou qu'il fût comme un enfer.

Si le monde subsistait pour instruire l'homme de Dieu, sa divinité y reluirait de toutes parts d'une manière incontestable; mais comme il ne subsiste que par Jésus-Christ, et pour Jésus-Christ et pour instruire les hommes et de leur corruption et de leur rédemption, tout y éclate des preuves de ces deux vérités.

Ce qui y paraît ne marque ni une exclusion totale, ni une présence manifeste de divinité, mais la présence d'un Dieu qui se cache. Tout porte ce caractère.

Le seul qui connaît la nature ne la connaîtra-t-il que pour être misérable ? le seul qui la connaît sera-t-il le seul malheureux ?

Il ne faut (*pas*) qu'il ne voie rien du tout; il ne faut pas aussi qu'il en voie assez pour croire qu'il le possède, mais qu'il en voie assez pour connaître qu'il l'a perdu; car, pour connaître qu'on a perdu, il faut voir et ne voir pas; et c'est précisément l'état où est la nature.

Quelque parti qu'il prenne, je ne l'y laisserai point en repos...

450 (494)

Il faudrait que la véritable religion enseignât la grandeur, la misère, portât à l'estime et au mépris de soi, à l'amour et à la haine.

SÉRIE VI

451 (620)
Avantages du peuple juif.
Dans cette recherche le peuple juif attire d'abord
mon attention par quantité de. choses admirables et
singulières qui y paraissent.

Je vois d'abord que c'est un peuple tout composé
de frères, et au lieu que tous les autres sont formés
de l'assemblage d'une infinité de familles, celui-ci
quoique si étrangement abondant est tout sorti d'un
seul homme, et étant ainsi tous une même chair et
membres les uns des autres, composent un puissant état
d'une seule famille, cela est unique.

Cette famille ou ce peuple est le plus ancien qui soit
en la connaissance des hommes, ce qui me semble
lui attirer une vénération particulière. Et principalement dans la recherche que nous faisons, puisque si
Dieu s'est de tout temps communiqué aux hommes,
c'est à ceux-ci qu'il faut recourir pour en savoir la
tradition.

Ce peuple n'est pas seulement considérable par
son antiquité mais il est encore singulier en sa durée,
qui a toujours continué depuis son origine jusqu'à
maintenant, car au lieu que les peuples de Grèce et
d'Italie, de Lacédémone, d'Athènes, de Rome et les
autres qui sont venus si longtemps après soient péris
il y a si longtemps, ceux-ci subsistent toujours et malgré
les entreprises de tant de puissants rois qui ont cent
fois essayé de les faire périr, comme leurs historiens
le témoignent, et comme il est aisé de le juger par
l'ordre naturel des choses pendant un si long espace
d'années. Ils ont toujours été conservés néanmoins,
et cette conservation a été prédite. Et s'étendant depuis
les premiers temps jusques aux derniers, leur histoire
enferme dans sa durée, celle de toutes nos histoires.

La loi par laquelle ce peuple est gouverné est tout
ensemble, la plus ancienne loi du monde, la plus par-

faite et la seule qui ait toujours été gardée sans interruption dans un État. C'est ce que Josèphe montre admirablement contre Appion et Philon juif, en divers lieux où ils font voir qu'elle est si ancienne que le nom même de loi n'a été connu des plus anciens que plus de mille ans après, en sorte que Homère qui a écrit l'histoire de tant d'états ne s'en est jamais servi. Et il est aisé de juger de sa perfection par la simple lecture, où l'on voit qu'on a pourvu à toutes choses, avec tant de sagesse, tant d'équité et tant de jugement que les plus anciens législateurs grecs et romains en ayant eu quelque lumière en ont emprunté leurs principales lois, ce qui paraît par celle qu'ils appellent des 12 tables, et par les autres preuves que Josèphe en donne.

Mais cette loi est en même temps la plus sévère et la plus rigoureuse de toutes en ce qui regarde le culte de leur religion obligeant ce peuple pour le retenir dans son devoir, à mille observations particulières et pénibles sur peine de la vie, de sorte que c'est une chose bien étonnante, qu'elle se soit toujours conservée constamment durant tant de siècles, par un peuple rebelle et impatient comme celui-ci pendant que tous les autres États ont changé de temps en temps leurs lois quoique tout autrement faciles.

Le livre qui contient cette loi la première de toutes, est lui-même le plus ancien livre du monde, ceux d'Homère, d'Hésiode et les autres n'étant que six ou sept cents ans depuis.

SÉRIE VII

452 (631)
Sincérité des Juifs.

Ils portent avec amour et fidélité ce livre où Moïse déclare qu'ils ont été ingrats envers Dieu toute leur vie, qu'il sait qu'ils le seront encore plus après sa mort, mais qu'il appelle le ciel et la terre à témoin contre eux, qu'il le leur a (*enseigné*) assez.

Il déclare qu'enfin Dieu s'irritant contre eux les dispersera parmi tous les peuples de la terre, que comme ils l'ont irrité en adorant les dieux qui n'étaient point leurs dieux, de même il les provoquera en appelant un peuple qui n'est point son peuple, et veut que toutes ses paroles soient conservées éternellement et que son livre soit mis dans l'arche de l'alliance pour servir à jamais de témoin contre eux. — Isaïe. Isaïe dit la même chose. 30. 8.

SÉRIE VIII

453 (610)
Pour montrer que les vrais juifs et les vrais chrétiens n'ont qu'une même religion.

La religion des juifs — semblait — consistait essentiellement en la paternité d'Abraham, en la circoncision, aux sacrifices, aux cérémonies, en l'arche, au temple, en Jérusalem, et enfin en la loi et en l'alliance de Moïse.

Je dis qu'elle ne consistait en aucune de ces choses, mais seulement en l'amour de Dieu et que Dieu réprouvait, toutes les autres choses.

Que Dieu n'acceptera point la parenté d'Abraham.
Que les Juifs seront punis de Dieu comme les étrangers s'ils l'offensent.

deut. IX. 19.

Si vous oubliez Dieu et que vous suiviez des dieux étrangers je vous prédis que vous périrez en la même manière que les nations que Dieu a exterminées devant vous.

Que les étrangers seront reçus de Dieu comme les juifs s'ils l'aiment.

Is. 56. 3. Que l'étranger ne dise point le Seigneur ne me recevra pas; les étrangers qui s'attachent à Dieu seront pour le servir et l'aimer, je les mènerai en ma sainte montagne et recevant d'eux des sacrifices, car ma maison est la maison d'oraison.

Que les vrais Juifs ne considéraient leur mérite que de Dieu et non d'Abraham.

Is. 63. 16. Vous êtes véritablement notre père, et Abraham ne nous a pas connus et Israël n'a point eu de connaissance de nous, mais c'est vous qui êtes notre père et notre rédempteur.

Moïse même leur a dit que Dieu n'acceptera point les personnes.

Deut. 10. 17. Dieu dit : je n'accepte point les personnes ni les sacrifices.

Le sabbat n'était qu'un signe. ex. 31. 13. et en mémoire de la sortie d'Égypte. deut. 15. 19. donc il n'est plus nécessaire puisqu'il faut oublier l'Égypte.

La circoncision n'était qu'un signe. gen. 17. 11.

Et de là vient qu'étant dans le désert ils ne furent point circoncis parce qu'ils ne pouvaient se confondre avec les autres peuples. Et qu'après que J.-C. est venu elle n'est plus nécessaire.

Que la circoncision du cœur est ordonnée.

Deut. 10. 17. Jer. 4. 3. — Soyez circoncis de cœur, retranchez les superfluités de votre cœur, et ne vous endurcissez plus car votre Dieu est un Dieu grand, puissant et terrible, qui n'accepte point les personnes.

Que Dieu dit qu'il le ferait un jour.

Deut. 30. 6. Dieu te circoncira le cœur et à tes enfants afin que tu l'aimes de tout ton cœur.

Que les incirconcis de cœur seront jugés.

Jer. 9. 26. Car Dieu jugera les peuples incirconcis et tout le peuple d'Israël parce qu'il est incirconcis de cœur.

Que l'extérieur ne sert à rien sans l'intérieur.

Joel. 2. 13. *scindite corda vestra*, etc.

Is. 58. 3. 4., etc.

L'amour de Dieu est recommandé en tout le deuteronome.

Deut. 30. 19. Je prends à témoins le ciel et la terre que j'ai mis devant vous la mort et la vie afin que vous choisissiez la vie et que vous aimiez Dieu et que vous lui obéissiez. Car c'est Dieu qui est votre vie.

Que les Juifs, manque de cet amour, seraient réprouvés pour leurs crimes et les païens élus en leur place.

Osée. 1. 10.

Deut. 32. 20. Je me cacherai d'eux dans la vue de leurs derniers crimes. Car c'est une nation méchante et infidèle.

Ils m'ont provoqué à courroux par les choses qui ne sont point des dieux et je les provoquerai à jalousie par un peuple qui n'est point mon peuple, et par une nation sans science et sans intelligence.

Isaie 65.

Que les biens temporels sont faux et que le vrai bien est d'être uni à Dieu.

ps. 143. 15.

Que leurs fêtes déplaisaient à Dieu. Amos. 5. 21

Que les sacrifices des Juifs déplaisent à Dieu.

Is. 66.

1. 11.

Jer. 6. 20.

David, *miserere.*

même de la part des bons.

Expectavi. ps. 49. 8. 9. 10. 11. 12. 13 et 14.

Qu'ils ne les a établis que pour leur dureté. Michée admirablement 6.

1 R. 15. 22.

Osée 6. 6.

Que les sacrifices des païens seront reçus de Dieu. Et que Dieu retirera sa volonté des sacrifices des Juifs.

Malachie. 1. 11.

Que Dieu fera une nouvelle alliance par le Messie et que l'ancienne sera rejetée.

Jer. 31. 31.

Mandata non bona. Ezechiel.

Que les anciennes choses seront oubliées.

Is. 43. 18. 19.

65. 17. 18.

Qu'on ne se souviendra plus de l'arche.

Jer. 3. 15. 16.

Que le temple serait rejeté.
Jer. 7. 12. 13. 14.
Que les sacrifices seraient rejetés et d'autres sacrifices purs établis.
Mal. 1. 11.
Que l'ordre de la sacrificature d'Aaron serait réprouvé et celle de Melchisedech introduite par le Messie.
Dixit dominus.
Que cette sacrificature serait éternelle.
Ibid.
Que Jérusalem serait réprouvée et Rome admise.
Dixit dominus.
Que le nom des Juifs serait réprouvé et un nouveau nom donné.
Is. 65. 15.
Que ce dernier nom serait meilleur que celui de Juifs et éternel.
Is. 56. 5.
Que les Juifs devaient être sans prophètes. Amos.
Sans rois, sans princes, sans sacrifices, sans idoles.
Que les Juifs subsisteraient toujours néanmoins en peuple. Jer. 31. 36.

SÉRIE IX

454 (619)
Je vois la religion chrétienne fondée sur une religion précédente, où voici ce que je trouve d'effectif.
Je ne parle point ici des miracles de Moïse, de J.-C. et des apôtres, parce qu'ils ne paraissent pas d'abord convaincants et que je ne veux que mettre ici en évidence tous les fondements de cette religion chrétienne qui sont indubitables, et qui ne peuvent être mis en doute par quelque personne que ce soit.
Il est certain que nous voyons en quelques endroits du monde, un peuple particulier séparé de tous les autres peuples du monde qui s'appelle le peuple juif.

Je vois donc des faiseurs de religions en plusieurs endroits du monde et dans tous les temps, mais ils n'ont ni la morale qui peut me plaire, ni les preuves qui peuvent m'arrêter, et qu'ainsi j'aurais refusé également, et la religion de Mahomet et celle de la Chine et celle des anciens Romains et celle des Égyptiens par cette seule raison que l'une n'ayant point plus (de) marques de vérité que l'autre, ni rien qui me déterminât nécessairement. La raison ne peut pencher plutôt vers l'une que vers l'autre.

Mais en considérant aussi cette inconstante et bizarre variété de mœurs et de créances dans les divers temps je trouve en un coin du monde, un peuple particulier séparé de tous les autres peuples de la terre, le plus ancien de tous et dont les histoires précèdent de plusieurs siècles les plus anciennes que nous ayons.

Je trouve donc ce peuple grand et nombreux sorti d'un seul homme, qui adore un seul Dieu, et qui se conduit par une loi qu'ils disent tenir de sa main (*et*) ils soutiennent qu'ils sont les seuls du monde auxquels Dieu a révélé ses mystères. Que tous les hommes sont corrompus et dans la disgrâce de Dieu, qu'ils sont tous abandonnés à leurs sens et à leur propre esprit. Et que de là viennent les étranges égarements et les changements continuels qui arrivent entre eux et de religions et de coutumes. Au lieu qu'ils demeurent inébranlables dans leur conduite, mais que Dieu ne laissera point éternellement les autres peuples dans ces ténèbres, qu'il viendra un Libérateur, pour tous, qu'ils sont au monde pour l'annoncer aux hommes, qu'ils sont formés exprès pour être les avant-coureurs et les hérauts de ce grand avènement, et pour appeler tous les peuples à s'unir à eux dans l'attente de ce Libérateur.

La rencontre de ce peuple m'étonne, et me semble digne de l'attention.

Je considère cette loi qu'ils se vantent de tenir de Dieu et je la trouve admirable. C'est la première loi de toutes et de telle sorte qu'avant même que le mot de loi fût en usage parmi les Grecs, il y avait près de mille ans qu'ils l'avaient reçue et observée sans interruption. Ainsi je trouve étrange que la première loi du monde se rencontre aussi la plus parfaite, en sorte que les plus grands législateurs en ont emprunté les leurs comme il paraît par la loi des 12 tables d'Athènes qui fut ensuite prise par les Romains et comme il serait aisé de le montrer, si Josèphe et d'autres n'avaient assez traité cette matière.

455 (717)
Prophéties.
serment que David aura toujours des successeurs. Jer.

SÉRIE X

456 (618)
Ceci est effectif : pendant que tous les philosophes se séparent en différentes sectes il se trouve en un coin du monde des gens qui sont les plus anciens du monde, déclarent que tout le monde est dans l'erreur, que Dieu leur a révélé la vérité, qu'elle sera toujours sur la terre. En effet toutes les autres sectes cessent; celle-là dure toujours et depuis 4.000 ans ils déclarent qu'ils tiennent de leurs ancêtres que l'homme est déchu de la communication avec Dieu dans un entier éloignement de Dieu, mais qu'il a promis de les racheter, que cette doctrine serait toujours sur la terre, que leur loi a double sens.

Que durant 1.600 ans ils ont eu des gens qu'ils ont crus prophètes qui ont prédit le temps et la manière.

Que 400 ans après ils ont été épars partout, parce que J.-C. devait être annoncé partout.

Que J.-C. est venu en la manière et au temps prédit.

Que depuis les juifs sont épars partout en malédiction, et subsistants néanmoins.

457 (572)
Hypothèse des apôtres fourbes.
Le temps clairement, la manière obscurément.

5 preuves de figuratifs.

2.000   1.600 prophètes
         400 épars.

SÉRIE XI

458 (588 *bis*)
Contrariétés. Sagesse infinie et folie de la religion.

459 (713 *bis*)
Sophonie, III, 9. " Je donnerai mes paroles aux Gentils, afin que tous me servent d'une seule épaule. "
Ézéch., XXVII, 25; " David, mon serviteur, sera éternellement prince sur eux. "
Exode, IV, 22 : " Israël est mon fils premier-né. "

460 (544)
Le Dieu des chrétiens est un Dieu qui fait sentir à l'âme qu'il est son unique bien; que tout son repos est en lui, qu'elle n'aura de joie qu'à l'aimer; et qui lui fait en même temps abhorrer les obstacles qui la retiennent et l'empêchent d'aimer Dieu de toutes ses forces. L'amour-propre et la concupiscence, qui l'arrêtent, lui sont insupportables. Ce Dieu lui fait sentir qu'elle a ce fonds d'amour-propre qui la perd, et que lui seul la peut guérir.

461 (584)
Le monde subsiste pour exercer miséricorde et jugement, non pas comme si les hommes y étaient sortant des mains de Dieu, mais comme des ennemis de Dieu auxquels il donne, par grâce, assez de lumière pour revenir, s'ils le veulent chercher et le suivre, mais pour les punir, s'ils refusent de le chercher ou de le suivre.

462 (739)
Les prophètes ont prédit, et n'ont pas été prédits. Les saints ensuite prédits, non prédisants. Jésus-Christ prédit et prédisant.

463 (243)
C'est une chose admirable que jamais auteur cano-

nique ne s'est servi de la nature pour prouver Dieu.
Tous tendent à le faire croire. David, Salomon, etc.,
jamais n'ont dit : " Il n'y a point de vide, donc il y a
un Dieu. " Il fallait qu'ils fussent plus habiles que les
plus habiles gens qui sont venus depuis, qui s'en sont
tous servis. Cela est très considérable.

464 (419)
Je ne souffrirai point qu'il repose en l'un ni en l'autre
afin qu'étant sans assiette et sans repos...

465 (321)
Ces enfants étonnés voient leurs camarades respectés.

466 (428)
Si c'est une marque de faiblesse de prouver Dieu
par la nature n'en méprisez point l'Écriture; si c'est
une marque de force d'avoir connu ces contrariétés,
estimez-en l'Écriture.

467 (449)
Ordre.
Après la corruption dire : il est juste que tous ceux
qui sont en cet état le connaissent, et ceux qui s'y
plaisent, et ceux qui s'y déplaisent, mais il n'est pas
juste que tous voient la rédemption.

468 (562)
Il n'y a rien sur la terre qui ne montre ou la misère
de l'homme ou la miséricorde de Dieu, ou l'impuissance de l'homme sans Dieu ou la puissance de l'homme
avec Dieu.

469 (577)
(*Bassesse*)
Dieu a fait servir l'aveuglement de ce peuple au bien
des élus.

470 (404)
La plus grande bassesse de l'homme est la recherche
de la gloire, mais c'est cela même qui est la plus grande
marque de son excellence; car, quelque possession
qu'il ait sur la terre, quelque santé et commodité essen-

tielle qu'il ait, il n'est pas satisfait, s'il n'est dans l'estime des hommes. Il estime si grande la raison de l'homme que, quelque avantage qu'il ait sur la terre, s'il n'est placé avantageusement aussi dans la raison de l'homme, il n'est pas content. C'est la plus belle place du monde, rien ne le peut détourner de ce désir, et c'est la qualité la plus ineffaçable du cœur de l'homme.

Et ceux qui méprisent le plus les hommes, et les égalent aux bêtes, encore veulent-ils en être admirés et crus, et se contredisent à eux-mêmes par leur propre sentiment; leur nature, qui est plus forte que tout, les convainquant de la grandeur de l'homme plus fortement que la raison ne les convainc de leur bassesse.

471 (441)
Pour moi, j'avoue qu'aussitôt que la religion chrétienne découvre ce principe, que la nature des hommes est corrompue et déchue de Dieu, cela ouvre les yeux à voir partout le caractère de cette vérité; car la nature est telle, qu'elle marque partout un Dieu perdu, et dans l'homme, et hors de l'homme, et une nature corrompue.

472 (574)
Grandeur. — La religion est une chose si grande, qu'il est juste que ceux qui ne voudraient pas prendre la peine de la chercher, si elle est obscure, en soient privés. De quoi se plaint-on donc, si elle est telle qu'on la puisse trouver en la cherchant ?

473 (500)
L'intelligence des mots de bien et de mal.

474 (622)
La création du monde commençant à s'éloigner, Dieu a pourvu d'un historien unique contemporain, et a commis tout un peuple pour la garde de ce livre, afin que cette histoire fût la plus authentique du monde et que tous les hommes pussent apprendre par là une

chose si nécessaire à savoir, et qu'on ne pût la savoir
que par là.

475 (676)

Le voile qui est sur ces livres pour les Juifs y est
aussi pour les mauvais Chrétiens, et pour tous ceux qui
ne se haïssent pas eux-mêmes. Mais qu'on est bien
disposé à les entendre et à connaître Jésus-Christ, quand
on se hait véritablement soi-même !

476 (688)

Je ne dis pas que le *mem* est mystérieux.

477 (406)

L'orgueil contrepèse et emporte toutes les misères.
Voilà un étrange monstre, et un égarement bien visible.
Le voilà tombé de sa place, il la cherche avec inquiétude. C'est ce que tous les hommes font. Voyons qui
l'aura trouvée.

478 (137)

Sans examiner toutes les occupations particulières,
il suffit de les comprendre sous le divertissement.

479 (74 *bis*)

Pour les philosophes, deux cent quatre-vingts
souverains biens.

480 (590)

Pour les religions, il faut être sincère : vrais païens,
vrais juifs, vrais chrétiens.

481 (594)

Contre l'histoire de la Chine. Les historiens de
Mexico, des cinq soleils, dont le dernier est il n'y a
que huit cents ans.

Différence d'un livre reçu d'un peuple, ou qui forme
un peuple.

482 (289)

Preuves — 1º la religion chrétienne, par son établissement, par elle-même établie si fortement, si doucement, étant si contraire à la nature. — 2º La sainteté, la hauteur et l'humilité d'une âme chrétienne. — 3º Les merveilles de l'Écriture sainte. — 4º Jésus-Christ en particulier. — 5º Les apôtres en particulier. — 6º Moïse et les prophètes en particulier. — 7º Le peuple juif. — 8º Les prophéties. — 9º La perpétuité : nulle religion n'a la perpétuité. — 10º La doctrine, qui rend raison de tout. — 11º La sainteté de cette loi. — 12º Par la conduite du monde.

Il est indubitable qu'après cela on ne doit pas refuser, en considérant ce que c'est que la vie, et que cette religion, de suivre l'inclination de la suivre, si elle nous vient dans le cœur; et il est certain qu'il n'y a nul lieu de se moquer de ceux qui la suivent.

SÉRIE XII

483 (726)

Prophéties. (En Égypte, *Pugio Fidei*), p. 659, *Talmud :* " C'est une tradition entre nous que, quand le Messie arrivera, la maison de Dieu, destinée à la dispensation de sa parole, sera pleine d'ordure et d'impureté, et que la sagesse des scribes sera corrompue et pourrie. Ceux qui craindront de pécher seront réprouvés du peuple, et traités de fous et d'insensés. "

Is., XLIX : " Écoutez, peuples éloignés, et vous habitants des îles de la mer : le Seigneur m'a appelé par mon nom dès le ventre de ma mère, il me protège sous l'ombre de sa main, il a mis mes paroles comme un glaive aigu, et m'a dit : Tu es mon serviteur; c'est par toi que je ferai paraître ma gloire. Et j'ai dit : Seigneur, ai-je travaillé en vain ? est-ce inutilement que j'ai consommé toute ma force ? faites-en le jugement, Seigneur, mon travail est devant vous. Lors le Seigneur, qui m'a formé lui-même dès le ventre de ma mère pour être tout à lui, afin de ramener Jacob et Israël, m'a dit : Tu seras glorieux en ma présence, et je serai moi-même ta force; c'est peu de chose que tu convertisses les tribus de Jacob; je t'ai suscité pour être la lumière des Gentils, et pour être mon salut jusqu'aux extrémités de la terre. Ce sont les choses que le Seigneur a dites à celui qui a humilié son âme, qui a été en mépris et en abomination aux Gentils et qui s'est soumis aux puissants de la terre. Les princes et les rois t'adoreront, parce que le Seigneur qui t'a élu est fidèle.

" Le Seigneur m'a dit encore : Je t'ai exaucé dans les jours de salut et de miséricorde, et je t'ai établi pour être l'alliance du peuple, et te mettre en possession des nations les plus abandonnées; afin que tu dises à ceux qui sont dans les chaînes : Sortez en liberté; et à ceux qui sont dans les ténèbres : Venez à la lumière, et possédez des terres abondantes et fertiles. Ils ne seront plus travaillés ni de la faim, ni de la soif, ni de l'ardeur du soleil, parce que celui qui a eu compassion d'eux sera leur conducteur : il les mènera aux sources vivantes des eaux, et aplanira les montagnes devant eux. Voici, les peuples aborderont de toutes parts, d'orient, d'occident, d'aquilon et de midi. Que le ciel en rende gloire à Dieu; que la terre s'en réjouisse, parce qu'il a plu au Seigneur de consoler son peuple, et qu'il aura enfin pitié des pauvres qui espèrent en lui.

" Et cependant Sion a osé dire : Le Seigneur m'a abandonnée, et n'a plus mémoire de moi. Une Mère peut-elle mettre en oubli son enfant, et peut-elle perdre la tendresse pour celui qu'elle a porté dans son sein? mais, quand elle en serait capable, je ne t'oublierai pourtant jamais, Sion : je te porte toujours entre mes mains, et tes murs sont toujours devant mes yeux. Ceux qui doivent te rétablir accourent, et tes destructeurs seront éloignés. Lève les yeux de toutes parts, et considère toute cette multitude qui est assemblée pour venir à toi. Je jure que tous ces peuples te seront donnés comme l'ornement duquel tu seras à jamais revêtue; tes déserts et tes solitudes et toutes tes terres qui sont maintenant désolées seront trop étroites pour le grand nombre de tes habitants, et les enfants qui te naîtront dans les années de la stérilité te diront : La place est trop petite, écarte les frontières, et fais-nous place pour habiter. Alors tu diras en toi-même : Qui est-ce qui m'a donné cette abondance d'enfants, moi qui n'enfantais plus, qui étais stérile, transportée et captive ? et qui est-ce qui me les a nourris, moi qui étais délaissée sans secours ? D'où sont donc venus tous ceux-ci ? Et le Seigneur te dira : Voici, j'ai fait paraître ma puissance sur les Gentils, et j'ai élevé mon étendard sur les peuples, et ils t'apporteront des enfants dans leurs bras et dans leurs seins; les rois et les reines seront tes nourriciers, ils t'adoreront le visage contre terre, et baiseront la poussière de tes pieds; et tu connaîtras que je suis le Seigneur, et que ceux qui espèrent en moi ne seront jamais confondus; car qui peut ôter la proie à celui qui est fort et puissant ? Mais encore même qu'on la lui pût ôter, rien ne pourra empêcher que je ne sauve tes enfants, et que je ne perde tes ennemis, et tout le monde reconnaîtra que je suis le Seigneur ton sauveur et le puissant rédempteur de Jacob. "

Is., L : " Le Seigneur dit ces choses : Quel est ce libellé de divorce par lequel j'ai répudié la synagogue ? et pourquoi l'ai-je livrée entre les mains de vos ennemis ? n'est-ce pas pour ses impiétés et pour ses crimes que je l'ai répudiée ?

" Car je suis venu, et personne ne m'a reçu; j'ai appelé, et personne n'a écouté. Est-ce que mon bras est accourci, et que je n'ai pas la puissance de sauver ?

" C'est pour cela que je ferai paraître les marques de ma colère; je couvrirai les cieux de ténèbres et les cacherai sous des voiles.

" Le Seigneur m'a donné une langue bien instruite, afin que je sache consoler par ma parole celui qui est dans la tristesse. Il m'a rendu attentif à ses discours, et je l'ai écouté comme un maître.

" Le Seigneur m'a révélé ses volontés et je n'y ai point été rebelle.

" J'ai livré mon corps aux coups et mes joues aux outrages; j'ai abandonné mon visage aux **ignominies** et aux crachats; mais le Seigneur m'a soutenu, et c'est pourquoi je n'ai point été confondu.

" Celui qui me justifie est avec moi : qui osera m'accuser de péché, Dieu étant lui-même mon protecteur ?

" Tous les hommes passeront et seront consommés par le temps; que ceux qui craignent Dieu écoutent donc les paroles de son serviteur; que celui qui languit dans les ténèbres mette sa confiance au Seigneur. Mais pour vous, vous ne faites qu'embraser la colère de Dieu sur vous, vous marchez sur les brasiers et entre les flammes que vous-mêmes vous avez allumées. C'est ma main qui a fait venir ces maux sur vous : vous périrez dans les douleurs. "

Is., LI : " Écoutez-moi, vous qui suivez la justice et qui cherchez le Seigneur. Regardez à la pierre d'où vous êtes taillés, et à la citerne d'où vous êtes tirés. Regardez à Abraham votre père, et à Sara qui vous a enfantés. Voyez qu'il était seul et sans enfants quand je l'ai appelé et que je lui ai donné une postérité si abondante : voyez combien de bénédictions j'ai répandues sur Sion, et de combien de grâces et de consolations je l'ai comblée.

" Considérez toutes ces choses, mon peuple, et rendez-vous attentif à mes paroles, car une loi sortira de moi, et un jugement qui sera la lumière des Gentils."

Amos, VIII : " Le prophète ayant fait un dénombrement des péchés d'Israël, dit que Dieu a juré d'en faire la vengeance.

" Dit ainsi : En ce jour-là, dit le Seigneur, je ferai coucher le soleil à midi, et je couvrirai la terre de ténèbres dans le jour de lumière, je changerai vos fêtes solennelles en pleurs, et tous vos cantiques en plaintes.

" Vous serez tous dans la tristesse et dans les souffrances, et je mettrai cette nation en une désolation pareille à celle de la mort d'un fils unique; et ces derniers temps seront des temps d'amertume. Car voici, les jours viennent, dit le Seigneur, que j'enverrai sur cette terre la famine, la faim, non pas la faim et la soif de pain et d'eau, mais la faim et la soif d'ouïr les paroles de la part du Seigneur. Ils iront errants d'une mer jusqu'à l'autre, et se porteront d'aquilon en orient; ils tourneront de toutes parts en cherchant qui leur annonce la parole du Seigneur, et ils n'en trouveront point.

" Et leurs vierges et leurs jeunes hommes périront en cette soif, eux qui ont suivi les idoles de Samarie, qui ont juré par le Dieu adoré en Dan, et qui ont suivi le culte de Bersabée; ils tomberont et ne se relèveront jamais de leur chute. "

Amos, III, 2 : " De toutes les nations de la terre, je n'ai reconnu que vous pour être mon peuple. "

Dan., XII, 7, ayant écrit toute l'étendue du règne du Messie, dit : " Toutes ces choses s'accompliront lorsque la dispersion du peuple d'Israël sera accomplie. "

Aggée, II, 4 : " Vous qui, comparant cette seconde maison à la gloire de la première, la méprisez, prenez courage, dit le Seigneur, à vous Zorobabel, et à vous Jésus grand prêtre, et à vous, tout le peuple de la terre, et ne cessez point d'y travailler. Car je suis avec vous, dit le Seigneur des armées; la promesse subsiste, que j'ai faite quand je vous ai retirés d'Égypte; mon esprit est au milieu de vous. Ne perdez point espérance, car le Seigneur des armées dit ainsi : Encore un peu de temps, et j'ébranlerai le ciel et la terre, et la mer et la terre ferme (façon de parler pour marquer un changement grand et extraordinaire); et j'ébranlerai toutes les nations. Alors viendra celui qui est désiré par tous les Gentils, et je remplirai cette maison de gloire, dit le Seigneur.

" L'argent et l'or sont à moi, dit le Seigneur (c'est-à-dire que ce n'est pas de cela que je veux être honoré; comme il est dit ailleurs : Toutes les bêtes des champs sont à moi; à quoi sert de me les offrir en sacrifice ?); la gloire de ce nouveau temple sera bien plus grande que la gloire du premier, dit le Seigneur des armées; et j'établirai ma maison en ce lieu-ci, dit le Seigneur. "

Deut., XVIII, 16 : " En Horeb, au jour que vous y étiez assemblés, et que vous dites : Que le Seigneur ne parle plus lui-même à nous et que nous ne voyions plus ce feu, de peur que nous ne mourions. Et le Seigneur me dit : Leur prière est juste; je leur susciterai un prophète tel que vous du milieu de leurs frères, dans la bouche duquel je mettrai mes paroles; et il leur dira toutes les choses que je lui aurai ordonnées; et il arrivera que quiconque n'obéira point aux paroles qu'il lui portera en mon nom, j'en ferai moi-même le jugement. "

Gen., XLIX : " Vous, Juda, vous serez loué de vos frères, et vainqueur de vos ennemis; les enfants de votre père vous adoreront. Juda, faon de lion, vous êtes monté à la proie, ô mon fils ! et vous êtes couché comme un lion, et comme une lionnesse qui s'éveillera.

" Le sceptre ne sera point ôté de Juda, ni le législateur d'entre ses pieds, jusqu'à ce que Silo vienne; et les nations s'assembleront à lui, pour lui obéir. "

SÉRIE XIII

484 (711)

Prédictions des choses particulières.

Ils étaient étrangers en Égypte sans aucune possession en propre ni en ce pays-là ni ailleurs. — (*Il n'y avait pas la moindre apparence ni de la royauté qui y a été si longtemps après, ni de ce conseil souverain de 70 juges, qu'ils appelaient le synedrin, qui ayant été institué par Moïse a duré jusqu'au temps de Jésus-Christ. Toutes ces choses étaient aussi éloignées de leur état présent qu'elles le pouvaient être*) lorsque Jacob mourant et bénissant ses 12 enfants, leur déclare qu'ils seront possesseurs d'une grande terre, et prédit particulièrement à la famille de Juda, que les rois qui les gouverneraient un jour seraient de sa race, et que tous ses frères seraient de ses sujets. (*Et que le Messie qui devait être l'attente des nations, naîtrait de lui, et que la royauté ne serait point ôtée de Juda, ni le gouverneur et le législateur de ses descendants, jusqu'à ce que ce Messie attendu arrivât dans sa famille.*)

Ce même Jacob disposant de cette terre future comme s'il en eût été maître, en donne une portion à Joseph plus qu'aux autres. " Je vous donne, dit-il, une part plus qu'à vos frères ", et bénissant ses deux enfants Ephraïm et Manassé que Joseph lui avait présentés, l'aîné Manassé à sa droite et le jeune Ephraïm à sa gauche, il met ses bras en croix, et posant la main droite sur la tête d'Ephraïm et la gauche sur Manassé il les bénit en sorte, et sur ce que Joseph lui représente qu'il préfère le jeune, il lui répond avec une fermeté admirable, " je le sais bien mon fils, je le sais bien, mais Ephraïm croîtra tout autrement que Manassé ", ce qui a été en effet si véritable dans la suite, qu'étant seul presque aussi abondant que deux lignées entières qui composaient tout un royaume, elles ont été ordinairement appelées du seul nom d'Ephraïm. Ce même Joseph en mourant recommande à ses enfants d'emporter ses os avec eux quand ils iront en cette terre où ils ne furent que 200 ans après.

Moïse qui a écrit toutes ces choses si longtemps avant qu'elles fussent arrivées, a fait lui-même à chaque famille, les partages de cette terre avant que d'y entrer comme s'il en eût été maître. (*Et déclare enfin que Dieu doit susciter de leur nation et de leur race un prophète dont il a été la figure, — qui leur annonce de la part de Dieu et leur prédit exactement tout ce qui leur devait arriver dans la terre où ils allaient entrer après sa mort, les victoires, que Dieu leur donnera, leur ingratitude envers Dieu, les punitions qu'ils en recevront et le reste de leurs aventures.*)

Il leur donne les arbitres pour en faire le partage. Il leur prescrit toute la forme du gouvernement politique qu'ils observeront, les villes de refuge, qu'ils y bâtiront, etc...

SÉRIE XIV

485 (722)
Daniel 2.
Tous vos devins et vos sages ne peuvent vous découvrir le mystère que vous demandez.

[Il fallait que ce songe lui tînt bien au cœur[1].]

Mais il y a un Dieu au ciel qui le peut et qui vous a révélé dans votre songe les choses qui doivent arriver dans les derniers temps.

Et ce n'est pas par ma propre science que j'ai eu la connaissance de ce secret, mais par la révélation de ce même Dieu qui me l'a découvert pour la rendre manifeste en votre présence.

Votre songe était donc de cette sorte. Vous avez vu une statue grande, haute, et terrible qui se tenait debout devant vous. La tête était en or, la poitrine et les bras étaient d'argent, le ventre et les cuisses étaient d'airain, et les jambes étaient de fer mais les pieds mêlés de fer et de terre [argile].

Vous la contempliez toujours de cette sorte, jusqu'à ce que la pierre taillée sans mains a frappé la statue par les pieds mêlés de fer et de terre et les a écrasés.

Et alors s'en sont allés en poussière, et le fer, et la terre, et l'airain et l'argent, et l'or, et se sont dissipés en l'air, mais cette pierre qui a frappé la statue, est crue, en une grande montagne et elle a rempli toute la terre. Voilà quel a été votre songe et maintenant je vous en donnerai l'interprétation.

Vous qui êtes le plus grand des rois et à qui Dieu a donné une puissance si étendue, que vous êtes redoutable à tous les peuples, vous êtes représenté par la tête d'or de la statue que vous avez vue.

Mais un autre empire succédera au vôtre qui ne sera pas si puissant et ensuite il en viendra un autre d'airain qui s'étendra par tout le monde.

Mais le quatrième sera fort comme le fer, et de même que le fer brise et perce toutes choses, ainsi cet empire brisera et écrasera tout.

Et ce que vous avez vu que les pieds et les extrémités des pieds étaient composés en partie de terre et en partie de fer. Cela marque que cet empire sera divisé et qu'il tiendra en partie de la fermeté du fer et en partie de la fragilité de la terre.

1, Les mots entre crochets des pages 218 à 223 indiquent des notes marginales rédigées par Pascal.

Mais comme le fer ne peut s'allier solidement avec la terre de même ceux qui sont représentés par le fer et par la terre ne pourront faire d'alliance durable quoiqu'ils s'unissent par des mariages.

Or ce sera dans le temps de ces monarques que Dieu suscitera un royaume qui ne sera jamais détruit ni jamais transporté à un autre peuple. Il dissipera et finira tous ces autres empires, mais pour lui il subsistera éternellement. Selon ce qui vous a été révélé de cette pierre qui n'étant point taillée de main est tombée de la montagne et a brisé le fer, la terre, et l'argent et l'or.

Voilà ce que Dieu vous a découvert des choses qui doivent arriver dans la suite des temps. Ce songe est véritable et l'interprétation en est fidèle.

Lors Nabuchodonosor tomba le visage contre terre, etc...

Dan. 8.

Daniel ayant vu le combat du bélier et du bouc, qui le vainquit et qui domina sur la terre duquel la principale corne étant tombée quatre autres en étaient sorties vers les quatre vents du ciel, de l'une desquelles étant sortie une petite corne qui s'agrandit vers le midi, vers l'orient et vers la terre d'Israël et s'éleva contre l'armée du ciel, en renversa des étoiles et les foula aux pieds et enfin abattit le prince et fit cesser le sacrifice perpétuel et mit en désolation le sanctuaire.

Voilà ce que vit Daniel. Il en demanda l'explication et une voix cria en cette sorte : Gabriel faites-lui entendre la vision qu'il a eue. Et Gabriel lui dit :

Le bélier que vous avez vu est le roi des Mèdes et des Perses et le bouc est le roi des Grecs et la grande corne qu'il avait entre ses yeux est le premier roi de cette monarchie.

Et ce que cette corne étant rompue, quatre autres sont venues en la place. C'est que quatre rois de cette nation lui succéderont, mais non pas en la même puissance.

Or sur le déclin de ces royaumes, les iniquités étant accrues il s'élèvera un roi insolent, et fort mais d'une puissance empruntée, auquel toutes choses succéderont à son gré, et il mettra en désolation le peuple saint et (usant, agissant avec) réussissant dans ses entreprises avec un esprit double et trompeur, il en tuera plusieurs et s'élèvera enfin contre le prince des princes, mais il périra malheureusement. Et non pas néanmoins par une main violente.

Daniel, 9. 20.

Comme je priais Dieu de tout mon cœur et qu'en confessant mon péché et celui de tout mon peuple, j'étais prosterné devant mon Dieu, voici Gabriel lequel j'avais vu en vision dès le commencement vient à moi et me touchant au temps du sacrifice du vêpre et me donnant l'intelligence me dit : Daniel je suis venu à vous pour vous ouvrir la connaissance des choses dès le commencement de vos prières. Je suis venu pour vous découvrir ce que vous désirez parce que vous êtes l'homme de désirs; entendez donc la parole et entrez dans l'intelligence de la vision, 70 semaines sont prescrites et déterminées sur votre peuple et sur votre sainte cité, pour expier les crimes, pour mettre fin aux péchés et abolir l'iniquité et pour introduire la justice éternelle, pour accomplir les visions et les prophéties et pour oindre le saint des saints [Après quoi ce peuple ne sera plus votre peuple, ni cette cité la sainte Cité. — Le temps de colère sera passé, les ans de grâce viendront pour jamais.]

Sachez donc et entendez depuis que la parole sortira pour rétablir et réédifier Jérusalem, jusqu'au prince Messie il y aura 7 semaines et 62 semaines [Les Hébreux ont accoutumé de diviser les nombres et de mettre le petit le premier; ces 7 et 62 font donc 69 de ces 70. Il en restera donc la 70e c'est-à-dire les 7 dernières années dont il parlera ensuite] Après que la place et les murs seront édifiés dans un temps de trouble et d'affliction. Et après ces 62 semaines [qui auront suivi les 7 premières] le Christ sera tué [le Christ sera donc tué après les 69 semaines, c'est-à-dire en la dernière semaine] et un peuple viendra avec son prince qui détruira la ville et le sanctuaire et inondera tout et la fin de cette guerre, consommera la désolation.

Or une semaine [qui est la 70e qui reste] établira l'alliance avec plusieurs et même la moitié de la semaine [c'est-à-dire les derniers 3 ans et demi] abolira le sacrifice et l'hostie et rendra étonnante l'étendue de l'abomination, qui se répandra et durera sur ceux mêmes qui s'en étonneront et jusqu'à la consommation.

Daniel. 11.

L'ange dit à Daniel : Il y aura [après Cyrus sous lequel ceci est écrit] encore trois rois de Perse [Cambyse, Smerdis, Darius] et le quatrième [Xerxès] qui viendra ensuite sera plus puissant en richesses et en forces et élèvera tous ses peuples contre les Grecs.

Mais il s'élèvera un puissant roi [Alexandre] dont l'empire aura une étendue extrême et qui réussira en toutes ses entreprises selon son désir mais quand sa monarchie sera établie elle périra et sera divisée en quatre parties vers les quatre vents du ciel — (Comme il avait dit auparavant VII. 6. VIII. 8) — mais non pas à des personnes de sa race et ses successeurs n'égaleront point sa puissance, car même son royaume sera dispersé à d'autres, outre ceux-ci [les quatre principaux successeurs.]

Et celui de ces successeurs [Ptolemée fils de Lagus] qui régnera vers le midi [Égypte] deviendra puissant mais un autre [Seleucus roi de Syrie] le surmontera et son état sera un grand état. [Appianus dit que c'est le plus puissant des successeurs d'Alexandre].

Et dans la suite des années ils s'allieront et la fille du roi du midi [Bérénice fille de Ptolemeus Philadelphus, fils de l'autre Ptolemeus] viendra au roi d'aquilon [à Antiochus Deus roi de Syrie et d'Asie neveu de Seleucus Lagidas] pour établir la paix entre ces princes.

Mais ni elle ni ses descendants n'auront pas une longue autorité car elle et ceux qui l'avaient envoyée et ses enfants et ses amis seront livrés à la mort. [Bérénice et son fils furent tués par Seleucus Callinicus.]

Mais il s'élèvera un rejeton de ses racines [Ptolemeus Evergetes naîtra du même père que Bérénice] qui viendra avec une puissante armée dans les terres du roi d'aquilon où il mettra tout sous sa sujétion et emmènera en Égypte leurs dieux et leurs princes, leur or et leur argent et toutes leurs plus précieuses dépouilles, et sera quelques années sans que le roi d'aquilon puisse rien contre lui. [S'il n'eût point été rappelé en Égypte par des raisons domestiques il aurait autrement dépouillé Seleucus, dit Justin.]

Et ainsi il reviendra en son royaume mais les enfants de l'autre [Seleucus Ceraunus, Antiochus magnus] irrités assembleront de grandes forces.

Et leur armée viendra et ravagera tout; dont le roi de midi [Ptolemeus Philopator] étant irrité formera aussi un grand corps d'armée et livrera bataille [Contre Antiochus magnus] et vaincra [à Rapham]. Et ses troupes en deviendront insolentes et son cœur s'en enflera [ce Ptolemeus profana le temple. Josephe] il vaincra dix milliers d'hommes mais sa victoire ne sera pas ferme.

Car le roi d'aquilon [Antiochus magnus] viendra avec encore plus de forces que la première fois. [Le jeune Ptolemée Epiphane régnant] Et alors un grand nombre d'ennemis s'élèvera contre le roi du midi, et même des hommes apostats. [Ceux qui avaient quitté leur religion pour plaire à Evergetes quand il envoya ses troupes à Scopas], violents de ton peuple s'élèveront afin que les visions soient accomplies et ils périront. [Car Antiochus reprendra Scopas et les vaincra].

Et le roi d'aquilon détruira les remparts et les villes les mieux fortifiées, et toute la force du midi ne pourra lui résister.

Et tout cédera à sa volonté; il s'arrêtera dans la terre d'Israël et elle lui cédera.

Ainsi il pensera à se rendre maître de tout l'empire d'Égypte [méprisant la jeunesse d'Épiphane, dit Justin].

Et pour cela il fera alliance avec lui et lui donnera sa fille. [Cléopâtre, afin qu'elle trahît son mari. Sur quoi Appianus dit que se défiant de pouvoir se rendre maître d'Égypte par force à cause de la protection des Romains, il voulut l'attenter par finesse.] Il la voudra corrompre, mais elle ne suivra pas son intention.

Ainsi il se jettera à d'autres desseins et pensera à se rendre maître de quelques îles [c'est-à-dire lieux maritimes] et il en prendra plusieurs [comme dit Appianus].

Mais un grand chef s'opposera à ses conquêtes et arrêtera la honte qui lui en reviendrait [Scipion l'africain qui arrêtera les progrès de Antiochus magnus à cause qu'il offensait les Romains en la personne de leurs alliés].

Il retournera donc dans son royaume et y périra et ne sera plus. [Il fut tué par les siens]

Et celui qui lui succédera [Seleucus Philopator ou Soter fils d'Antiochus magnus] sera un tyran qui affligera d'impôts la gloire du royaume, qui est le peuple, mais en peu de temps il mourra et non par sédition ni par guerre.

Et il succédera à sa place un homme méprisable et indigne des honneurs de la royauté qui s'y introduira adroitement et par caresses.

Toutes les armes fléchiront devant lui. Il les vaincra et même le prince avec qui il avait fait alliance, car ayant renouvelé l'alliance avec lui il le trompera, et venant avec peu de troupes dans ses provinces calmes et sans crainte il prendra les meilleures places et fera plus que ses pères n'avaient jamais fait et ravageant de toutes parts il formera de grands desseins pendant son temps.

25.

SÉRIE XV

486 (682)
Is. 1. 21. Changement de bien en mal et vengeance de Dieu.

Is. 10. 1. *Vae qui condunt leges iniquas.*
Is. 26. 20. *Vade populus meus intra in cubicula tua,*

claude ostia tua super te, abscondere modicum ad momentum donec pertranseat indignatio.

Is. 28. 1. *Vae coronae superbiae.*

Miracles. *Luxit et elanguit terra.*
Confusus est libanus et obsorduit, etc. Is. 23. 9.
Nunc consurgam dicit dominus nunc exaltabor, nunc sublevabor. I.

Omnes gentes quasi non sint. Is. 40. 17.

Quis annuntiavit ab exordio ut sciamus et a principio ut dicamus justus es. Is. 41. 26.

Operabor et quis avertet illud. Is. 43. 13.

Neque dicet forte mendacium est in dextera mea. Is. 44. 20.

Memento horum Jacob et Israel quoniam servus meus es tu. Formavi te, servus meus es tu Israel ne obliviscaris mei.
Delevi ut nubem iniquitates tuas et quasi nebulam peccata tua revertere ad me quoniam redemi te. 44. 21. etc.

Laudate caeli quoniam misericordiam fecit dominus... quoniam redemit dominus Jacob et Israel gloriabitur.
Haec dicit dominus redemptor tuus, et formator tuus ex utero, ego sum dominus, faciens omnia extendens caelos solus, stabiliens terram, et nullus mecum. 44. 23. 24.

In momento indignationis abscondi faciem meam parum per a te et in misericordia sempiterna misertus sum tui dixit redemptor tuus dominus. Is. 54. 8.

Qui eduxit ad dexteram Moysen brachio majestatis suae, qui scidit aquas ante eos ut faceret sibi nomen sempiternum. Is. 63. 12.

Sis adduxisti populum tuum ut faceres tibi nomen gloriae. 14.

Tu enim pater noster et Abraham nescivit vos, et Israel ignoravit vos. Is. 53. 16.

Quare indurasti cor nostrum ne timeremus te. Is. 63. 17.

Qui sanctificabantur et mundos se putabant... simul consumentur dicit dominus. Is. 66. 17.

Et dixisti absque peccato et innocens ego sum. Et propterea avertatur furor tuus a me.

Ecce ego judicio contendam tecum eo quod dixeris, non peccavi. Jer. 2. 35.

Sapientes sunt ut faciant mala, bene autem facere nescierunt. Jer. 4. 22.

Aspexi terram et ecce vacua erat, et nihili, et caelos et non erat lux in eis.

Vidi montes et ecce movebantur et omnes colles conturbati sunt intuitus sum et non erat homo et omne volatile caeli recessit. Aspexi et ecce Carmelus desertus et omnes urbes ejus destructae sunt a facie domini et a facie viae furoris ejus. Jer. 4. 23. etc.

Haec enim dicit dominus, deserta erit omnis terra sed tamen consummationem non faciam. — Jer. 5. 4.

Ego autem dixi forsitan pauperes sunt et stulti ignorantes viam domini judicium dei sui.

Ibo ad optimates et loquar eis. Ipsi enim cognoverunt viam domini.

Et ecce magis hi simul confugerunt jugum ruperunt vincula.

Idcirco percussit eos leo de silva pardus vigilans super civitates eorum.

Numquid super his non visitabo dicit dominus, aut super gentem hujuscemodi non ulciscetur anima mea. Jer. 5. 29.

Stupor et mirabilia facta sunt in terra.

Prophetae prophetabant mendacium et sacerdotes applaudebant manibus et populus meus dilexit talia, quid igitur fiet in novissimo ejus. — Jer. 5. 30.

Haec dicit dominus, state super vias et videte et interrogate de semitis antiquis, quae sit via bona et ambulate in ea et invenietis refrigerium animabus vestris, et dixerunt non ambulabimus.

Et constitui super vos speculatores audite vocem tubae, et dixerunt non audiemus.

Audite gentes quanta ego faciam eis audi terra ecce ego adducam mala, etc. Jer. 6. 16.

Fiance aux sacrements extérieurs. Jer. 7. 14.

Faciam domui huic in qua invocatum est nomen meum et in qua vos habetis fiduciam et loco quem dedi vobis et patribus vestris sicut feci silo.

Tu ergo noli orare pro populo hoc.

L'essentiel n'est pas le sacrifice extérieur.

Quia non sum locutus cum patribus vestris et non praecepi eis in die qua eduxi eos de terra Egypti de verbo holocautomatum et victimarum.

Sed hoc verbum praecepi eis dicens, audite vocem meam et ero vobis deus et vos eritis mihi populus et ambulate in omni via quam mandavi vobis, ut bene sit vobis, et non audierunt. Jer. 7. 22.

Multitude de doctrines.

Secundum numerum enim civitatum tuarum erant dei tui Juda et secundum numerum viarum Jerusalem posuisti aras confusionis tu ergo noli orare pro populo hoc. Jer. 11. 13.

Non prophetabis in nomine domini et non morieris in manibus nostris.

Propterea haec dicit dominus. Jer. 11. 21.

Quod si dixerint ad te, quo egrediemur? dices ad eos, haec dicit dominus, qui ad mortem ad mortem, et qui ad gladium ad gladium, et qui ad famem ad famem, et qui ad captivitatem ad captivitatem. Jer. 15. 2.

Pravum est cor omnium et incrustabile quis cognoscet illud? (C'est-à-dire qui en connaîtra toute la malice, car il est déjà connu qu'il est méchant.)

Ego dominus scrutans cor et probans renes. Jer. 17. 9.

Et dixerunt venite et cogitemus contra Jeremiam cogitationes non enim peribit lex a sacerdote neque sermo a propheta.

Non sis tu mihi formidini, tu spes mea in die afflictionum. Jer. 17. 17.

A prophetis enim Jerusalem egressa est pollutio super omnem terram. Jer. 23. 15.

Dicunt his qui blasphemant me locutus est dominus pax erit vobis et omni qui ambulat in pravitate cordis sui dixerunt non veniet super vos malum. — Jer. 23. 17.

SÉRIE XVI

487 (727)
Pendant la durée du Messie.
Aenigmatis. Ézech. 17.
Son précurseur. Malachie 2.
Il naîtra enfant. Is. 9.
Il naîtra de la ville de Bethelehem. Mich. 5. Il paraî-
tra principalement en Jérusalem et naîtra de la famille
de Juda et de David.

Il doit aveugler les sages et les savants. Is. 6. — Is.
8. 29. — Is. 29. — Is. 61. et annoncer l'évangile aux
pauvres et aux petits, ouvrir les yeux des aveugles et
rendre la santé aux infirmes — et mener à la lumière
ceux qui languissent dans les ténèbres. Isaï 61.

Il doit enseigner la voie parfaite et être le précepteur
des gentils. Is. 55-42. 1. 7.

Les prophéties doivent être inintelligibles aux impies.
Da. 12. — Osée. ult. 10. mais intelligibles à ceux qui
sont bien instruits.

Les prophéties qui le représentent pauvre le représentent maître des nations. Is. 52. 16, etc. 53 — Zach.
9. 9.

Les prophéties qui prédisent le temps ne le prédisent
que maître des gentils et souffrant, et non dans les nuées,
ni juge. Et celles qui le représentent ainsi jugeant et
glorieux ne marquent point le temps.

Qu'il doit être la victime pour les péchés du monde.
Is. 39. 53. etc.

Il doit être la pierre fondamentale et précieuse. Is.
28. 16.

Il doit être la pierre d'achoppement, de scandale. Is.
8.

Jérusalem doit heurter contre cette pierre.

Les édifiants doivent réprouver cette pierre, ps.
117. 22

Dieu doit faire de cette pierre le chef du coin.

Et cette pierre doit croître en une immense montagne et doit remplir toute la terre. Dan. 2.

Qu'ainsi il doit être rejeté, méconnu, trahi. 108. 8. Vendu. Zach. 11. 12, craché, souffleté, moqué, affligé en une infinité de manières, abreuvé de fiel, ps. 60 (72), transpercé. Zach. 12. les pieds et les mains percés, tué et ses habits jetés au sort. Ps. (22)

488 (761)

Les Juifs en le tuant pour ne le point recevoir pour Messie, lui ont donné la dernière marque du Messie.

Et en continuant à le méconnaître ils se sont rendus témoins irréprochables.

Et en le tuant et continuant à le renier ils ont accompli les prophéties.

487 (727)

Qu'il ressusciterait. ps. 15. le troisième jour. Osée 6. 3.

Qu'il monterait au ciel pour s'asseoir à la droite. ps. 110.

Que les rois s'armeraient contre lui. Psal. 2.

Qu'étant à la droite du père il serait victorieux de ses ennemis.

Que les rois de la terre et tous les peuples l'adoreront. Is. 60.

Que les Juifs subsisteront en nation. Jer.

Qu'ils seront errants sans rois, etc. Os. 3.

Sans prophètes. Amos.

Attendant le salut et ne le trouvant point. Is.

Vocation des gentils par J.-C. — Is. 52. 15.

Is. 55.

Is. 60.

Ps. 71.

Os. 1. 9. Vous ne serez plus mon peuple et je ne serai plus votre Dieu, après que vous serez multipliés de la dispersion. Les lieux où l'on n'appelle point mon peuple je l'appellerai mon peuple.

SÉRIE XVII

489 (713)
CAPTIVITÉ DES JUIFS SANS RETOUR.

Jer. 11. 11. Je ferai venir sur Juda des maux desquels ils ne pourront être délivrés.

Figures.

Le Seigneur a eu une vigne dont il a attendu des raisins et elle n'a produit que du verjus. Je la dissiperai donc et je la détruirai. La terre n'en produira que des épines et je défendrai au ciel d'y...

Is. 5. 8. La vigne du Seigneur est la maison d'Israël. Et les hommes de Juda en sont le germe délectable. J'ai attendu qu'ils fissent des actions de justice, et ils ne produisent qu'iniquité.

Is. 8.

Sanctifiez le Seigneur avec crainte et tremblement. Ne redoutez que lui, et il vous sera en sanctification. Mais il sera en pierre de scandale et en pierre d'achoppement aux deux maisons d'Israël.

Il sera en piège, et en ruine aux peuples de Jérusalem, et un grand nombre d'entre eux heurteront cette pierre, y tomberont, y seront brisés, et seront pris à ce piège et y périront.

Voilez mes paroles et couvrez ma loi pour mes disciples.

J'attendrai donc en patience le Seigneur qui se voile et se cache à la maison de Jacob.

Is. 29. Soyez confus et surpris peuple d'Israël, chancelez, trébuchez mais non pas d'ivresse, car Dieu vous a préparé l'esprit d'assoupissement. Il vous voilera les yeux. Il obscurcira vos princes et vos prophètes qui ont les visions.

Daniel 12. Les méchants ne l'entendront point, mais ceux qui seront bien instruits l'entendront.

Osée. dernier chap. dernier verset, après bien des bénédictions temporelles dit : où est le sage et il entendra ces choses, etc...

Et les visions de tous les prophètes seront à votre égard comme un livre scellé, lequel, si on donne à un homme savant et qui le puisse lire il répondra : je ne puis le lire car il est scellé, et quand on le donnera à ceux qui ne savent pas lire, ils diront : je ne connais pas les lettres.

Et le Seigneur m'a dit : parce que ce peuple m'honore des lèvres, mais que son cœur est bien loin de moi, et qu'ils ne m'ont servi que par des voies humaines; en voilà la raison et la cause car s'ils adoraient Dieu du cœur ils entendraient les prophéties.

C'est pour cette raison que j'ajouterai à tout le reste d'amener sur ce peuple une merveille étonnante et un prodige grand et terrible. C'est que la sagesse de ses sages périra et leur intelligence sera o(bscurcie).

PROPHÉTIES PREUVE DE DIVINITÉ.

Is. 41.

Si vous êtes des dieux approchez, annoncez-nous les choses futures, nous inclinerons notre cœur à vos paroles. Apprenez-nous les choses qui ont été au commencement et prophétisez-nous celles qui doivent arriver.

Par là nous saurons que vous êtes des dieux; faites le bien ou mal si vous le pouvez. Voyons donc et raisonnons ensemble.

Mais vous n'êtes rien, vous n'êtes qu'abomination, etc...

Qui d'entre vous nous instruit, par des auteurs contemporains, des choses faites dès le commencement et l'origine, afin que nous lui disions : vous êtes le juste. Il n'y en a aucun qui nous apprenne, ni qui prédise l'avenir.

Is. 42. Moi qui suis le Seigneur je ne communique point ma gloire à d'autres. C'est moi qui ai fait prédire les choses qui sont arrivées, et qui prédis encore celles qui sont à venir. Chantez en un cantique nouveau à Dieu par toute la terre.

Amène ici ce peuple qui a des yeux et qui ne voit point, qui a des oreilles et qui est sourd.

Que les nations s'assemblent toutes; qui d'entre elles et leurs dieux nous instruira des choses passées et futures. Qu'elles produisent leurs témoins pour leur justification ou qu'elles m'écoutent et confessent que la vérité est ici.

Vous êtes mes témoins, dit le Seigneur, vous et mon serviteur que j'ai élu, afin que vous me connaissiez, que vous croyiez que c'est moi qui suis.

J'ai prédit, j'ai sauvé, j'ai fait moi seul ces merveilles à vos yeux; vous êtes mes témoins de ma divinité, dit le Seigneur.

C'est moi qui pour l'amour de vous ai brisé les forces des Babyloniens. C'est moi qui vous ai sanctifiés et qui vous ai créés.

C'est moi qui vous ai fait passer au milieu des eaux, et de la mer et des torrents et qui ai submergé et détruit pour jamais les puissants ennemis qui vous ont résisté.

Mais perdez la mémoire de ces anciens bienfaits et ne jetez plus les yeux vers les choses passées.

Voici je prépare de nouvelles choses qui vont bientôt paraître. Vous les connaîtrez. Je rendrai les déserts habitables et délicieux.

Je me suis formé ce peuple, je l'ai établi pour annoncer mes louanges, etc...

Mais c'est pour moi-même que j'effacerai vos péchés et que j'oublierai vos crimes, car — pour vous repassez en votre mémoire vos ingratitudes, pour voir si vous aurez de quoi vous justifier. Votre premier père a péché et vos docteurs ont tous été des prévaricateurs.

Is. 44. Je suis le premier et le dernier, dit le Seigneur; qui s'égalera à moi? Qu'il raconte l'ordre des choses, depuis que j'ai formé les premiers peuples et qu'il annonce les choses qui doivent arriver.

Ne craignez rien. Ne vous ai-je pas fait entendre toutes ces choses. Vous êtes mes témoins.

PRÉDICTION DE CYRUS.

A cause de Jacob que j'ai élu, je t'ai appelé par ton nom.

Is. 45. 21. Venez et disputons ensemble. Qui a fait entendre les choses depuis le commencement? qui a prédit les choses dès lors ? N'est-ce pas moi qui suis le Seigneur ?

Is. 46. Ressouvenez-vous des premiers siècles et connaissez qu'il n'y a rien de semblable à moi, qui annonce dès le commencement les choses qui doivent arriver à la fin, et déjà dès l'origine du monde. Mes décrets subsisteront et toutes mes volontés seront accomplies.

Is. 42. 9. Les premières choses sont arrivées comme elles avaient été prédites et voici maintenant j'en prédis de nouvelles et vous les annonce avant qu'elles soient arrivées.

Is. 48. 3. J'ai fait prédire les premières et les ai accomplies ensuite. Et elles sont arrivées en la manière que j'avais dit, parce que je sais que vous êtes dur, que votre esprit est rebelle, et votre front impudent. Et c'est pourquoi je les ai voulu annoncer avant l'événement afin que vous ne pussiez pas dire que ce fut l'ouvrage de vos dieux, et l'effet de leur ordre.

Vous voyez arrivé ce qui a été prédit. Ne le raconterez-vous pas. Maintenant je vous annonce des choses nouvelles, que je conserve en ma puissance, et que vous n'avez point encore sues. Ce n'est que maintenant que je les prépare et non pas depuis longtemps, vous sont inconnues. Je vous les ai tenues cachées, de peur que vous ne vous vantassiez de les avoir prévues par vous-mêmes.

Car vous n'en avez aucune connaissance, et personne ne vous en a parlé et vos oreilles n'en ont rien ouï. Car je vous connais et je sais que vous êtes plein de prévarication et je vous ai donné le nom de prévaricateur dès les premiers temps de votre origine.

Is. 65.

RÉPROBATION DES JUIFS ET CONVERSION DES GENTILS.

Ceux-là m'ont cherché qui ne me consultaient point. Ceux-là m'ont trouvé qui ne me cherchaient point. J'ai dit : me voici, me voici au peuple qui n'invoquait point mon nom.

J'ai étendu mes mains tout le jour au peuple incrédule qui suit ses désirs et qui marche dans une voie mauvaise, à ce peuple qui me provoque sans cesse par les crimes qu'il commet en ma présence, qui s'est emporté à sacrifier aux idoles, etc.

Ceux-là seront dissipés en fumée au jour de ma fureur, etc...

J'assemblerai les iniquités de vous et de vos pères et vous rendrai à tous selon vos œuvres.

Le Seigneur dit ainsi : Pour l'amour de mes serviteurs je ne perdrai tout Israël. Mais j'en réserverai quelques-uns de même qu'on réserve un grain resté dans une grappe duquel on dit ne l'arrachez pas, parce que c'est bénédiction.

Ainsi j'en prendrai de Jacob et de Juda pour posséder mes montagnes, que mes élus et mes serviteurs auront en héritage et mes campagnes fertiles et admirablement abondantes.

Mais j'exterminerai tous les autres, parce (*que*) vous avez oublié votre Dieu pour servir des dieux étrangers. Je vous ai appelés et vous n'avez point répondu; j'ai parlé et vous n'avez point ouï, et vous avez choisi les choses que j'avais défendues.

C'est pour cela que le Seigneur dit ces choses. Voici. Mes serviteurs seront rassasiés et vous languirez de faim. Mes serviteurs seront dans la joie et vous dans la confusion. Mes serviteurs chanteront des cantiques de l'abondance de la joie de leur cœur et vous pousserez des cris et des hurlements de l'affliction de votre esprit.

Et vous laisserez votre nom en abomination à mes élus. Le Seigneur vous exterminera et nommera ses serviteurs d'un autre nom, dans lequel celui qui sera béni sur la terre sera béni en Dieu, etc.

Parce que les premières douleurs sont mises en oubli.

Car voici je crée de nouveaux cieux et une nouvelle terre, et les choses passées ne seront plus en mémoire, et ne reviendront plus en la pensée.

Mais vous vous réjouirez à jamais dans les choses nouvelles que je crée, car je crée Jérusalem pour n'être autre chose que joie, et son peuple réjouissance, et je me plairai en Jérusalem et en mon peuple et on n'y entendra plus de cris et de pleurs.

Je l'exaucerai avant qu'il demande. Je les ouïrai quand ils ne feront que commencer à parler. Le loup et l'agneau paîtront ensemble; le lion et le bœuf mangeront la même paille. Le serpent ne mangera que la poussière et on ne commettra plus d'homicide ni de violence en toute ma sainte montagne.

Is. 56.

(*Le Seigneur a dit ces choses : soyez justes et droits car mon salut est proche et ma justice va être révélée.*)

(*Bienheureux est celui qui fait ces choses (et) qui observe mon sabat et garde ses mains de commettre aucun mal.*)

Et que les étrangers qui s'attachent à moi ne disent point : Dieu me séparera d'avec son peuple.

Car le Seigneur dit ces choses : quiconque gardera mon sabat et choisira de faire mes volontés et gardera mon alliance, je leur donnerai place dans ma maison et je leur donnerai un nom meilleur que celui que j'ai donné à mes enfants, ce sera un nom éternel qui ne périra jamais.

C'est pour nos crimes que la justice s'est éloignée de nous. Nous avons attendu la lumière et nous ne trouvons que les ténèbres. Nous avons espéré la clarté et nous marchons dans l'obscurité.

Nous avons tâté contre la muraille comme des aveugles, nous avons heurté en plein midi comme au milieu d'une nuit, et comme des morts en des lieux ténébreux.

Nous rugirons tous comme des ours; nous gémirons comme des colombes. Nous avons attendu la justice et elle ne vient point. Nous avons espéré le salut et il s'éloigne de nous.

Is. 66. 18.

Mais je visiterai leurs œuvres et leurs pensées quand je viendrai pour les assembler avec toutes les nations et les peuples, et ils verront ma gloire.

Et je leur imposerai un signe, et de ceux qui seront sauvés, j'en enverrai aux nations, en Afrique, en Lydie, en Italie, en Grèce et aux peuples qui n'ont point ouï parler de moi, et qui n'ont point vu ma gloire. Et ils amèneront vos frères.

Réprobation du temple.

Jer. 7.

Allez en Silo où j'avais établi mon nom au commencement et voyez ce que j'y ai fait à cause (des) péchés de mon peuple. Car je l'ai rejeté et je me suis fait un temple ailleurs.

Et maintenant, dit le Seigneur, parce que vous avez fait les mêmes crimes, je ferai de ce temple où mon nom est invoqué sur lequel vous vous confiez et que j'ai moi-même donné à vos ancêtres la même chose que j'ai faite de Silo.

Et je vous rejetterai loin de moi de la même manière que j'ai rejeté vos frères, les enfants d'Éphraïm, rejetés sans retour.

Ne priez donc point pour ce peuple.

Jer. 7. 22. A quoi vous sert-il d'ajouter sacrifice sur sacrifice ? Quand je retirai vos pères hors d'Égypte, je ne leur parlai point des sacrifices et des holocaustes. Je ne leur en donnai aucun ordre et le précepte que je leur ai donné a été en cette sorte : soyez obéissants et fidèles, à mon commandement et je serai votre Dieu et vous serez mon peuple.

Ce ne fut qu'après qu'ils eurent sacrifié aux veaux d'or que je m'ordonnai des sacrifices, pour tourner en bien une mauvaise coutume.

Jer. 7. N'ayez point confiance aux paroles de mensonge de ceux qui vous disent : le temple du seigneur, le temple du seigneur, le temple du seigneur, sont...

SÉRIE XVIII

490 (721)
Nous n'avons point de roi que César.
491 (439)
Nature corrompue.
L'homme n'agit point par la raison qui fait son être.
492 (630)
La sincérité des Juifs.

Depuis qu'ils n'ont plus de prophètes. Machab.
Depuis J.-C. Massorett.
Ce livre vous sera en témoignage.
Les lettres défectueuses et finales.

Sincères contre leur honneur et mourant pour cela.
Cela n'a point d'exemple dans le monde ni sa racine
dans la nature.

493 (714)
Prophéties accomplies.

3 R. 13. 2.
4 R. 23. 16.

Jos. 6, 26. — 3. R. 16. 34. — deut. 33.

Malach. 1. 11. Le sacrifice des juifs réprouvé et le
sacrifice des païens (même hors de Jérusalem) et en
tous les lieux.

Moïse prédit la vocation des gentils avant que de
mourir. 32. 21. Et la réprobation des Juifs.

Moïse prédit ce qui doit arriver à chaque tribu.

494 (714)
Juifs témoins de Dieu. Is. 43. 9. 44. 8

495 (641) C'est visiblement un peuple fait exprès pour
servir de témoin au messie. Is. 43. 9. 44. 8. Il porte des
livres et les aime et ne les entend point. Et tout cela est
prédit; que les jugements de Dieu leur sont confiés,
mais comme un livre scellé.

496 (714)
Endurcis leur cœur. Et comment? en flattant leur
concupiscence et leur faisant espérer de l'accomplir.

497 (714)
Prophétie.
Votre nom sera en exécration à mes élus et je leur
donnerai un autre nom.

498 (715)
Prophétie.
Amos et Zacharie. Ils ont vendu le juste et pour cela
ne seront jamais rappelés.

J.-C. trahi.
On n'aura plus mémoire d'Égypte.

Voyez Is. 43. 16. 17. 18. 19. Jerem. 23. 6. 7.
Prophétie.
Les Juifs seront répandus partout. Is. 27. 6.
Loi nouvelle. Jer. 31. 32.
Les 2 temples glorieux. J.-C. y viendra. Agg. 2. 7.
8. 9. 10. Malachie. Grotius.
Vocation des gentils. Joel 2. 28. Osée 2. 24. Deut.
32. 21. Mal. 1. 11.

499 (792)
Quel homme eut jamais plus d'éclat.
Le peuple juif tout entier le prédit avant sa venue.
Le peuple gentil l'adore après sa venue.
Ces deux peuples gentil et juif le regardent comme
leur centre.
Et cependant quel homme jouit jamais moins de
cet éclat.
De 33 ans il en vit 30 sans paraître. Dans 3 ans il passe
pour un imposteur. Les prêtres et les principaux le
rejettent. Ses amis et ses plus proches le méprisent,
enfin il meurt trahi par un des siens, renié par l'autre
et abandonné par tous.
Quelle part a(-t-)il donc à cet éclat ? Jamais homme
n'a eu tant d'éclat, jamais homme n'a eu plus d'igno-
minie. Tout cet éclat n'a servi qu'à nous pour nous le
rendre reconnaissable, et il n'en a rien eu pour lui.

SÉRIE XIX

500 (700)
Beau de voir des yeux de la foi l'histoire d'Hérode,
de César.
501 (659)
Figures.
Pour montrer que l'ancien Testament est — n'est
que — figuratif et que les prophètes entendaient par
les biens temporels d'autres biens. C'est 1° que cela
serait indigne de Dieu; 2° que leurs discours expriment
très clairement la promesse des biens temporels et qu'ils

disent néanmoins que leurs discours sont obscurs, et que leur sens ne sera point entendu. D'où il paraît que ce sens secret n'était point celui qu'ils exprimaient à découvert et que par conséquent ils entendaient parler d'autres sacrifices, d'un autre Libérateur, etc. Ils disent qu'on ne l'entendra qu'à la fin des temps. Jer. 33. ult.

La 2 preuve est que leurs discours sont contraires et se détruisent. De sorte que si on pose qu'ils n'aient entendu par les mots de loi et de sacrifice autre chose que celle de Moïse, il y a contradiction manifeste et grossière; donc ils entendaient autre chose se contredisant quelquefois dans un même chapitre.

Or pour entendre le sens d'un auteur...

502 (571)

Raisons pourquoi figures.

(R. *Ils avaient à entretenir un peuple charnel et à le rendre dépositaire du testament spirituel.*)

Il fallait que pour donner foi au Messie il y eût eu des prophéties précédentes et qu'elles fussent portées par des gens non suspects et d'une diligence et fidélité et d'un zèle extraordinaire et connues de toute la terre.

Pour faire réussir tout cela Dieu a choisi ce peuple charnel auquel il a mis en dépôt les prophéties qui prédisent le Messie comme libérateur et dispensateur des biens charnels que ce peuple aimait.

Et ainsi il a eu une ardeur extraordinaire pour ses prophètes et a porté à la vue de tout le monde ces livres qui prédisent leur Messie, assurant toutes les nations qu'il devait venir et en la manière prédite dans les livres qu'ils tenaient ouverts à tout le monde. Et ainsi ce peuple déçu par l'avènement ignominieux et pauvre du Messie ont été ses plus cruels ennemis, de sorte que voilà le peuple du monde le moins suspect de nous favoriser et le plus exact et zélé qui se puisse dire pour sa loi et pour ses prophètes qui les porte incorrompus.

De sorte que ceux qui ont rejeté et crucifié J.-C. qui leur a été en scandale sont ceux qui portent les livres qui témoignent de lui et qui disent qu'il sera rejeté et en scandale, de sorte qu'ils ont marqué que c'était lui en le refusant et qu'il a été également prouvé et par les justes juifs qui l'ont reçu et par les injustes qui l'ont rejeté, l'un et l'autre ayant été prédit.

C'est pour cela que les prophéties ont un sens caché, le spirituel, dont ce peuple était ennemi, sous le charnel dont il était ami. Si le sens spirituel eût été découvert ils n'étaient pas capables de l'aimer, et ne pouvant le porter ils n'eussent point eu le zèle pour la conservation de leurs livres et de leurs cérémonies, et s'ils auraient aimé ces promesses spirituelles et qu'ils les eussent conservées incorrompues jusqu'au Messie leur témoignage n'eût point eu de force puisqu'ils en eussent été amis.

Voilà pourquoi il était bon que le sens spirituel fût couvert, mais d'un autre côté si ce sens eût été tellement caché qu'il n'eût point du tout paru il n'eût pu servir de preuve au Messie. Qu'a(-t-)il donc été fait?

Il a été couvert sous le temporel en la foule des passages et a été découvert si clairement en quelques-uns, outre que le temps et l'état du monde ont été prédits si clairement qu'il est plus clair que le soleil, et ce sens spirituel est si clairement expliqué en quelques endroits qu'il fallait un aveuglement pareil à celui que la chair jette dans l'esprit quand il lui est assujetti pour ne le pas reconnaître.

Voilà donc quelle a été la conduite de Dieu. Ce sens est couvert d'un autre en une infinité d'endroits et découvert en quelques-uns rarement, mais en telle sorte néanmoins que les lieux où il est caché sont équivoques et peuvent convenir aux deux, au lieu que les lieux où il est découvert sont univoques et ne peuvent convenir qu'au sens spirituel.

De sorte que cela ne pouvait induire en erreur et qu'il n'y avait qu'un peuple aussi charnel qui s'y pût méprendre.

Car quand les biens sont promis en abondance qui les empêchait d'entendre les véritables biens, sinon leur cupidité qui déterminait ce sens aux biens de la terre. Mais ceux qui n'avaient de bien qu'en Dieu, les rapportaient uniquement à Dieu.

Car il y a deux principes qui partagent les volontés

des hommes : la cupidité et la charité. Ce n'est pas que la cupidité ne puisse être avec la foi en Dieu et que la charité ne soit avec les biens de la terre, mais la cupidité use de Dieu et jouit du monde, et la charité au contraire.

Or la dernière fin est ce qui donne le nom aux choses ; tout ce qui nous empêche d'y arriver est appelé ennemi. Ainsi les créatures, quoique bonnes, seront ennemies des justes quand elles les détournent de Dieu, et Dieu même est l'ennemi de ceux dont il trouble la convoitise.

Ainsi le mot d'ennemi dépendant de la dernière fin, les justes entendaient par là leurs passions et les charnels entendaient les Babyloniens, et ainsi ces termes n'étaient obscurs que pour les injustes.

Et c'est ce que dit Isaye : *signa legem in electis meis*.

Et que J.-C. sera pierre de scandale, mais bienheureux ceux qui ne seront point scandalisés en lui.

Osée ult. le dit parfaitement : où est le sage et il entendra ce que je dis. Les justes l'entendront car les voies de Dieu sont droites mais les méchants y trébucheront.

503 (675)

... trébucheront. Et cependant ce testament fait pour aveugler les uns et éclairer les autres marquait en ceux-mêmes qu'il aveuglait la vérité qui devait être connue des autres. Car les biens visibles qu'ils recevaient de Dieu étaient si grands et si divins qu'il paraissait bien qu'il était puissant de leur donner les invisibles et un Messie.

Car la nature est une image de la grâce et les miracles visibles sont images des invisibles, *ut sciatis, tibi dico surge*.

Is. 51 dit que la rédemption sera comme le passage de la mer rouge.

Dieu a montré en la sortie d'Égypte, de la mer, en la défaite des rois, en la manne, en toute la généalogie d'Abraham qu'il était capable de sauver, de faire descendre le pain du ciel, de sorte que ce peuple ennemi est

la figure et représentation du même Messie qu'ils
ignorent... etc.

Il nous a donc appris enfin que toutes ces choses
n'étaient que figures et ce que c'est que vraiment libre,
vrai Israélite, vraie circoncision, vrai pain du ciel, etc...

Kirkerus — Usserius.

Dans ces promesses-là chacun trouve ce qu'il a
dans le fond de son cœur, les biens temporels ou les
biens spirituels, Dieu ou les créatures, mais avec cette
différence que ceux qui y cherchent les créatures les y
trouvent, mais avec plusieurs contradictions, avec la
défense de les aimer, avec l'ordre de n'adorer que Dieu
et de n'aimer que lui, ce qui n'est qu'une même chose et
qu'enfin il n'est point venu Messie pour eux, au lieu que
ceux qui y cherchent Dieu le trouvent et sans aucune
contradiction avec commandement de n'aimer que lui
et qu'il est venu un Messie dans le temps prédit pour
leur donner les biens qu'ils demandent.

Ainsi les Juifs avaient des miracles, des prophéties
qu'ils voyaient accomplir et la doctrine de leur loi était
de n'adorer et de n'aimer qu'un Dieu. Elle était aussi
perpétuelle. Ainsi elle avait toutes les marques de la
vraie religion. Aussi elle l'était, mais il faut distinguer la
doctrine des juifs d'avec la doctrine de la loi des Juifs.
Or la doctrine des Juifs n'était pas vraie, quoiqu'elle eût
les miracles, les prophéties et la perpétuité, parce qu'elle
n'avait pas cet autre point de n'adorer et n'aimer que
Dieu.

SÉRIE XX

504 (260)
Ils se cachent dans la presse et appellent le nombre
à leur secours. Tumulte.

505 (260)
L'autorité. Tant s'en faut que d'avoir ouï dire une
chose soit la règle de votre créance, que vous ne devez

rien croire sans vous mettre en l'état comme si jamais vous ne l'aviez ouï.

C'est le consentement de vous à vous-même et la voix constante de votre raison et non des autres qui vous doit faire croire.

Le croire est si important.

Cent contradictions seraient vraies.

Si l'antiquité était la règle de la créance, les anciens étaient donc sans règle.

Si le consentement général, si les hommes étaient péris.

Fausse humilité, orgueil.

Punition de ceux qui pèchent, erreur.

Levez le rideau.

Vous avez beau faire, si faut-il ou croire, ou nier, ou douter.

N'aurons-nous donc pas de règle ?

Nous jugeons des animaux qu'ils font bien ce qu'ils font, n'y aura(-t-)il point une règle pour juger des hommes ?

Nier, croire et douter sont à l'homme ce que le courir est au cheval.

506 (90)
Quod crebro videt non miratur etiamsi cur fiat nescit ; quod ante non viderit id si evenerit ostentum esse censet. Cic.
583 — *Nae iste magno conatu magnas nugas dixerit.* Terent.

506 (87)
Quasi quicquam infelicius sit homine cui sua figmenta dominantur. Plin.

507 (363)
Ex senatusconsultis et plebiscitis scelera exercentur. Sen.
588.
Nibil tam absurde dici potest quod non dicatur ab aliquo philosophorum. divin.
Quibusdam destinatis sententiis consecrati quae non probant coguntur defendere. Cic.

Ut omnium rerum sic litterarum quoque intemperantia laboramus. Senec.

Id maxime quemque decet quod est cujusque suum maxime. 588.

Hos natura modos primum dedit. georg.

Paucis opus est litteris ad bonam mentem.

Si quando turpe non sit tamen non est non turpe quum id a multitudine laudetur.

Mihi sic usus est tibi ut opus est facto fac. Ter.

508 (364)
Rarum est enim ut satis se quisque vereatur.

Tot circa unum caput tumultuantes deos.

Nihil turpius quam cognitioni assertionem praecurrere. Cic.

Nec me pudet ut istos fateri nescire quod nesciam. Melius non incipient.

SÉRIE XXI

509 (49)
Masquer la nature et la déguiser. Plus de roi, de pape, d'évêque, mais auguste monarque, etc... point de Paris, capitale du royaume.

Il y a des lieux où il faut appeler Paris, Paris, et d'autres où il la faut appeler capitale du royaume.

510 (7)
A mesure qu'on a plus d'esprit on trouve qu'il y a plus d'hommes originaux. Les gens du commun ne trouvent point de différence entre les hommes.

511 (2)
Diverses sortes de sens droit, les uns dans un certain ordre de choses et non dans les autres ordres où ils extravaguent.

Les uns tirent bien les conséquences de peu de principes et c'est une droiture de sens.

Les autres tirent bien les conséquences des choses où il y a beaucoup de principes.

Par exemple les uns comprennent bien les effets de l'eau, en quoi il y a peu de principes, mais les conséquences en sont si fines qu'il n'y a qu'une extrême droiture d'esprit qui y puisse aller et ceux-là ne seraient peut être pas pour cela grands géomètres parce que la géométrie comprend un grand nombre de principes, et qu'une nature d'esprit peut être telle qu'elle puisse bien pénétrer peu de principes jusqu'au fonds, et qu'elle ne puisse pénétrer le moins du monde les choses où il y a beaucoup de principes.

Il y a donc deux sortes d'esprit, l'une de pénétrer vivement et profondément les conséquences des principes, et c'est là l'esprit de justesse. L'autre de comprendre un grand nombre de principes sans les confondre et c'est là l'esprit de géométrie. L'un est force et droiture d'esprit. L'autre est amplitude d'esprit. Or l'un peut bien être sans l'autre, l'esprit pouvant être fort et étroit, et pouvant être aussi ample et faible.

SÉRIE XXII

512 (1)

Différence entre l'esprit de géométrie et l'esprit de finesse.

En l'un les principes sont palpables mais éloignés de l'usage commun de sorte qu'on a peine à tourner la tête de ce côté-là, manque d'habitude : mais pour peu qu'on l'y tourne, on voit les principes à plein; et il faudrait avoir tout à fait l'esprit faux pour mal raisonner sur des principes si gros qu'il est presque impossible qu'ils échappent.

Mais dans l'esprit de finesse, les principes sont dans l'usage commun et devant les yeux de tout le monde. On n'a que faire de tourner la tête, ni de se faire violence; il n'est question que d'avoir bonne vue, mais il faut l'avoir bonne : car les principes sont si déliés et en si grand nombre, qu'il est presque impossible qu'il n'en échappe. Or l'omission d'un principe mène à l'erreur; ainsi il faut avoir la vue bien nette pour voir tous les principes, et ensuite l'esprit juste pour ne pas raisonner faussement sur des principes connus.

Tous les géomètres seraient donc fins s'ils avaient la vue bonne car ils ne raisonnent pas faux sur les principes qu'ils connaissent. Et les esprits fins seraient géomètres s'ils pouvaient plier leur vue vers les principes inaccoutumés de géométrie.

Ce qui fait donc que certains esprits fins ne sont pas géomètres

Tournez.

c'est qu'ils ne peuvent du tout se tourner vers les principes de géométrie, mais ce qui fait que des géomètres ne sont pas fins, c'est qu'ils ne voient pas ce qui est devant eux et qu'étant accoutumés, aux principes nets et grossiers de géométrie et à ne raisonner, qu'après avoir bien vu et manié leurs principes, ils se perdent dans les choses de finesse, où les principes ne se laissent pas ainsi manier. On les voit à peine, on les sent plutôt qu'on ne les voit, on a des peines infinies à les faire sentir à ceux qui ne les sentent pas d'eux-mêmes. Ce sont choses tellement délicates, et si nombreuses, qu'il faut un sens bien délicat et bien net pour les sentir et juger droit et juste, selon ce sentiment, sans pouvoir le plus souvent le démontrer par ordre comme en géométrie, parce qu'on n'en possède pas ainsi les principes, et que ce serait une chose infinie de l'entreprendre. Il faut tout d'un coup voir la chose, d'un seul regard et non pas par progrès de raisonnement, au moins jusqu'à un certain degré. Et ainsi il est rare que les géomètres soient fins et que les fins soient géomètres, à cause que les géomètres veulent traiter géométriquement ces choses fines et se rendent ridicules, voulant commencer par les définitions et ensuite par les principes, ce qui n'est pas la manière d'agir en cette sorte de raisonnement. Ce n'est pas que l'esprit ne le fasse mais il le fait tacitement, naturellement et sans art. Car l'expression en passe tous les homme, et le sentiment n'en appartient qu'à peu d'hommes. Et les esprits fins au contraire, ayant ainsi accoutumé à juger d'une seule vue sont si étonnés quand on leur présente des propositions où ils ne comprennent rien et où pour entrer il faut passer par des définitions et des principes si stériles qu'ils n'ont point accoutumé de voir ainsi en détail, qu'ils s'en rebutent et s'en dégoûtent.

Mais les esprits faux ne sont jamais ni fins, ni géomètres.

Les géomètres, qui ne sont que géomètres ont donc l'esprit droit, mais pourvu qu'on leur explique bien toutes choses par définitions et principes; autrement ils sont faux et insupportables, car ils ne sont droits que sur les principes bien éclaircis.

Et les fins qui ne sont que fins ne peuvent avoir la patience de descendre jusques dans les premiers principes des choses spéculatives et d'imagination qu'ils n'ont jamais vues dans le monde, et tout à fait hors d'usage.

513 (4)
Géométrie. Finesse.

La vraie éloquence se moque de l'éloquence, la vraie morale se moque de la morale. C'est-à-dire que la morale du jugement se moque de la morale de l'esprit qui est sans règles.

Car le jugement est celui à qui appartient le sentiment, comme les sciences appartiennent à l'esprit. La finesse est la part du jugement, la géométrie est celle de l'esprit.

Se moquer de la philosophie c'est vraiment philopher.

514 (356)
La nourriture du corps est peu à peu.
Plénitude de nourriture et peu de substance.

SÉRIE XXIII

515 (48)
Miscell.

Quand dans un discours se trouvent des mots répétés et qu'essayant de les corriger on les trouve si propres qu'on gâterait le discours il les faut laisser, c'en est la marque. Et c'est là la part de l'envie qui est aveugle et qui ne sait pas que cette répétition n'est pas faute en cet endroit, car il n'y a point de règle générale.

516 (880)
(*Pape*) On aime la sûreté, on aime que le pape soit infaillible en la foi, et que les docteurs graves le soient dans les mœurs, afin d'avoir son assurance.

517 (869)
Si saint Augustin venait aujourd'hui et qu'il fût aussi peu autorisé que ses défenseurs il ne ferait rien. Dieu conduit bien son Église de l'avoir envoyé devant avec autorité.

518 (378)
Pyrrh.

L'extrême esprit est accusé de folie comme l'extrême défaut; rien que la médiocrité n'est bon : c'est la pluralité qui a établi cela et qui mord quiconque s'en échappe par quelque bout que ce soit. Je ne m'y obstinerai pas, je consens bien qu'on m'y mette et me refuse d'être au bas bout, non pas parce qu'il est bas, mais parce qu'il est bout, car je refuserais de même qu'on me mît au haut. C'est sortir de l'humanité que de sortir du milieu.

La grandeur de l'âme humaine consiste à savoir s'y tenir tant s'en faut que la grandeur soit à en sortir qu'elle est à n'en point sortir.

519 (70)
(*Nature ne p*

La nature nous a si bien mis au milieu que si nous changeons un côté de la balance nous changeons aussi l'autre. Je faisons, zoa trekei.

Cela me fait croire qu'il y a des ressorts dans notre tête qui sont tellement disposés que qui touche l'un touche aussi le contraire.)

520 (375)

(J'ai passé longtemps de ma vie en croyant qu'il y avait une justice et en cela je ne me trompais pas, car il y en a selon que Dieu nous l'a voulu révéler, mais je ne le prenais pas ainsi et c'est en quoi je me trompais, car je croyais que notre justice était essentiellement juste, et que j'avais de quoi la connaître et en juger, mais je me suis trouvé tant de fois en faute de jugement droit, qu'enfin je suis entré en défiance de moi et puis des autres. J'ai vu tous les pays et hommes changeants. Et ainsi après bien des changements de jugement touchant la véritable justice j'ai connu que notre nature n'était qu'un continuel changement et je n'ai plus changé depuis. Et si je changeais je confirmerais mon opinion. Le pyrrhonien Arcésilas qui redevient dogmatique.)

521 (387)

(Il se peut faire qu'il y ait de vraies démonstrations, mais cela n'est pas certain.

Aussi cela ne montre autre chose sinon qu'il n'est pas certain que tout soit incertain. A la gloire du pyrrhonisme.)

522 (140)

(Cet homme si affligé de la mort de sa femme et de son fils unique, qui a cette grande querelle qui le tourmente, d'où vient qu'à ce moment il n'est point triste et qu'on le voit si exempt de toutes ces pensées pénibles et inquiétantes ? Il ne faut pas s'en étonner. On vient de lui servir une balle et il faut qu'il la rejette à son compagnon. Il est occupé à la prendre à la chute du toit pour gagner une chasse. Comment voulez-vous qu'il pense à ses affaires ayant cette autre affaire à manier ? Voilà un soin digne d'occuper cette grande âme et de lui ôter toute autre pensée de l'esprit. Cet homme né pour connaître l'univers, pour juger de toutes choses, pour régler tout un État, le voilà occupé et tout rempli du soin de prendre un lièvre. Et s'il ne s'abaisse à cela et veuille toujours être tendu il n'en sera que plus sot, parce qu'il voudra s'élever au-dessus de l'humanité et il n'est qu'un homme au bout du compte, c'est-à-dire capable de peu et de beaucoup, de tout et de rien. Il n'est ni ange ni bête, mais homme.)

523 (145)
(*Une seule pensée nous occupe ; nous ne pouvons penser à deux choses à la fois, dont bien nous prend, selon le monde non selon Dieu.*)

524 (853)
(*Il faut sobrement juger des ordonnances divines, mon Père. Saint Paul en l'île de Malte.*)

525 (325)
Montaigne a tort. La coutume ne doit être suivie que parce qu'elle est coutume, et non parce qu'elle est raisonnable ou juste, mais le peuple la suit par cette seule raison qu'il la croit juste. Sinon il ne la suivrait plus quoiqu'elle fût coutume, car on ne veut être assujetti qu'à la raison ou à la justice. La coutume sans cela passerait pour tyrannie, mais l'empire de la raison et de la justice n'est non plus tyrannique que celui de la délectation. Ce sont les principes naturels à l'homme.

Il serait donc bon qu'on obéît aux lois et coutumes parce qu'elles sont lois (*par là on ne se révolterait jamais, mais on ne s'y voudrait peut-être pas soumettre, on chercherait toujours la vraie*); qu'il sût qu'il n'y en a aucune vraie et juste à introduire, que nous n'y connaissons rien et qu'ainsi il faut seulement suivre les reçues. Par ce moyen on ne les quitterait jamais. Mais le peuple n'est pas susceptible de cette doctrine, et ainsi comme il croit que la vérité se peut trouver et qu'elle est dans les lois et coutumes il les croit et prend leur antiquité comme une preuve de leur vérité (et non de leur seule autorité (*téméraire*) sans (*raison*) vérité). Ainsi il y obéit mais il est sujet à se révolter dès qu'on lui montre qu'elles ne valent rien, ce qui se peut faire voir de toutes en les regardant d'un certain côté.

526 (408)
Le mal est aisé. Il y en a une infinité, le bien presque unique. Mais un certain genre de mal est aussi difficile à trouver que ce qu'on appelle bien, et souvent on fait passer pour bien à cette marque ce mal particulier. Il faut même une grandeur extraordinaire d'âme pour y arriver aussi bien qu'au bien.

527 (40)

Les exemples qu'on prend pour prouver d'autres choses, si on voulait prouver les exemples on prendrait les autres choses pour en être les exemples. Car comme on croit toujours que la difficulté est à ce qu'on veut prouver on trouve les exemples plus clairs et aidant à le montrer.

Ainsi quand on veut montrer une chose générale il faut en donner la règle particulière d'un cas, mais si on veut montrer un cas particulier il faudra commencer par la règle (générale). Car on trouve toujours obscure la chose que l'on veut prouver et claire celle qu'on emploie à la preuve, car quand on propose une chose à prouver, d'abord on se remplit de cette imagination qu'elle est donc obscure, et au contraire que celle qui la doit prouver est claire, et ainsi on l'entend aisément.

528 (57)

Je me suis mal trouvé de ces compliments : je vous ai bien donné de la peine, je crains de vous ennuyer, je crains que cela soit trop long. Ou on entraîne, ou on irrite.

529 (105)

Qu'il est difficile de proposer une chose au jugement d'un autre sans corrompre son jugement par la manière de la lui proposer. Si on dit : je le trouve beau, je le trouve obscur ou autre chose semblable, on entraîne l'imagination à ce jugement ou on l'irrite au contraire. Il vaut mieux ne rien dire et alors il juge selon ce qu'il est, c'est-à-dire selon ce qu'il est alors, et selon que les autres circonstances dont on n'est pas auteur y auront mis. Mais au moins on n'y aura rien mis, si ce n'est que ce silence n'y fasse aussi son effet, selon le tour et l'interprétation qu'il sera en humeur de lui donner, ou selon qu'il le conjecturera des mouvements et air du visage, ou du ton de voix selon qu'il sera physionomiste, tant il est difficile de ne point démonter un jugement de son assiette naturelle, ou plutôt tant il en a peu de ferme et stable.

530 (274)

Tout notre raisonnement se réduit à céder au sentiment.

Mais la fantaisie est semblable et contraire au sentiment; de sorte qu'on ne peut distinguer entre ces contraires. L'un dit que mon sentiment est fantaisie, l'autre que sa fantaisie est sentiment. Il faudrait avoir une règle. La raison s'offre mais elle est ployable à tous sens.

Et ainsi il n'y en a point.

531 (85)

Ces choses qui nous tiennent le plus, comme de cacher son peu de bien, ce n'est souvent presque rien. C'est un néant que notre imagination grossit en montagne; un autre tour d'imagination nous le fait découvrir sans peine.

532 (373)

Pyrr.

J'écrirai ici mes pensées sans ordre et non pas peut-être dans une confusion sans dessein. C'est le véritable ordre et qui marquera toujours mon objet par le désordre même.

Je ferais trop d'honneur à mon sujet si je le traitais avec ordre puisque je veux montrer qu'il en est incapable.

533 (331)

On ne s'imagine Platon et Aristote qu'avec de grandes robes de pédants. C'étaient des gens honnêtes et comme les autres, riant avec leurs amis. Et quand ils se sont divertis à faire leurs lois et leurs politiques ils l'ont fait en se jouant. C'était la partie la moins philosophe et la moins sérieuse de leur vie; la plus philosophe était de vivre simplement et tranquillement.

S'ils ont écrit de politique c'était comme pour régler un hôpital de fous.

Et s'ils ont fait semblant d'en parler comme d'une

grande chose c'est qu'ils savaient que les fous à qui ils parlaient pensaient être rois et empereurs. Ils entrent dans leurs principes pour modérer leur folie au moins mal qu'il se peut.

534 (5)

Ceux qui jugent d'un ouvrage sans règle sont à l'égard des autres comme ceux qui ont une montre à l'égard des autres. L'un dit : il y a deux heures; l'autre dit : il n'y a que trois quarts d'heure. Je regarde ma montre et je dis à l'un : vous vous ennuyez et à l'autre : le temps ne vous dure guère, car il y a une heure et demie et je me moque de ceux qui disent que le temps me dure à moi et que j'en juge par fantaisie.

Ils ne savent pas que j'en juge par ma montre.

535 (102)

Il y a des vices qui ne tiennent à nous que par d'autres, et qui en ôtant le tronc s'emportent comme des branches.

536 (579)

Dieu et (les apôtres) prévoyant que les semences d'orgueil feraient naître les hérésies et ne voulant pas leur donner occasion de naître par des termes propres a mis dans l'Écriture, et les prières de l'église des mots et des semences contraires pour produire leurs fruits dans le temps.

De même qu'il donne dans la morale la charité qui produit des fruits contre la concupiscence.

537 (407)

Quand la malignité a la raison de son côté elle devient fière et étale la raison en tout son lustre.

Quand l'austérité ou le choix sévère n'a pas réussi au vrai bien et qu'il faut revenir à suivre la nature elle devient fière par ce retour.

538 (531)

Celui qui sait la volonté de son maître sera battu de plus de coups à cause du pouvoir qu'il a par la connaissance;

Qui justus est justificetur adhuc.

à cause du pouvoir qu'il a par la justice.

A celui qui a le plus reçu sera le plus grand compte demandé à cause du pouvoir qu'il a par le secours.

539 (99)
Il y a une différence universelle et essentielle entre les actions de la volonté et toutes les autres.

La volonté est un des principaux organes de la créance, non qu'elle forme la créance, mais parce que les choses sont vraies ou fausses selon la face par où on les regarde. La volonté qui se plaît à l'une plus qu'à l'autre détourne l'esprit de considérer les qualités de celle qu'elle n'aime pas à voir, et ainsi l'esprit marchant d'une pièce avec la volonté s'arrête à regarder la face qu'elle aime et ainsi il en juge par ce qu'il y voit.

540 (380)
Toutes les bonnes maximes sont dans le monde; on ne manque qu'à les appliquer.
Par exemple, on ne doute pas qu'il ne faille exposer sa vie pour défendre le bien public, et plusieurs le font; mais pour la religion point.

Il est nécessaire qu'il y ait de l'inégalité parmi les hommes, cela est vrai; mais cela étant accordé voilà la porte ouverte non seulement à la plus haute domination mais à la plus haute tyrannie.
Il est nécessaire de relâcher un peu l'esprit, mais cela ouvre la porte aux plus grands débordements.
Qu'on en marque les limites. Il n'y a point de bornes dans les choses. Les lois en veulent mettre, et l'esprit ne peut le souffrir.

541 (120)
(*Nature diversifie*   *Artifice imite*
et imite.   *et diversifie.*

542 (370) *Hasard donne les pensées, et hasard les ôte. Point d'art pour conserver ni pour acquérir.*
Pensée échappée je la voulais écrire; j'écris au lieu qu'elle m'est échappée.

543 (938)
Digression.

Tours menus, cela sied.

M'en voulez-vous de me bien garer les Pères, et les...
Je les ai relevés depuis, car je ne les avais pas su...)

544 (778)
Omnis judaeae regio, et Jerosolimitae universi et baptisabantur, à cause de toutes les conditions d'hommes qui y venaient.

Des pierres peuvent être enfants d'Abraham.

545 (458)
Tout ce qui est au monde est concupiscence de la chair ou concupiscence des yeux ou orgueil de la vie. *Libido sentiendi, libido sciendi, libido dominandi.* Malheureuse la terre de malédiction que ces trois fleuves de feu embrasent plutôt qu'ils n'arrosent. Heureux ceux qui étant sur ces fleuves, non pas plongés, non pas entraînés, mais immobilement affermis sur ces fleuves, non pas debout, mais assis, dans une assiette basse et sûre, d'où ils ne se relèvent pas avant la lumière, mais après s'y être reposé en paix, tendent la main à celui qui les doit élever pour les faire tenir debout et fermes dans les porches de la sainte Jérusalem où l'orgueil ne pourra plus les combattre et les abattre, et qui cependant pleurent, non pas de voir écouler toutes les choses périssables que ces torrents entraînent, mais dans le souvenir de leur chère patrie de la Jérusalem céleste, dont ils se souviennent sans cesse dans la longueur de leur exil.

546 (515)
Les élus ignoreront leurs vertus et les réprouvés la grandeur de leurs crimes. Seigneur quand t'avons-nous vu avoir faim, soif, etc.

547 (784)
J.-C. n'a point voulu du témoignage des démons ni de ceux qui n'avaient pas vocation, mais de Dieu et Jean Baptiste.

548 (779)
Si on se convertissait Dieu guérirait et pardonnerait.

Ne convertantur et sanem eos. Isaïe. *Et dimittantur eis peccata.* Marc. 3.

549 (780)
J.-C. n'a jamais condamné sans ouïr.
A Judas : *amice ad quid venisti.* A celui qui n'avait pas la robe nuptiale de même.

550 (744)
Priez de peur d'entrer en tentation. Il est dangereux d'être tenté. Et ceux qui le sont c'est parce qu'ils ne prient pas.

Et tu conversus confirma fratres tuos, mais auparavant *conversus Jesus respexit Petrum.*

Saint Pierre demande permission de frapper Malchus. Et frappe devant que d'ouïr la réponse. Et J.-C. répond après.

Le mot de Galilée que la foule des Juifs prononça comme par hasard en accusant J.-C. devant Pilate donne sujet à Pilate d'envoyer J.-C. à Hérode. En quoi fut accompli le mystère qu'il devait être jugé par les Juifs et les Gentils. Le hasard en apparence fut la cause de l'accomplissement du mystère.

551 (84)
L'imagination grossit les petits objets jusqu'à en remplir notre âme par une estimation fantasque, et par une insolence téméraire elle amoindrit les grandes jusqu'à sa mesure, comme en parlant de Dieu.

552 (107)
Lustravit lampade terras. Le temps et mon humeur ont peu de liaison. J'ai mes brouillards et mon beau temps au-dedans de moi; le bien et le mal de mes affaires même y fait peu. Je m'efforce quelquefois de moi-même contre la fortune. La gloire de la dompter me la fait dompter gaiement, au lieu que je fais quelquefois le dégoûté dans la bonne fortune.

553 (76)

Écrire contre ceux qui approfondissent trop les sciences. Descartes.

554 (303)

La force est la reine du monde et non pas l'opinion, mais l'opinion est celle qui use de la force.

C'est la force qui fait l'opinion. La mollesse est belle selon notre opinion. Pourquoi ? parce que qui voudra danser sur la corde sera seul, et je ferai une cabale plus forte de gens qui diront que cela n'est pas beau.

555 (47)

Il y en a qui parlent bien et qui n'écrivent pas bien. C'est que le lieu, l'assistance les échauffe et tire de leur esprit plus qu'ils n'y trouvent sans cette chaleur.

556 (371)

(*Quand j'étais petit je serrais mon livre et parce qu'il m'arrivait quelquefois... en croyant l'avoir serré je me défiais.*)

557 (45)

Les langues sont des chiffres où, non les lettres sont changées en lettres, mais les mots en mots. De sorte qu'une langue inconnue est déchiffrable.

558 (114)

La diversité est si ample que tous les tons de voix, tous les marchers, toussers, mouchers, éternuements. On distingue des fruits les raisins, et entre ceux-là les muscats, et puis Condrieu, et puis Desargues, et puis cette ente. Est-ce tout ? en a(-t-)elle jamais produit deux grappes pareilles, et une grappe a(-t-)elle deux grains pareils, etc.

Je n'ai jamais jugé d'une chose exactement de même, je ne puis juger d'un ouvrage en le faisant. Il faut que je fasse comme les peintres et que je m'en éloigne, mais non pas trop. De combien donc ? Devinez...

559 (27)
Miscellan. Langage.
Ceux qui font les antithèses en forçant les mots sont comme ceux qui font de fausses fenêtres pour la symétrie.
Leur règle n'est pas de parler juste mais de faire des figures justes.

560 (552)
Sépulchre de J.-C.
J.-C. était mort mais vu sur la croix. Il est mort et caché dans le sépulchre.
J.-C. n'a été enseveli que par des saints.
J.-C. n'a fait aucuns miracles au sépulchre.
Il n'y a que des saints qui y entrent.
C'est là que J.-C. prend une nouvelle vie, non sur la croix.
C'est le dernier mystère de la passion et de la rédemption.
(*J.-C. enseigne vivant, mort, enseveli, ressuscité.*)
J.-C. n'a point eu où se reposer sur la terre qu'au sépulchre.
Ses ennemis n'ont cessé de le travailler qu'au sépulchre.

561 (173)
Ils disent que les éclipses présagent malheur parce que les malheurs sont ordinaires, de sorte qu'il arrive si souvent du mal qu'ils devinent souvent, au lieu que s'ils disaient qu'elles présagent bonheur ils mentiraient souvent. Ils ne donnent le bonheur qu'à des rencontres du ciel rares. Ainsi ils manquent peu souvent à deviner.

562 (534)
Il n'y a que deux sortes d'hommes, les uns justes qui se croient pécheurs, les autres pécheurs qui se croient justes.

563 (886)
Hérétiques.
Ezech. Tous les payens disaient du mal d'Israël

et le prophète aussi. Et tant s'en faut que les Israélites eussent droit de lui dire : vous parlez comme les payens qu'il fait sa plus grande force sur ce que les payens parlent comme lui.

564 (485)

La vraie et unique vertu est donc de se haïr, car on est haïssable par sa concupiscence, et de chercher un être véritablement aimable pour l'aimer. Mais comme nous ne pouvons aimer ce qui est hors de nous, il faut aimer un être qui soit en nous, et qui ne soit pas nous. Et cela est vrai d'un chacun de tous les hommes. Or il n'y a que l'être universel qui soit tel. Le royaume de Dieu est en nous. Le bien universel est en nous, est nous-même et n'est pas nous.

565 (591)

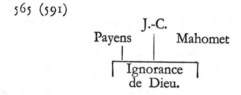

566 (575)

Tout tourne en bien pour les élus.

Jusqu'aux obscurités de l'Écriture, car ils les honorent à cause des clartés divines, et tout tourne en mal pour les autres jusqu'aux clartés, car ils les blasphèment à cause des obscurités qu'ils n'entendent pas.

567 (874)

Il ne faut pas juger de ce qu'est le pape par quelques paroles des Pères (comme disaient les Grecs dans un Concile. Règles importantes), mais par les actions de l'Église, et des Pères et par les canons.

L'unité et la multitude, *duo aut tres in unum*, erreur à exclure l'un des deux, comme font les papistes qui excluent la multitude, ou les huguenots qui excluent l'unité.

568 (815)

Il n'est pas possible de croire raisonnablement contre les miracles.

569 (872)

Le pape est premier. Quel autre est connu de tous, quel autre est reconnu de tous, ayant pouvoir d'insinuer dans tout le corps parce qu'il tient la maîtresse branche qui s'insinue partout.

Qu'il était aisé de faire dégénérer cela en tyrannie. C'est pourquoi J.-C. leur a posé ce précepte : *Vos autem non sic.*

570 (768)

J.-C. figuté par Joseph.

Innocent, bien aimé de son père, envoyé du père pour voir ses frères, est vendu par ses frères 20 deniers. Et par là devenu leur seigneur, leur sauveur et le sauveur des étrangers et le sauveur du monde. Ce qui n'eût point été sans le dessein de le perdre (*et*), la vente et la réprobation qu'ils en firent.

Dans la prison, Joseph, innocent, entre deux criminels. J.-C. en la croix entre deux larrons. Il prédit le salut à l'un et la mort à l'autre sur les mêmes apparences. J.-C. sauve les élus et damne les réprouvés sur les mêmes crimes. Joseph ne fait que prédire, J.-C. fait. Joseph demande à celui qui sera sauvé qu'il se souvienne de lui quand il sera venu en sa gloire. Et celui que J.-C. sauve lui demande qu'il se souvienne de lui quand il sera en son royaume.

571 (775)

Il y a hérésie à expliquer toujours, *omnes*, de tous. Et hérésie à ne le pas expliquer quelquefois de tous, *bibite ex hoc omnes.* Les huguenots hérétiques en l'expliquant de tous. *In quo omnes peccaverunt.* Les huguenots hérétiques en exceptant les enfants des fidèles. Il faut donc suivre les Pères et la tradition pour savoir quand, puisqu'il y a hérésie à craindre de part et d'autre.

572 (54)

Miscell. Façon de parler.

Je (...) m'étais voulu appliquer à cela.

573 (646)

La synagogue ne périssait point parce qu'elle était la figure.

Mais parce qu'elle n'était que la figure elle est tombée dans la servitude.

La figure a subsisté jusqu'à la vérité afin que l'Église fût toujours visible ou dans la peinture qui la promettait ou dans l'effet.

574 (263)

Un miracle, dit-on, affermirait ma créance, on le dit quand on ne le voit pas.

Les raisons qui, étant vues de loin, paraissent borner notre vue, mais quand on y est arrivé on commence à voir encore au-delà. Rien n'arrête la volubilité de notre esprit. Il n'y a point, dit-on, de règle qui n'ait quelque exception ni de vérité si générale qui n'ait quelque face par où elle manque. Il suffit qu'elle ne soit pas absolument universelle pour nous donner sujet d'appliquer l'exception au sujet présent, et de dire, cela n'est pas toujours vrai, donc il y a des cas où cela n'est pas. Il ne reste plus qu'à montrer que celui-ci en est et c'est à quoi on est bien maladroit ou bien malheureux si on ne trouve quelque joint.

575 (651)

Extravagances des Apocalyptiques et préadamites, millénaristes, etc.

Qui voudra fonder des opinions extravagantes sur l'Écriture en fondera par exemple sur cela.

Il est dit que cette génération ne passera point jusqu'à ce que tout cela se fasse. Sur cela je dirai qu'après cette génération il viendra une autre génération et toujours successivement.

Il est parlé dans le 2 paralipom. de Salomon et de roi comme si c'étaient deux personnes diverses. Je dirai que c'en étaient deux.

576 (567)

Les deux raisons contraires. Il faut commencer par là sans cela on n'entend rien, et tout est hérétique. Et même à la fin de chaque vérité il faut ajouter qu'on se souvient de la vérité opposée.

577 (234)

S'il ne fallait rien faire que pour le certain on ne devrait rien faire pour la religion, car elle n'est pas certaine. Mais combien de choses fait-on pour l'incertain, les voyages sur mer, les batailles. Je dis donc qu'il ne faudrait rien faire du tout, car rien n'est certain. Et qu'il y a plus de certitude à la religion que non pas que nous voyions le jour de demain.

Car il n'est pas certain que nous voyions demain, mais il est certainement possible que nous ne le voyions pas. On n'en peut pas dire autant de la religion. Il n'est pas certain qu'elle soit mais qui osera dire qu'il est certainement possible qu'elle ne soit pas.

Or quand on travaille pour demain et pour l'incertain on agit avec raison, car on doit travailler pour l'incertain par la règle des partis qui est démontrée.

Saint Augustin a vu qu'on travaille pour l'incertain sur mer, en bataille, etc. — mais il n'a pas vu la règle des partis qui démontre qu'on le doit. Montaigne a vu qu'on s'offense d'un esprit boiteux et que la coutume peut tout, mais il n'a pas vu la raison de cet effet.

Toutes ces personnes ont vu les effets mais ils n'ont pas vu les causes. Ils sont à l'égard de ceux qui ont découvert les causes comme ceux qui n'ont que les yeux à l'égard de ceux qui ont l'esprit. Car les effets sont comme sensibles et les causes sont visibles seulement à l'esprit. Et quoique ces effets-là se voient par l'esprit, cet esprit est à l'égard de l'esprit qui voit les causes comme les sens corporels à l'égard de l'esprit.

578 (26)

L'éloquence est une peinture de la pensée, et ainsi

ceux qui après avoir peint ajoutent encore font un tableau au lieu d'un portrait.

579 (53)
Carrosse versé ou renversé selon l'intention.

Répandre ou verser selon l'intention.

Plaidoyer de M. le M. sur le cordelier par force.
580 (28)
Symétrie
en ce qu'on voit d'une vue.

fondée sur ce qu'il n'y a pas de raison de faire autrement.
Et fondée aussi sur la figure de l'homme.
D'où il arrive qu'on ne veut la symétrie qu'en largeur, non en hauteur, ni profondeur.

581 (12)
Scaramouche qui ne pense qu'à une chose.

Le docteur qui parle un quart d'heure après avoir tout dit, tant il est plein de désir de dire.

582 (669)
Changer de figure, à cause de notre faiblesse.

583 (56)
Deviner la part que je prends à votre déplaisir, M. le Cardinal ne voulait point être deviné.

J'ai l'esprit plein d'inquiétude; je suis plein d'inquiétude vaut mieux.
584 (15)
Éloquence qui persuade par douceur, non par empire, en tyran non en roi.

585 (32)
Il y a un certain modèle d'agrément et de beauté qui consiste en un certain rapport entre notre nature faible ou forte telle qu'elle est et la chose qui nous plaît.

Tout ce qui est formé sur ce modèle nous agrée, soit maison, chanson, discours, vers, prose, femme, oiseaux, rivières, arbres, chambres, habits, etc.

Tout ce qui n'est point fait sur ce modèle déplaît à ceux qui ont le goût bon.

Et comme il y a un rapport parfait entre une chanson et une maison qui sont faites sur ce bon modèle, parce qu'elles ressemblent à ce modèle unique, quoique chacune selon son genre, il y a de même un rapport parfait entre les choses faites sur les mauvais modèles. Ce n'est pas que le mauvais modèle soit unique, car il y en a une infinité, mais chaque mauvais sonnet par exemple, sur quelque faux modèle qu'il soit fait, ressemble parfaitement à une femme vêtue sur ce modèle.

Rien ne fait mieux entendre combien un faux sonnet est ridicule que d'en considérer la nature et le modèle et de s'imaginer ensuite une femme ou une maison faite sur ce modèle-là.

586 (33)

Beauté poétique.

Comme on dit beauté poétique on devrait aussi dire beauté géométrique et beauté médecinale, mais on ne le dit pas et la raison en est qu'on sait bien quel est l'objet de la géométrie et qu'il consiste en preuve, et quel est l'objet de la médecine et qu'il consiste en la guérison; mais on ne sait pas en quoi consiste l'agrément qui est l'objet de la poésie. On ne sait ce que c'est que ce modèle naturel qu'il faut imiter et à faute de cette connaissance on a inventé de certains termes bizarres, siècle d'or, merveille de nos jours, fatals, etc. Et on appelle ce jargon beauté poétique.

Mais qui s'imaginera une femme sur ce modèle-là, qui consiste à dire de petites choses avec de grands mots, verra une jolie demoiselle toute pleine de miroirs et de chaînes, dont il rira parce qu'on sait mieux en quoi consiste l'agrément d'une femme que l'agrément des vers, mais ceux qui ne s'y connaîtraient pas l'admireraient en cet équipage et il y a bien des villages où on la prendrait pour la reine et c'est pourquoi nous appelons les sonnets faits sur ce modèle-là les reines de village.

587 (34)

On ne passe point dans le monde pour se connaître en vers si l'on (n')a mis l'enseigne de poète, de mathématicien, etc. mais les gens universels ne veulent point d'enseigne et ne mettent guère de différence entre le métier de poète et celui de brodeur.

Les gens universels ne sont appelés ni poètes, ni géomètres, etc. Mais ils sont tout cela et juges de tous ceux-là. On ne les devine point et parleront de ce qu'on parlait quand ils sont entrés. On ne s'aperçoit point en eux d'une qualité plutôt que d'une autre, hors de la nécessité de la mettre en usage, mais alors on s'en souvient. Car il est également de ce caractère qu'on ne dise point d'eux qu'ils parlent bien quand il n'est point question du langage et qu'on dise d'eux qu'ils parlent bien quand il en est question.

C'est donc une fausse louange qu'on donne à un homme quand on dit de lui lorsqu'il entre qu'il est fort habile en poésie et c'est une mauvaise marque quand on n'a pas recours à un homme quand il s'agit de juger de quelques vers.

588 (279)

La foi est un don de Dieu. Ne croyez pas que nous disions que c'est un don de raisonnement. Les autres religions ne disent pas cela de leur foi. Elles ne donnaient que le raisonnement pour y arriver, qui n'y mène pas néanmoins.

589 (704)

Le diable a troublé le zèle des Juifs avant J. C. parce qu'il leur eût été salutaire, mais non pas après.

Le peuple juif moqué des Gentils, le peuple chrétien persécuté.

590 (656)

Adam forma futuri. Les six jours pour former (l')un,

les six âges pour former l'autre. Les six jours que Moïse représente pour la formation d'Adam ne sont que la peinture des six âges pour former J.-C. et l'église. Si Adam n'eût point péché et que Jésus-C. ne fût point venu il n'y eût eu qu'une seule alliance, qu'un seul âge des hommes et la création eût été représentée comme faite en un seul temps.

591 (186)
Ne si terrerentur et non docerentur improba quasi dominatio videretur. Aug. ep. 48 ou 49.
4. To. *Contra mendacium, ad Consentium.*

SÉRIE XXIV

592 (750)
Si les Juifs eussent été tous convertis par J.-C. nous n'aurions plus que des témoins suspects. Et s'ils avaient été exterminés, nous n'en aurions point du tout.

593 (760)
Les Juifs le refusent mais non pas tous; les saints le reçoivent et non les charnels, et tant s'en faut que cela soit contre sa gloire que c'est le dernier trait qui l'achève. Comme la raison qu'ils en ont et la seule qui se trouve dans tous leurs écrits, dans le Talmud et dans les rabbins, n'est que parce que J.-C. n'a pas dompté les nations en main armée. *Gladium tuum potentissime.* N'ont-ils que cela à dire ? J.-C. a été tué, disent-ils, il a succombé et il n'a pas dompté les payens par la force. Il ne nous a pas donné leurs dépouilles. Il ne donne point de richesses, n'ont-ils que cela à dire ? C'est en cela qu'il m'est aimable. Je ne voudrais pas celui qu'ils se figurent. Il est visible que ce n'est que le vice qui leur a empêché de le recevoir et par ce refus ils sont des témoins sans reproche, et qui plus est par là ils accomplissent les prophéties.

(Par le moyen de ce que ce peuple ne l'a pas reçu est arrivée cette merveille que voici :

Les prophéties sont les seuls miracles subsistants qu'on peut faire, mais elles sont sujet(tes) à être contredites.)

594 (576)

(Ordre) Conduite générale du monde envers l'Église. Dieu voulant aveugler et éclairer.

L'événement ayant prouvé la divinité de ces prophéties le reste doit en être cru et par là nous voyons l'ordre du monde en cette sorte.

Les miracles de la création et du déluge s'oubliant Dieu envoya la loi et les miracles de Moïse, les prophètes qui prophétisent des choses particulières. Et pour préparer un miracle subsistant il prépare des prophéties et l'accomplissement. Mais les prophéties pouvant être suspectes il veut les rendre non suspectes etc.

595 (450)

Si l'on ne se connaît plein de superbe, d'ambition, de concupiscence, de faiblesse, de misère et d'injustice, on est bien aveugle. Et si en le connaissant on ne désire d'en être délivré que peut-on dire d'un homme ?

Que peut-on donc avoir, que de l'estime pour une religion qui connaît si bien les défauts de l'homme, et que du désir pour la vérité d'une religion qui y promet des remèdes si souhaitables ?

596 (202)

(Par ceux qui sont dans le déplaisir de se voir sans foi, on voit que Dieu ne les éclaire pas ; mais les autres, on voit qu'il y a un Dieu qui les aveugle.)

597 (455)

Le moi est haïssable. Vous Miton le couvrez, vous ne l'ôtez point pour cela. Vous êtes donc toujours haïssable.

Point, car en agissant comme nous faisons obligeamment pour tout le monde on n'a plus sujet de nous haïr. Cela est vrai, si on ne haïssait dans le moi que le déplaisir qui nous en revient.

Mais si je le hais parce qu'il est injuste qu'il se fasse centre de tout, je le haïrai toujours.

En un mot le moi a deux qualités. Il est injuste en soi en ce qu'il se fait centre de tout. Il est incommode aux autres en ce qu'il les veut asservir, car chaque moi est l'ennemi et voudrait être le tyran de tous les autres. Vous en ôtez l'incommodité, mais non pas l'injustice.

Et ainsi vous ne le rendez pas aimable à ceux qui en haïssent l'injustice. Vous ne le rendez aimable qu'aux injustes qui n'y trouvent plus leur ennemi. Et ainsi vous demeurez injuste, et ne pouvez plaire qu'aux injustes.

598 (868)

Ce qui nous gâte pour comparer ce qui s'est passé autrefois dans l'église à ce qui s'y voit maintenant est que ordinairement on regarde saint Athanase, sainte Thérèse et les autres, comme couronnés de gloire et d'ans, jugés avant nous comme des dieux. À présent que le temps a éclairci les choses cela paraît ainsi, mais au temps où on le persécutait ce grand saint était un homme qui s'appelait Athanase et sainte Thérèse une folle. Élie était un homme comme nous et sujet aux mêmes passions que nous, dit saint Pierre, pour désabuser les chrétiens de cette fausse idée, qui nous fait rejeter l'exemple des saints homme disproportionnés à notre état. C'étaient des saints, disons-nous, ce n'est pas comme nous. Que se passait-il donc alors ? Saint Athanase était un homme appelé Athanase, accusé de plusieurs crimes, condamné en tel et tel concile pour tel et tel crime. Tous les évêques y consentent et le pape enfin. Que dit-on à ceux qui y résistent ? qu'ils troublent la paix, qu'ils font schisme, etc.

4 sortes de personnes, zèle sans science, science sans zèle, ni science ni zèle, et zèle et science.

Les trois premiers le condamnent, les derniers

l'absolvent et sont excommuniés de l'Église, et sauvent néanmoins l'Église.

Zèle, lumière.

599 (908)

Mais est-il *probable* que la *probabilité* assure ?

Différence entre repos et sûreté de conscience. Rien ne donne l'assurance que la vérité; rien ne donne le repos que la recherche sincère de la vérité.

600 (440)

La corruption de la raison paraît par tant de différentes et extravagantes mœurs. Il a fallu que la vérité soit venue, afin que l'homme ne véquît plus en soi-même.

601 (907)

Les casuistes soumettent la décision à la raison corrompue et le choix des décisions à la volonté corrompue, afin que tout ce qu'il y a de corrompu dans la nature de l'homme ait part à sa conduite.

602 (885)

Est fait prêtre qui veut l'être, comme sous Jéroboam.

C'est une chose horrible qu'on nous propose la discipline de l'église d'aujourd'hui pour tellement bonne, qu'on fasse un crime de la vouloir changer. Autrefois elle était bonne infailliblement et on trouve qu'on a pu la changer sans péché. Et maintenant telle qu'elle est on ne la pourra souhaiter changée.

Il a bien été permis de changer la coutume de ne faire des prêtres qu'avec tant de circonspection qu'il n'y en avait presque point qui en fussent dignes, et il ne sera pas permis de se plaindre de la coutume qui en fait tant d'indignes.

603 (502)

Abraham ne prit rien pour lui mais seulement pour ses serviteurs. Ainsi le juste ne prend rien pour soi du monde, ni des applaudissements du monde, mais seulement pour ses passions dont il se sert comme maître en disant à l'une : Va et viens, *sub te erit appetitus tuus*. Ses passions ainsi dominées sont vertus; l'avarice, la jalousie, la colère, Dieu même se les attribue. Et ce sont aussi bien vertus que la clémence, la pitié, la constance qui sont aussi des passions. Il faut s'en servir comme d'esclaves et leur laissant leur aliment empêcher que l'âme n'y en prenne. Car quand les passions sont les maîtresses, elles sont vices et alors elles donnent à l'âme de leur aliment, et l'âme s'en nourrit et s'en empoisonne.

604 (871)
Église, pape.
Unité — Multitude. En considérant l'église comme unité le pape qui en est le chef est comme tout; en la considérant comme multitude le pape n'en est qu'une partie. Les Pères l'ont considérée tantôt en une manière, tantôt en l'autre. Et ainsi ont parlé diversement du pape.
Saint Cyprien, *sacerdos dei*.
Mais en établissant une de ces deux vérités ils n'ont pas exclu l'autre.
La multitude qui ne se réduit pas à l'unité est confusion. L'unité qui ne dépend pas de la multitude est tyrannie.

Il n'y a presque plus que la France où il soit permis de dire que le concile est au-dessus du pape.

605 (36)
L'homme est plein de besoins. Il n'aime que ceux qui peuvent les remplir tous. C'est un bon mathématicien dira(-t-)on, mais je n'ai que faire de mathématique; il me prendrait pour une proposition. C'est un bon guerrier : il me prendrait pour une place assiégée. Il faut donc un honnête homme qui puisse s'accommoder à tous mes besoins généralement.

606 (155) Un vrai ami est une chose si avantageuse

même pour les plus grands seigneurs, afin qu'il dise du
bien d'eux et qu'il les soutienne en leur absence. Même
qu'ils doivent tout faire pour en avoir, mais qu'ils choisissent bien, car s'ils font tous leurs efforts pour des sots,
cela leur sera inutile quelque bien qu'ils disent d'eux. Et
même ils n'en diront pas de bien s'ils se trouvent les
plus faibles, car ils n'ont pas d'autorité et ainsi ils en
médiront par compagnie.

607 (766)
Fig.
Sauveur, père, sacrificateur, hostie, nourriture, roi,
sage, législateur, affligé, pauvre, devant produire un
peuple, qu'il devait conduire et nourrir, et introduire
dans sa terre.
608 (766) J.-C. offices.
Il devait lui seul produire un grand peuple, élu,
saint et choisi, le conduire, le nourrir, l'introduire
dans le lieu de repos et de sainteté, le rendre saint à
Dieu, en former le temple de Dieu, le réconcilier à Dieu,
le sauver de la colère de Dieu, le délivrer de la servitude du péché qui règne visiblement dans l'homme,
donner des lois à ce peuple, graver ces lois dans leur
cœur, s'offrir à Dieu pour eux, se sacrifier pour eux,
être une hostie sans tache, et lui-même sacrificateur,
devant offrir lui-même son corps et son sang. Et néanmoins offrir pain et vin à Dieu.

Ingrediens mundum.

Pierre sur pierre.
Ce qui a précédé, ce qui a suivi, tous les juifs subsistants et vagabonds.
609 (736)
Prophéties. *Transfixerunt.* Zach. 12. 10.
Qu'il devait venir un Libérateur qui écraserait la
tête au démon, qui devait délivrer son peuple de ses
péchés, *ex omnibus iniquitatibus.* Qu'il devait y avoir un
nouveau Testament qui serait éternel, qu'il devait y
avoir une autre prêtrise selon l'ordre de Melchisedech,

que celle-là serait éternelle, que le Christ devait être glorieux, puissant, fort, et néanmoins si misérable, qu'il ne serait point reconnu, qu'on ne le prendrait point pour ce qu'il est, qu'on le rebuterait, qu'on le tuerait, que son peuple qui l'aurait renié ne serait plus son peuple, que les idolâtres le recevraient et auraient recours à lui, qu'il quitterait Sion pour régner au centre de l'idolâtrie, que néanmoins les Juifs subsisteront toujours, qu'il devait être de Juda et qu'il n'y aurait plus de roi.

610 (30)
(*Qu'on voie les discours de la 2, 4 et 5 du janséniste. Cela est haut et sérieux*)

(*Je hais également le bouffon et l'enflé*). On ne ferait son ami de l'un ni l'autre.

On ne consulte que l'oreille parce qu'on manque de cœur.

611 (30)
Sa règle est l'honnêteté.

Poète et non honnête homme.

610 (30)
(*Après ma 8 je croyais avoir assez répondu.*)

611 (30)
Beautés d'omission, de jugement.

612 (219)
Il est indubitable que l'âme soit mortelle ou immortelle; cela doit mettre une différence entière dans la morale, et cependant les philosophes ont conduit leur morale indépendamment de cela.

Ils délibèrent de passer une heure.

Platon pour disposer au christianisme.

613 (443)
Grandeur, misère.

A mesure qu'on a de lumière on découvre plus de grandeur et plus de bassesse dans l'homme.

Le commun des hommes.

Ceux qui sont plus élevés.
Les philosophes.
Ils étonnent le commun des hommes.
Les chrétiens, ils étonnent les philosophes.

Qui s'étonnera donc de voir que la religion ne fait que connaître à fond ce qu'on reconnaît d'autant plus qu'on a plus de lumière.

614 (664)
Figuratif.

Dieu s'est servi de la concupiscence des Juifs pour les faire servir à J.-C. (*qui portait le remède à la concupiscence*).

615 (663)
Figuratif.

Rien n'est si semblable à la charité que la cupidité et rien n'est si contraire. Ainsi les juifs pleins de biens qui flattent leur cupidité étaient très conformes aux chrétiens et très contraires. Et par ce moyen ils avaient les deux qualités qu'il fallait qu'ils eussent d'être très conformes au Messie, pour le figurer, et très contraires pour n'être point témoins suspects.

616 (660)

La concupiscence nous est devenue naturelle et a fait notre seconde nature. Ainsi il y a deux natures en nous, l'une bonne, l'autre mauvaise. Où est Dieu ? où vous n'êtes pas et le royaume de Dieu est dans vous. Rabbins.

617 (492)

Qui ne hait en soi son amour-propre et cet instinct qui le porte à se faire Dieu, est bien aveuglé. Qui ne voit que rien n'est si opposé à la justice et à la vérité. Car il est faux que nous méritions cela, et il est injuste et impossible d'y arriver, puisque tous demandent la même chose. C'est donc une manifeste injustice où nous sommes nés, dont nous ne pouvons nous défaire et dont il faut nous défaire.

Cependant aucune religion n'a remarqué que ce fût un péché, ni que nous y fussions nés, ni que nous fussions obligés d'y résister, ni n'a pensé à nous en donner les remèdes.

618 (479)

S'il y a un Dieu il ne faut aimer que lui et non les créatures passagères. Le raisonnement des impies dans la *Sagesse* n'est fondé que sur ce qu'il n'y a point de Dieu. Cela posé, dit-il, jouissons donc des créatures. C'est le pis-aller. Mais s'il y avait un Dieu à aimer il n'aurait pas conclu cela mais bien le contraire. Et c'est la conclusion des sages : il y a un Dieu, ne jouissons donc pas des créatures.

Donc tout ce qui nous incite à nous attacher aux créatures est mauvais puisque cela nous empêche, ou de servir Dieu, si nous le connaissons, ou de le chercher si nous l'ignorons. Or nous sommes pleins de concupiscence, donc nous sommes pleins de mal, donc nous devons nous haïr nous-mêmes, et tout ce qui nous excite à autre attache qu'à Dieu seul.

619 (394)

Tous leurs principes sont vrais, des pyrrhoniens, des stoïques, des athées, etc... mais leurs conclusions sont fausses, parce que les principes opposés sont vrais aussi.

620 (146)

L'homme est visiblement fait pour penser. C'est toute sa dignité et tout son mérite; et tout son devoir est de penser comme il faut. Or l'ordre de la pensée est de commencer par soi, et par son auteur et sa fin.

Or à quoi pense le monde ? jamais à cela, mais à danser, à jouer du luth, à chanter, à faire des vers, à courir la bague etc... et à se battre, à se faire roi, sans penser à ce que c'est qu'être roi et qu'être homme.

621 (412)

Guerre intestine de l'homme entre la raison et les passions.

S'il n'y avait que la raison sans passions.

S'il n'y avait que les passions sans raison.

Mais ayant l'un et l'autre il ne peut être sans guerre, ne pouvant avoir paix avec l'un qu'ayant guerre avec l'autre.

Aussi il est toujours divisé et contraire à lui-même.

622 (131)

Ennui.

Rien n'est si insupportable à l'homme que d'être dans un plein repos, sans passions, sans affaires, sans divertissement, sans application.

Il sent alors son néant, son abandon, son insuffisance, sa dépendance, son impuissance, son vide.

Incontinent il sortira du fond de son âme l'ennui, la noirceur, la tristesse, le chagrin, le dépit, le désespoir.

623 (495)

Si c'est un aveuglement surnaturel de vivre sans chercher ce qu'on est, c'en est un terrible de vivre mal en croyant Dieu.

624 (731)

Prophéties.

Que J.-C. sera à la droite pendant que Dieu lui assujettira ses ennemis.

Donc il ne les assujettira pas lui-même.

625 (214)

Injustice.

Que la présomption soit jointe à la nécessité, c'est une extrême injustice.

626 (462)

Recherche du vrai bien.

Le commun des hommes met le bien dans la fortune et dans les biens du dehors ou au moins dans le divertissement.

Les philosophes ont montré la vanité de tout cela et l'ont mis où ils ont pu.

627 (150)
La vanité est si ancrée dans le cœur de l'homme qu'un soldat, un goujat, un cuisinier, un crocheteur se vante et veut avoir ses admirateurs et les philosophes mêmes en veulent, et ceux qui écrivent contre veulent avoir la gloire d'avoir bien écrit, et ceux qui les lisent veulent avoir la gloire de les avoir lus, et moi qui écris ceci ai peut-être cette envie, et peut-être que ceux qui le liront...

628 (153)
Du désir d'être estimé de ceux avec qui on est.

L'orgueil nous tient d'une possession si naturelle au milieu de nos misères, erreur, etc. Nous perdons encore la vie avec joie pourvu qu'on en parle.

Vanité, jeu, chasse, visites, comédies, fausse perpétuité de nom.

629 (417)
Cette duplicité de l'homme est si visible qu'il y en a qui ont pensé que nous avions deux âmes.

Un sujet simple leur paraissant incapable de telles et si soudaines variétés, d'une présomption démesurée à un horrible abattement de cœur.

630 (94)
La nature de l'homme est tout nature, *omne animal*.
Il n'y a rien qu'on ne rende naturel. Il n'y a naturel qu'on ne fasse perdre.

631 (422)
Il est bon d'être lassé et fatigué par l'inutile recherche du vrai bien, afin de tendre les bras au Libérateur.

632 (198)
La sensibilité de l'homme aux petites choses et l'in-

sensibilité (aux) plus grandes choses, marque d'un étrange renversement.

633 (411)

Malgré la vue de toutes nos misères qui nous touchent, qui nous tiennent à la gorge, nous avons un instinct que nous ne pouvons réprimer qui nous élève.

634 (97)

La chose la plus importante à toute la vie est le choix du métier, le hasard en dispose.

La coutume fait les maçons, soldats, couvreurs. C'est un excellent couvreur, dit-on, et en parlant des soldats : ils sont bien fous, dit-on, et les autres au contraire : il n'y a rien de grand que la guerre, le reste des hommes sont des coquins. A force d'ouïr louer en l'enfance ces métiers et mépriser tous les autres on choisit. Car naturellement on aime la vertu et on hait la folie ; ces mots mêmes décideront ; on ne pèche qu'en l'application.

Tant est grande la force de la coutume que de ceux que la nature n'a fait qu'hommes on fait toutes les conditions des hommes.

Car des pays sont tout de maçons, d'autres tout de soldats, etc. Sans doute que la nature n'est pas si uniforme ; c'est la coutume qui fait donc cela, car elle contraint la nature, et quelquefois la nature la surmonte et retient l'homme dans son instinct malgré toute coutume bonne ou mauvaise.

SÉRIE XXV

635 (13)

On aime à voir l'erreur, la passion de Cléobuline parce qu'elle ne la connaît pas : elle déplairait si elle n'était trompée.

636 (42)

Prince à un roi plaît pour ce qu'il diminue sa qualité.

637 (59)

Éteindre le flambeau de la sédition : trop luxuriant.

L'inquiétude de son génie : trop de deux mots hardis.

638 (109)

Quand on se porte bien on admire comment on pourrait faire si on était malade. Quand on l'est on prend médecine gaiement, le mal y résout ; on n'a plus les passions et les désirs de divertissements et de promenades que la santé donnait et qui sont incompatibles avec les nécessités de la maladie. La nature donne alors des passions et des désirs conformes à l'état présent. Il n'y a que les craintes que nous nous donnons nous-mêmes, et non pas la nature, qui nous troublent parce qu'elles joignent à l'état où nous sommes les passions de l'état où nous ne sommes pas.

639 (109 bis)

La nature nous rendant toujours malheureux en tous états nos désirs nous figurent un état heureux parce qu'ils joignent à l'état où nous sommes les plaisirs de l'état où nous ne sommes pas et quand nous arriverions à ces plaisirs nous ne serions pas heureux pour cela parce que nous aurions d'autres désirs conformes à ce nouvel état.

Il faut particulariser cette proposition générale.

640 (182)

Ceux qui dans de fâcheuses affaires ont toujours bonne espérance et se réjouissent des aventures heureuses, s'ils ne s'affligent également des mauvaises, sont suspects d'être bien aises de la perte de l'affaire et sont ravis de trouver ces prétextes d'espérance pour montrer qu'ils s'y intéressent et couvrir par la joie qu'ils feignent d'en concevoir celle qu'ils ont de voir l'affaire perdue.

641 (129)

Notre nature est dans le mouvement, le repos entier est la mort.

642 (448)

(Miton) voit bien que la nature est corrompue et que les hommes sont contraires à l'honnêteté, mais il ne sait pas pourquoi ils ne peuvent voler plus haut.

643 (159)

Les belles actions cachées sont les plus estimables. Quand j'en vois quelques-unes dans l'histoire, comme page 184, elles me plaisent fort ; mais enfin elles n'ont pas été tout à fait cachées puisqu'elles ont été sues et, quoiqu'on ait fait ce qu'on ait pu pour les cacher, ce peu par où elles ont paru gâte tout, car c'est là le plus beau de les avoir voulu cacher.

644 (910)

Peut-ce être autre chose que la complaisance du monde qui vous fasse trouver les choses probables ? Nous ferez-vous accroire que ce soit la vérité et que si la mode du duel n'était point, vous trouveriez probable qu'on se peut battre en regardant la chose en elle-même.

645 (312)

La justice est ce qui est établi ; et ainsi toutes nos lois établies seront nécessairement tenues pour justes sans être examinées, puisqu'elles sont établies.

646 (95)

Sentiment. La mémoire, la joie sont des sentiments et même les propositions géométriques deviennent sentiments, car la raison rend les sentiments naturels et les sentiments naturels s'effacent par la raison.

647 (35)

Honnête homme. Il faut qu'on n'en puisse (dire) ni il est mathématicien, ni prédicateur, ni éloquent mais il est honnête homme. Cette qualité universelle me plaît seule. Quand en voyant un homme on se souvient de son livre c'est mauvais signe. Je voudrais qu'on ne s'aperçût d'aucune qualité que par la rencontre et l'occasion d'en user, *ne quid nimis,* de peur qu'une qualité ne l'emporte et ne fasse baptiser ; qu'on ne songe point qu'il parle bien, sinon quand il s'agit de bien parler, mais qu'on y songe alors.

648 (833)
Miracles.
Le peuple conclut cela de soi-même, mais il vous en faut donner la raison.

Il est fâcheux d'être dans l'exception de la règle ; il faut même être sévère et contraire à l'exception, mais néanmoins comme il est certain qu'il y a des exceptions de la règle il en faut juger sévèrement, mais justement.

649 (65)
Montaigne. Ce que Montaigne a de bon ne peut être acquis que difficilement. Ce qu'il a de mauvais, j'entends hors les mœurs, pût être corrigé en un moment si on l'eût averti qu'il faisait trop d'histoires et qu'il parlait trop de soi.

650 (333)
N'avez-vous jamais vu des gens qui pour se plaindre du peu d'état que vous faites d'eux vous étalent l'exemple de gens de condition qui les estiment ? Je leur répondrai à cela : montrez-moi le mérite par où vous avez charmé ces personnes et je vous estimerai de même.

651 (369)
La mémoire est nécessaire pour toutes les opérations de la raison.

652 (14) Quand un discours naturel peint une passion ou un effet on trouve dans soi-même la vérité de ce qu'on entend, laquelle on ne savait pas qu'elle y fût, de sorte qu'on est porté à aimer celui qui nous la fait sentir, car il ne nous a point fait montre de son bien mais du nôtre. Et ainsi ce bien fait nous le rend aimable, outre que cette communauté d'intelligence que nous avons avec lui incline nécessairement le cœur à l'aimer.

653 (913)
Probabilité.
Chacun peut mettre, nul ne peut ôter.

654 (939)

Vous ne m'accusez jamais de fausseté sur Escobar parce qu'il est connu.

655 (377)

Les discours d'humilité sont matière d'orgueil aux gens glorieux et d'humilité aux humbles. Ainsi ceux du pyrrhonisme sont matière d'affirmation aux affirmatifs. Peu parlent de l'humilité humblement, peu de la chasteté chastement, peu du pyrrhonisme en doutant. Nous ne sommes que mensonge, duplicité, contrariété et nous cachons et nous déguisons à nous-mêmes.

656 (372)

En écrivant ma pensée elle m'échappe quelquefois; mais cela me fait souvenir de ma faiblesse que j'oublie à toute heure, ce qui m'instruit autant que ma pensée oubliée, car je ne tiens qu'à connaître mon néant.

657 (452)

Plaindre les malheureux n'est pas contre la concupiscence, au contraire, on est bien aise d'avoir à rendre ce témoignage d'amitié et à s'attirer la réputation de tendresse sans rien donner.

658 (391)

Conversation :

Grands mots à la religion : je la nie.

Conversation :

Le pyrrhonisme sert à la religion.

659 (911)

Faut-il tuer pour empêcher qu'il n'y ait des méchants ?

C'est en faire deux au lieu d'un, *Vince in bono malum.* Saint Aug.

660 (91)
Spongia Solis.
Quand nous voyons en effet arriver toujours de même nous en concluons une nécessité naturelle, comme qu'il sera demain jour, etc. mais souvent la nature nous dément et ne s'assujétit pas à ses propres règles.

661 (81) L'esprit croit naturellement et la volonté aime naturellement de sorte qu'à faute des vrais objets il faut qu'ils s'attachent aux faux.

662 (521) La grâce sera toujours dans le monde et aussi la nature; de sorte qu'elle est en quelque sorte naturelle. Et ainsi toujours il y aura des Pélagiens et toujours des catholiques, et toujours combat.

Parce que la première naissance fait les uns et la grâce de la seconde naissance fait les autres.

663 (121) La nature recommence toujours les mêmes choses, les ans, les jours, les heures, les espaces de même. Et les nombres sont bout à bout, à la suite l'un de l'autre; ainsi se fait une espèce d'infini et d'éternel. Ce n'est pas qu'il y ait rien de tout cela qui soit infini et éternel, mais ces êtres terminés se multiplient infiniment. Ainsi il n'y a ce me semble que le nombre, qui les multiplie, qui soit infini.

664 (94 *bis*)
L'homme est proprement *omne animal.*

665 (311)
L'empire fondé sur l'opinion et l'imagination règne quelque temps et cet empire est doux et volontaire. Celui de la force règne toujours. Ainsi l'opinion est comme la reine du monde mais la force en est le tyran.

666 (932)
Sera bien condamné qui le sera par Escobar.
667 (25) Éloquence.
Il faut de l'agréable et du réel, mais il faut que cet agréable soit (*aussi réel*) lui-même pris du vrai.

668 (457) Chacun est un tout à soi-même, car lui mort le tout est mort pour soi. Et de là vient que chacun croit être tout à tous. Il ne faut pas juger de la nature selon nous mais selon elle.

669 (188)
Il faut en tout dialogue et discours qu'on puisse dire à ceux qui s'en offensent : de quoi vous plaignez-vous ?

670 (46)
Diseur de bons mots, mauvais caractère.

671 (44)
Voulez-vous qu'on croie du bien de vous, n'en dites pas.

672 (124)
Non seulement nous regardons les choses par d'autres côtés, mais avec d'autres yeux; nous n'avons garde de les trouver pareilles.

673 (123)
Il n'aime plus cette personne qu'il aimait il y a dix ans. Je crois bien : elle n'est plus la même ni lui non plus. Il était jeune et elle aussi; elle est tout autre. Il l'aimerait peut-être encore telle qu'elle était alors.

674 (359)
Nous ne nous soutenons pas dans la vertu par notre propre force, mais par le contrepoids de deux vices opposés, comme nous demeurons debout entre deux vents contraires. Otez un de ces vices nous tombons dans l'autre.

675 (29)
Style. Quand on voit le style naturel on est tout étonné et ravi, car on s'attendait de voir un auteur et on trouve un homme. Au lieu que ceux qui ont le

goût bon et qui en voyant un livre croient trouver un homme sont tout surpris de trouver un auteur. *Plus poetice quam humane locutus es.*

Ceux-là honorent bien la nature qui lui apprennent qu'elle peut parler de tout, et même de théologie.

676 (937)
Il faut que le monde soit bien aveugle s'il vous croit.

677 (873)
Le pape hait et craint les savants qui ne lui sont pas soumis par vœu.

678 (358)
L'homme n'est ni ange ni bête, et le malheur veut que qui veut faire l'ange fait la bête.

679 (894)
Prov. Ceux qui aiment l'Église se plaignent de voir corrompre les mœurs, mais au moins les lois subsistent. Mais ceux-ci corrompent les lois. Le modèle est gâté.

680 (63)
Montaigne.
Les défauts de Montaigne sont grands. Mots lascifs. Cela ne vaut rien malgré mademoiselle de Gournay. Crédule : gens sans yeux. Ignorant : quadrature du cercle, monde plus grand. Ses sentiments sur l'homicide volontaire, sur la mort. Il inspire une nonchalance du salut, sans crainte et sans repentir. Son livre n'étant pas fait pour porter à la piété il n'y était pas obligé, mais on est toujours obligé de n'en point détourner. On peut excuser ses sentiments un peu libres et voluptueux en quelques rencontres de la vie — 730. 331 — mais on ne peut excuser ses sentiments tout païens sur la mort. Car il faut renoncer à toute piété si on ne veut au moins mourir chrétiennement. Or il ne pense qu'à mourir lâchement et mollement par tout son livre.

681 (353)

Je n'admire point l'excès d'une vertu comme de la valeur si je ne vois en même temps l'excès de la vertu opposée : comme en Épaminondas qui avait l'extrême valeur et l'extrême bénignité, car autrement ce n'est pas monter c'est tomber. On ne montre pas sa grandeur pour être à une extrémité, mais bien en touchant les deux à la fois et remplissant tout l'entre-deux.

Mais peut-être que ce n'est qu'un soudain mouvement de l'âme de l'un à l'autre de ces extrêmes et qu'elle n'est jamais en effet qu'en un point, comme le tison de feu. Soit; mais au moins cela marque l'agilité de l'âme si cela n'en marque l'étendue.

682 (232)

Mouvement infini.

Le mouvement infini, le point qui remplit tout, le moment de repos. Infini sans quantité, indivisible et infini.

683 (20)

Ordre.

Pourquoi prendrai-je plutôt à diviser ma morale en 4 qu'en 6. Pourquoi établirai-je plutôt la vertu en 4, en 2, en 1. Pourquoi en *abstine et sustine* plutôt qu'en suivre nature ou faire ses affaires particulières sans injustice comme Platon, ou autre chose.

Mais voilà, direz-vous, tout renfermé en un mot : oui mais cela est inutile si on ne l'explique. Et quand on vient à l'expliquer, dès qu'on ouvre ce précepte qui contient tous les autres ils en sortent en la première confusion que vous vouliez éviter. Ainsi quand ils sont tous renfermés en un ils y sont cachés et inutiles, comme en un coffre et ne paraissent jamais qu'en leur confusion naturelle. La nature les a tous établis, sans renfermer l'un en l'autre.

684 (21)

Ordre. La nature a mis toutes ses vérités en soi-même. Notre art les renferme les unes dans les autres, mais cela n'est pas naturel. Chacune tient sa place.

685 (401)
Gloire.
Les bêtes ne s'admirent point. Un cheval n'admire point son compagnon. Ce n'est pas qu'il n'y ait entre eux de l'émulation à la course, mais c'est sans conséquence, car étant à l'étable, le plus pesant et plus mal taillé n'en cède pas son avoine à l'autre, comme les hommes veulent qu'on leur fasse. Leur vertu se satisfait d'elle-même.

686 (368)
Quand on dit que le chaud n'est que le mouvement de quelques globules et la lumière, le *conatus recedendi*, que nous sentons, cela nous étonne. Quoi ! que le plaisir ne soit autre que le ballet des esprits ! Nous en avons conçu une si différente idée et ces sentiments-là nous semblent si éloignés de ces autres que nous disons être les mêmes que ceux que nous leur comparons. Le sentiment du feu, cette chaleur qui nous affecte d'une manière toute autre que l'attouchement, la réception du son et de la lumière, tout cela nous semble mystérieux. Et cependant cela est grossier comme un coup de pierre. Il est vrai que la petitesse des esprits qui entrent dans les pores touchent d'autres nerfs, mais ce sont toujours des nerfs (touchés).

687 (144)
J'avais passé longtemps dans l'étude des sciences abstraites et le peu de communication qu'on en peut avoir m'en avait dégoûté. Quand j'ai commencé l'étude de l'homme, j'ai vu que ces sciences abstraites ne sont pas propres à l'homme, et que je m'égarais plus de ma condition en y pénétrant que les autres en l'ignorant. J'ai pardonné aux autres d'y peu savoir, mais j'ai cru trouver au moins bien des compagnons en l'étude de l'homme et que c'est la vraie étude qui lui est propre. J'ai été trompé. Il y en a encore moins qui l'étudient que

la géométrie. Ce n'est que manque de savoir étudier
cela qu'on cherche le reste. Mais n'est-ce pas que ce
n'est pas encore là la science que l'homme doit avoir,
et qu'il lui est meilleur de s'ignorer pour être heureux.

688 (323)
Qu'est-ce que le moi ?

Un homme qui se met à la fenêtre pour voir les pas-
sants; si je passe par là, puis-je dire qu'il s'est mis là
pour me voir ? Non; car il ne pense pas à moi en particulier; mais celui qui aime quelqu'un à cause de sa
beauté, l'aime-t-il ? Non : car la petite vérole, qui tuera
la beauté sans tuer la personne, fera qu'il ne l'aimera
plus.

Et si on m'aime pour mon jugement, pour ma mémoire, m'aime-t-on ? *moi* ? Non, car je puis perdre ces
qualités sans me perdre moi-même. Où est donc ce
moi, s'il n'est ni dans le corps, ni dans l'âme ? et comment aimer le corps ou l'âme, sinon pour ces qualités,
qui ne sont point ce qui fait le moi, puisqu'elles sont
périssables ? car aimerait-on la substance de l'âme
d'une personne, abstraitement, et quelques qualités
qui y fussent ? Cela ne se peut, et serait injuste. On
n'aime donc jamais personne, mais seulement des qualités.

Qu'on ne se moque donc plus de ceux qui se font
honorer pour des charges et des offices, car on n'aime
personne que pour des qualités empruntées.

689 (64)
Ce n'est pas dans Montaigne mais dans moi que je
trouve tout ce que j'y vois.

690 (506)
Que Dieu ne nous impute pas nos péchés, c'est-à-
dire toutes les conséquences et suites de nos péchés,
qui sont effroyables, des moindres fautes, si on veut
les suivre sans miséricorde.

691 (432)

Le pyrrhonisme est le vrai. Car après tout les hommes avant J.-C. ne savaient où ils en étaient, ni s'ils étaient grands ou petits. Et ceux qui ont dit l'un ou l'autre n'en savaient rien et devinaient sans raison et par hasard. Et même ils erraient toujours en excluant l'un ou l'autre.

Quod ergo ignorantes quaeritis religio anunntiat vobis.

692 (915)

Montalte.

Les opinions relâchées plaisent tant aux hommes qu'il est étrange que les leurs déplaisent. C'est qu'ils ont excédé toute borne. Et de plus il y a bien des gens qui voient le vrai et qui n'y peuvent atteindre, mais il y en a peu qui ne sachent que la pureté de la religion est contraire à nos corruptions. Ridicule de dire qu'une récompense éternelle est offerte à des mœurs escobartines.

693 (906)

Les conditions les plus aisées à vivre selon le monde sont les plus difficiles à vivre selon Dieu; et au contraire: rien n'est si difficile selon le monde que la vie religieuse; rien n'est plus facile que de la passer selon Dieu. Rien n'est plus aisé que d'être dans une grande charge et dans de grands biens selon le monde; rien n'est plus difficile que d'y vivre selon Dieu, et sans y prendre de part et de goût.

694 (61)

Ordre. — J'aurais bien pris ce discours d'ordre comme celui-ci: pour montrer la vanité de toutes sortes de conditions, montrer la vanité des vies communes, et puis la vanité des vies philosophiques, pyrrhoniennes, stoïques; mais l'ordre n'y serait pas gardé. Je sais un peu ce que c'est, et combien peu de gens l'entendent. Nulle science humaine ne le peut garder. Saint Thomas ne l'a pas gardé. La mathématique le garde, mais elle est inutile en sa profondeur.

695 (445)

Le péché originel est folie devant les hommes, mais on le donne pour tel. Vous ne me devez donc pas reprocher le défaut de raison en cette doctrine, puisque je la donne pour être sans raison. Mais cette folie est plus sage que toute la sagesse des hommes, *sapientius est hominibus*. Car, sans cela, que dira-t-on qu'est l'homme ? Tout son état dépend de ce point imperceptible. Et comment s'en fût-il aperçu par sa raison, puisque c'est une chose contre la raison, et que sa raison, bien loin de l'inventer par ses voies, s'en éloigne, quand on le lui présente ?

696 (22)

Qu'on ne dise pas que je n'ai rien dit de nouveau, la disposition des matières est nouvelle. Quand on joue à la paume c'est une même balle dont joue l'un et l'autre, mais l'un la place mieux.

J'aimerais autant qu'on me dise que je me suis servi des mots anciens. Et comme si les mêmes pensées ne formaient pas un autre corps de discours par une disposition différente, aussi bien que les mêmes mots forment d'autres pensées par leur différente disposition.

697 (383)

Ceux qui sont dans le dérèglement disent à ceux qui sont dans l'ordre que ce sont eux qui s'éloignent de la nature et ils la croient suivre, comme ceux qui sont dans un vaisseau croient que ceux qui sont au bord fuient. Le langage est pareil de tous côtés. Il faut avoir un point fixe pour en juger. Le port juge ceux qui sont dans un vaisseau, mais où prendrons-nous un port dans la morale ?

698 (119)

Nature s'imite. La nature s'imite. Une graine jetée en bonne terre produit. Un principe jeté dans un bon esprit produit.

Les nombres imitent l'espace qui sont de nature si différente.

Tout est fait et conduit par un même maître.

La racine, les branches, les fruits, les principes, les conséquences.

699 (382) Quand tout se remue également rien ne se remue en apparence; comme en un vaisseau, quand tous vont vers le débordement nul n'y semble aller. Celui qui s'arrête fait remarquer l'emportement des autres, comme un point fixe.

700 (934)
Généraux.

Il ne leur suffit pas d'introduire dans nos temples de telles mœurs, *templis inducere mores*. Non seulement ils veulent être soufferts dans l'église mais comme s'ils étaient devenus les plus forts ils en veulent chasser ceux qui n'en sont pas...

Mohatra. Ce n'est pas être théologien de s'en étonner.

Qui eût dit à vos généraux qu'un temps était si proche qu'ils donneraient ces mœurs à l'église universelle et appelleraient guerre le refus de ces désordres. *Et tanta mala pacem.*

701 (9)
Quand on veut reprendre avec utilité et montrer à un autre qu'il se trompe il faut observer par quel côté il envisage la chose, car elle est vraie ordinairement de ce côté-là et lui avouer cette vérité, mais lui découvrir le côté par où elle est fausse. Il se contente de cela car il voit qu'il ne se trompait pas et qu'il y manquait seulement à voir tous les côtés. Or on ne se fâche pas de ne pas tout voir, mais on ne veut pas être trompé, et peut-être cela vient de ce que naturellement l'homme ne peut tout voir, et de ce que naturellement il ne se peut tromper dans le côté qu'il envisage, comme les appréhensions des sens sont toujours vraies.

702 (507)
Grâce. Les mouvements de la grâce, la dureté de cœur, les circonstances extérieures.

703 (516)
Gloire. Rom. 3. 27. gloire exclue. Par quelle loi ? des œuvres ? non mais par la foi. Donc la foi n'est pas en notre puissance comme les œuvres de la loi et elle nous est donnée d'une autre manière.

704 (954)
Venise.
Quel avantage en tirerez-vous si du besoin qu'en ont les princes et de l'horreur qu'en ont les peuples ? S'ils vous avaient demandés et que pour l'obtenir ils eussent imploré l'assistance des princes chrétiens vous pourriez faire valoir cette (recherche). Mais que durant cinquante ans les princes s'y soient employés inutilement et qu'il ait fallu un aussi pressant besoin pour l'obtenir...

705 (180)
Les grands et les petits ont mêmes accidents et même fâcherie, et même passion, mais l'un est au haut de la roue et l'autre près du centre et ainsi moins agité par les mêmes mouvements.

706 (870)
Lier et délier. Dieu n'a pas voulu absoudre sans l'Église. Comme elle a part à l'offense il veut qu'elle ait part au pardon. Il l'associe à ce pouvoir comme les rois (et) les parlements; mais si elle absout ou si elle lie sans Dieu, ce n'est plus l'Église : comme au parlement; car encore que le roi ait donné grâce à un homme si faut-il qu'elle soit entérinée; mais si le parlement entérine sans le roi ou s'il refuse d'entériner sur l'ordre du roi, ce n'est plus le parlement du roi, mais un corps révolté.

707 (898)
Ils ne peuvent avoir la perpétuité et ils cherchent

l'universalité et pour cela ils font toute l'Église corrompue afin qu'ils soient saints.

708 (877)
Papes. Les rois disposent de leur empire, mais les papes ne peuvent disposer du leur.

709 (175)
Nous nous connaissons si peu que plusieurs pensent aller mourir quand ils se portent bien et plusieurs pensent se porter bien quand ils sont proches de mourir ne sentant pas la fièvre prochaine ou l'abcès prêt à se former.

710 (24)
Langage.
Il ne faut point détourner l'esprit ailleurs sinon pour le délasser mais dans le temps où cela est à propos; le délasser quand il le faut et non autrement. Car qui délasse hors de propos il lasse et qui lasse hors de propos délasse, car on quitte tout là. Tant la malice de la concupiscence se plaît à faire tout le contraire de ce qu'on veut obtenir de nous sans nous donner du plaisir qui est la monnaie pour laquelle nous donnons tout ce qu'on veut.

711 (301)
Force. Pourquoi suit-on la pluralité ? est-ce à cause qu'ils ont plus de raison ? non, mais plus de force.
Pourquoi suit-on les anciennes lois et anciennes opinions ? est-ce qu'elles sont les plus saines ? non, mais elles sont uniques et nous ôtent la racine de la diversité.

712 (530)
Une personne me disait un jour qu'il avait une grande joie et confiance en sortant de confession. L'autre me disait qu'il restait en crainte. Je pensais sur cela que de ces deux on en ferait un bon et que chacun manquait en ce qu'il n'avait pas le sentiment

de l'autre. Cela arrive de même souvent en d'autres choses.

713 (923)

Ce n'est pas l'absolution seule qui remet les péchés au sacrement de pénitence mais la contrition qui n'est point véritable si elle ne recherche le sacrement.

Ainsi ce n'est pas la bénédiction nuptiale qui empêche le péché dans la génération, mais le désir d'engendrer des enfants à Dieu qui n'est point véritable que dans le mariage.

Et comme un contrit sans sacrement est plus disposé à l'absolution qu'un impénitent avec le sacrement, ainsi les filles de Loth, par exemple, qui n'avaient que le désir des enfants, étaient plus pures sans mariage que les mariés sans désir d'enfant.

714 (944)

Pape. Il y a contradiction, car d'un côté ils disent qu'il faut suivre la tradition et n'oseraient désavouer cela, et de l'autre ils diront ce qu'il leur plaira. On croira toujours ce premier, puisqu'aussi bien ce serait leur être contraire que de ne le pas croire.

715 (118)

Talent principal qui règle tous les autres.

716 (215)

Craindre la mort hors du péril, et non dans le péril, car il faut être homme.

717 (17)

Les rivières sont des chemins qui marchent et qui portent où l'on veut aller.

718 (830)

Les prophéties étaient équivoques : elles ne le sont plus.

719 (788)
Je m'en suis réservé 7.000. J'aime ces adorateurs inconnus au monde et aux prophètes mêmes.

720 (912)
Universel.
Morale et langage sont des sciences particulières mais universelles.

721 (917)
Probabilité.
L'ardeur des saints à chercher le vrai était inutile si le probable est sûr.
La peur des saints qui avaient toujours suivi le plus sûr.
Sainte Thérèse ayant toujours suivi son confesseur.

722 (922)
Probable.
Qu'on voie si on recherche sincèrement Dieu par la comparaison des choses qu'on affectionne.
Il est probable que cette viande ne m'empoisonnera pas.
Il est probable que je ne perdrai pas mon procès en ne sollicitant pas.

Probable.
Quand il serait vrai que les auteurs graves et les raisons suffiraient je dis qu'ils ne sont ni graves, ni raisonnables.
Quoi ! un mari peut profiter de sa femme, selon Molina ! La raison qu'il en donne est-elle raisonnable et la contraire de Lessius l'est-elle encore ?

Oserez-vous ainsi, vous, vous jouer des édits du roi ? ainsi en disant que ce n'est pas se battre en duel que d'aller dans un champ en attendant un homme.

Que l'Église a bien défendu le duel, mais non pas de se promener.

et aussi l'usure, mais non...

Et la simonie mais non...

Et la vengeance mais non...

Et les sodomites mais non...

Et le *quam primum* mais non...

723 (69)

2 Infinis. Milieu.

Quand on lit trop vite ou trop doucement on n'entend rien.

724 (352)

Ce que peut la vertu d'un homme ne se doit pas mesurer par ses efforts mais par son ordinaire.

725 (884 *bis*)

Des pécheurs sans pénitence, des justes sans charité, un Dieu sans pouvoir sur les volontés des hommes, une prédestination sans mystère.

726 (876)

Pape. Dieu ne fait point de miracles dans la conduite ordinaire de son Église. C'en serait un étrange si l'in-faillibilité était dans un, mais d'être dans la multitude cela paraît si naturel, que la conduite de Dieu est cachée sous la nature, comme en tous ses autres ouvrages.

727 (904)

Ils font de l'exception la règle. Les anciens ont donné l'absolution avant la pénitence ? Faites-le en esprit d'exception. Mais de l'exception vous faites une règle sans exception; en sorte que vous ne voulez plus même que la règle soit en exception.

728 (31)

Toutes les fausses beautés que nous blâmons en

Cicéron ont des admirateurs et en grand nombre.
728 (31) Miracles, saint Thomas, t. III, l. VIII,
ch. 20.

729 (931)
Casuistes.
Une aumône considérable, une pénitence raisonnable.
Encore qu'on ne puisse assigner le juste, on voit
bien ce qui ne l'est pas. Les casuistes sont plaisants
de croire pouvoir interpréter cela comme ils font.

Gens qui s'accoutument à mal parler et à mal penser.

Leur grand nombre loin de marquer leur perfection
marque le contraire.

L'humilité d'un seul fait l'orgueil de plusieurs.

SÉRIE XXVI

730 (754)
CC. homo existens (te deum facis).

Scriptum est dii estis et non (potest solvi scriptura).

CC. haec infirmitas non est ad (mortem) sed ad vitam.

Lazarus dormit, et deinde dixit Lazarus mortuus (est).

731 (196)
Ces gens manquent de cœur.

On n'en ferait pas son ami.
732 (38)
Poète et non honnête homme.

733 (862)
L'Église a toujours été combattue par des erreurs
contraires. Mais peut-être jamais en même temps
comme à présent, et si elle en souffre plus à cause de
la multiplicité d'erreurs, elle en reçoit cet avantage
qu'ils se détruisent.

Elle se plaint des deux, mais bien plus des calvinistes à cause du schisme.

Il est certain que plusieurs des deux contraires sont trompés. Il faut les désabuser.

La foi embrasse plusieurs vérités qui semblent se contredire, temps de rire et de pleurer, etc. *responde ne respondeas*, etc.

La source en est l'union des deux natures en J.-C.

Et aussi les deux mondes. La création d'un nouveau ciel et nouvelle terre. Nouvelle vie, nouvelle mort.

Toutes choses doublées et les mêmes noms demeurants.

Et enfin les deux hommes qui sont dans les justes. Car ils sont les deux mondes, et un membre et image de J.-C. Et ainsi tous les noms leur conviennent de justes pécheurs, mort vivant, vivant mort, élu réprouvé, etc.

Il y a donc un grand nombre de vérités, et de foi et de morale qui semblent répugnantes et qui subsistent toutes dans un ordre admirable.

La source de toutes les hérésies est l'exclusion de quelques-unes de ces vérités.

Et la source de toutes les objections que nous font les hérétiques est l'ignorance de quelques-unes de nos vérités.

Et d'ordinaire il arrive que ne pouvant concevoir le rapport de deux vérités opposées, et croyant que l'aveu de l'une enferme l'exclusion de l'autre, ils s'attachent à l'une, ils excluent l'autre et pensent que nous, au contraire. Or l'exclusion est la cause de leur hérésie; et l'ignorance que nous tenons l'autre, cause leurs objections.

2. Exemple. Sur le sujet du Saint-Sacrement nous croyons que la substance du pain étant changée et transubstanciée en celle du corps de N. S. J.-C. y est

présent réellement : voilà une des vérités. Une autre est que ce sacrement est aussi une figure de celui de la croix, et de la gloire, et une commémoration des deux. Voilà la foi catholique qui comprend ces deux vérités qui semblent opposées.

L'hérésie d'aujourd'hui ne concevant pas que ce sacrement contient tout ensemble et la présence de J.-C., et sa figure, et qu'il soit sacrifice, et commémoration de sacrifice, croit qu'on ne peut admettre l'une de ces vérités sans exclure l'autre, pour cette raison.

Ils s'attachent à ce point seul que ce sacrement est figuratif, et en cela ils ne sont pas hérétiques. Ils pensent que nous excluons cette vérité. Et de là vient qu'ils nous font tant d'objections sur les passages des Pères qui le disent. Enfin ils nient la présence et en cela ils sont hérétiques.

1. — Exemple. J.-C. est Dieu et homme. Les Ariens ne pouvant allier ces choses qu'ils croient incompatibles, disent qu'il est homme, en cela ils sont catholiques; mais ils nient qu'il soit Dieu, en cela ils sont hérétiques. Ils prétendent que nous nions son humanité, en cela ils sont ignorants.

3. Exemple. Les indulgences.

C'est pourquoi le plus court moyen pour empêcher les hérésies est d'instruire de toutes les vérités, et le plus sûr moyen de les réfuter est de les déclarer toutes.

Car que diront les hérétiques ?

Pour savoir si un sentiment est d'un Père...

734 (817)
Titre.
D'où vient qu'on croit tant de menteurs qui disent qu'ils ont vu des miracles et qu'on ne croit aucun de ceux qui disent qu'ils ont des secrets pour rendre l'homme immortel ou pour rajeunir.

Ayant considéré d'où vient qu'on ajoute tant de foi à tant d'imposteurs qui disent qu'ils ont des remèdes jusques à mettre souvent sa vie entre leurs mains, il m'a paru que la véritable cause est qu'il y en a de vrais, car il ne serait pas possible qu'il y en eût tant de faux et qu'on y donnât tant de créance s'il n'y en avait de véritables. Si jamais il n'y eût remède à aucun mal et que tous les maux eussent été incurables il est impossible que les hommes se fussent imaginé qu'ils en pourraient donner et encore plus que tant d'autres eussent donné créance à ceux qui se fussent vantés d'en avoir. De même si un homme se vantait d'empêcher de mourir, personne ne le croirait parce que il n'y a aucun exemple de cela. Mais comme il y (a) eu quantité de remèdes qui se sont trouvés véritables par la connaissance même des plus grands hommes la créance des hommes s'est pliée par là et cela s'étant connu possible on a conclu de là que cela était, car le peuple raisonne ordinairement ainsi : une chose est possible, donc elle est. Parce que la chose ne pouvant être niée en général puisqu'il y a des effets particuliers qui sont véritables, le peuple qui ne peut pas discerner quels d'entre ces effets particuliers sont les véritables il les croit tous. De même ce qui fait qu'on croit tant de faux effets de la lune c'est qu'il y en a de vrais comme le flux de la mer. Il en est de même des prophéties, des miracles, des divinations par les songes, des sortilèges, etc., car si de tout cela il n'y avait jamais rien eu de véritable on n'en aurait jamais rien cru et ainsi au lieu de conclure qu'il n'y a point de vrais miracles parce qu'il y en a tant de faux il faut dire au contraire qu'il y a certainement de vrais miracles puisqu'il y en a tant de faux et qu'il n'y en a de faux que par cette raison qu'il y en a de vrais. Il faut raisonner de la même sorte pour la religion car il ne serait pas possible que les hommes se fussent imaginés tant de fausses religions s'il n'y en avait une véritable. L'objection à cela c'est que les sauvages ont une religion, mais on répond à cela que c'est qu'ils ont ouï parler comme il paraît par le déluge, la circoncision, la croix de saint André, etc.

735 (818)

Ayant considéré d'où vient qu'il y a tant de faux miracles, de fausses révélations, sortilèges, etc., il m'a paru que la véritable cause est qu'il y en a de vrais car, il ne serait pas possible qu'il y eût tant de faux miracles s'il n'y en avait de vrais, ni tant de fausses religions s'il n'y en avait une véritable, car s'il n'y avait jamais eu de tout cela il est comme impossible que les hommes se le fussent imaginé et encore plus impossible que tant d'autres l'eussent cru. Mais comme il y a eu de très grandes choses véritables et qu'ainsi elles ont été crues par de grands hommes, cette impression a été cause que presque tout le monde s'est rendu capable de croire aussi les fausses et ainsi au lieu de conclure qu'il n'y a point de vrais miracles puisqu'il y en a tant de faux il faut dire au contraire qu'il y a de vrais miracles puisqu'il y en a tant de faux et qu'il n'y en a de faux que par cette raison qu'il y en a de vrais et qu'il n'y a de même de fausses religions que parce que il y en a une vraie. L'objection à cela que les sauvages ont une religion, mais c'est qu'ils ont ouï parler de la véritable, comme il paraît par la croix de saint André, le Déluge, la circoncision, etc... Cela vient de ce que l'esprit de l'homme se trouvant plié de ce côté-là par la vérité devient susceptible par là de toutes les faussetés de cette...

736 (96)

Lorsqu'on est accoutumé à se servir de mauvaises raisons pour prouver des effets de la nature on ne veut plus recevoir les bonnes lorsqu'elles sont découvertes. L'exemple qu'on en donna fut sur la circulation du sang pour rendre raison pourquoi la veine enfle au-dessous de la ligature.

737 (10) On se persuade mieux pour l'ordinaire par les raisons qu'on a soi-même trouvées que par celles qui sont venues dans l'esprit des autres.

738 (341) L'histoire du brochet et de la grenouille de Liancourt. Ils le font toujours et jamais autrement, ni autre chose d'esprit.

739 (864) La vérité est si obscurcie en ce temps et le mensonge si établi qu'à moins que d'aimer la vérité on ne saurait la connaître.

740 (583) Les (malins) sont gens qui connaissent la vérité mais qui ne la soutiennent qu'autant que leur intérêt s'y rencontre mais hors de là ils l'abandonnent.

741 (340) La machine d'arithmétique fait des effets qui approchent plus de la pensée que tout ce que font les animaux; mais elle ne fait rien qui puisse faire dire qu'elle a de la volonté comme les animaux.

742 (108) Quoique les personnes n'aient point d'intérêt à ce qu'elles disent il ne faut pas conclure de là absolument qu'ils ne mentent point car il y a des gens qui mentent simplement pour mentir.

743 (859) Il y a plaisir d'être dans un vaisseau battu de l'orage lorsqu'on est assuré qu'il ne périra point; les persécutions qui travaillent l'Église sont de cette nature.

744 (18)
Lorsqu'on ne sait pas la vérité d'une chose il est bon qu'il y ait une erreur commune qui fixe l'esprit des hommes comme par exemple la lune à qui on attribue le changement des saisons, le progrès des maladies, etc., car la maladie principale de l'homme est la curiosité inquiète des choses qu'il ne peut savoir et il ne lui est pas si mauvais d'être dans l'erreur que dans cette curiosité inutile.

745 (18 *bis*) La manière d'écrire d'Épictète, de Montaigne et de Salomon de Tultie est la plus d'usage qui s'insinue le mieux, qui demeure plus dans la mémoire et qui se fait le plus citer, parce qu'elle est toute composée de pensées nées sur les entretiens ordinaires de la vie, comme quand on parlera de la commune erreur qui est dans le monde que la lune est cause de tout, on ne manquera jamais de dire que Salomon de Tultie dit que lorsqu'on ne sait pas la vérité d'une chose il est bon qu'il y ait une erreur commune, etc. (qui est la pensée de l'autre côté).

746 (787)
Sur ce que Josèphe ni Tacite, et les autres historiens, n'ont point parlé de J.-C.

Tant s'en faut que cela fasse contre, qu'au contraire cela fait pour. Car il est certain que J.-C. a été et que sa religion a fait grand bruit et que ces gens-là ne l'ignoraient pas et qu'ainsi il est visible qu'ils ne l'ont celé qu'à dessein ou bien qu'ils en ont parlé et qu'on l'a supprimé, ou changé.

747 (589)
Sur ce que la religion chrétienne n'est pas unique.

Tant s'en faut que ce soit une raison qui fasse croire qu'elle n'est pas la véritable, qu'au contraire c'est ce qui fait voir qu'elle l'est.

748 (239)
Obj. Ceux qui espèrent leur salut sont heureux en cela, mais ils ont pour contrepoids la crainte de l'enfer.

Resp. Qui a plus sujet de craindre l'enfer, ou celui qui est dans l'ignorance s'il y a un enfer, et dans la certitude de la damnation s'il y en a; ou celui qui est dans une certaine persuasion qu'il y a un enfer, et dans l'espérance d'être sauvé s'il est.

749 (456)
Quel dérèglement de jugement par lequel il n'y a personne qui ne se mette au-dessus de tout le reste du monde, et qui n'aime mieux son propre bien et la durée de son bonheur et de sa vie que celle de tout le reste du monde.

750 (176)
Cromwell allait ravager toute la chrétienté; la famille royale était perdue, et la sienne à jamais puissante sans un petit grain de sable qui se mit dans son uretère.

Rome même allait trembler sous lui. Mais ce gravier s'étant mis là, il est mort, sa famille abaissée, tout en paix, et le roi rétabli.

751 (3)

Ceux qui sont accoutumés à juger par le sentiment ne comprennent rien aux choses de raisonnement. Car ils veulent d'abord pénétrer d'une vue et ne sont point accoutumés à chercher les principes, et les autres au contraire qui sont accoutumés à raisonner par principes, ne comprennent rien aux choses de sentiment y cherchant des principes et ne pouvant voir d'une vue.

752 (866)

Deux sortes de gens égalent les choses, comme les fêtes aux jours ouvriers, les chrétiens aux prêtres; tous les péchés entre eux, etc. Et de là les uns concluent que ce qui est donc mal aux prêtres l'est aussi aux chrétiens, et les autres que ce qui n'est pas mal aux chrétiens est permis aux prêtres.

753 (179)

Quand Auguste eut appris qu'entre les enfants qu'Hérode avait fait mourir, au-dessous de l'âge de deux ans, était son propre fils, il dit qu'il était meilleur d'être le pourceau d'Hérode que son fils. Macrobe, livre II, *Sat.*, chap. IV.

754 (501)

1er Degré, être blâmé en faisant mal ou loué en faisant bien.

2e Degré. n'être ni loué, ni blâmé.

755 (258)

Unusquisque sibi deum fingit.

Le dégoû(t)

756 (365)

Pensée.

Toute la dignité de l'homme est en la pensée, mais qu'est-ce que cette pensée ? qu'elle est sotte ?

La pensée est donc une chose admirable et incomparable par sa nature. Il fallait qu'elle eût d'étranges défauts pour être méprisable, mais elle en a de tels que rien n'est plus ridicule. Qu'elle est grande par sa nature, qu'elle est basse par ses défauts.

757 (212) L'écoulement.
C'est une chose horrible de sentir s'écouler tout ce qu'on possède.

758 (857)
Clarté. Obscurité.
Il y aurait trop d'obscurité si la vérité n'avait pas des marques visibles. C'en est une admirable d'être toujours dans une Église et assemblée visible. Il y aurait trop de clarté s'il n'y avait qu'un sentiment dans cette Église. Celui qui a toujours été est le vrai, car le vrai y a toujours été, et aucun faux n'y a toujours été.

759 (346)
Pensée fait la grandeur de l'homme.

760 (568)
Ob. Visiblement l'Écriture pleine de choses non dictées, du Saint-Esprit.
R. Elles ne nuisent donc point à la foi.
Ob. Mais l'Église a décidé que tout est du Saint-Esprit.
R. Je réponds deux choses : 1. que l'Église n'a jamais décidé cela, l'autre que quand elle l'aurait décidé cela se pourrait soutenir.

761 (568)
Il (y) a beaucoup d'esprits faux.

762 (568)
Denys a la charité, il était en place.

763 (633)
Les prophéties citées dans l'Évangile vous croyez qu'elles sont rapportées pour vous faire croire ? non, c'est pour vous éloigner de croire.

764 (11)

Tous les grands divertissements sont dangereux pour la vie chrétienne; mais entre tous ceux que le monde a inventés, il n'y en a point qui soit plus à craindre que la comédie. C'est une représentation si naturelle et si délicate des passions, qu'elle les émeut et les fait naître dans notre cœur, et surtout celle de l'amour; principalement lorsqu'on (*le*) représente fort chaste et fort honnête. Car plus il paraît innocent aux âmes innocentes, plus elles sont capables d'en être touchées; sa violence plaît à notre amour-propre, qui forme aussitôt un désir de causer les mêmes effets, que l'on voit si bien représentés; et l'on se fait en même temps une conscience fondée sur l'honnêteté des sentiments qu'on y voit, qui ôtent la crainte des âmes pures, qui s'imaginent que ce n'est pas blesser la pureté, d'aimer d'un amour qui leur semble si sage.

Ainsi l'on s'en va de la comédie le cœur si rempli de toutes les beautés et de toutes les douceurs de l'amour et l'âme et l'esprit si persuadés de son innocence, qu'on est tout préparé à recevoir ses premières impressions, ou plutôt à chercher l'occasion de les faire naître dans le cœur de quelqu'un, pour recevoir les mêmes plaisirs et les mêmes sacrifices que l'on a vus si bien dépeints dans la comédie.

765 (39)

Si la foudre tombait sur les lieux bas, etc., les poètes et ceux qui ne savent raisonner que sur les choses de cette nature manqueraient de preuves.

766 (8)

Il y a beaucoup de personnes qui entendent le sermon de la même manière qu'ils entendent vêpres.

767 (306)

Comme les duchés, et royautés, et magistratures sont réelles et nécessaires (à cause de ce que la force règle tout) il y en a partout et toujours, mais parce que ce n'est que fantaisie qui fait qu'un tel ou telle le soit, cela n'est pas constant, cela est sujet à varier, etc.

768 (345)

La raison nous commande bien plus impérieuse-
ment qu'un maître car en désobéissant à l'un on est
malheureux et en désobéissant à l'autre on est un sot.

769 (903)

(*State super vias et interrogate de semitis antiquis et
ambulate in eis et dixerunt non ambulabimus, sed post cogitationes nostras ibimus. Ils ont dit aux peuples : venez avec
nous, suivons les opinions des nouveaux auteurs ; la raison
naturelle sera notre guide ; nous serons comme les autres
peuples qui suivent chacun sa lumière naturelle. Les philosophes ont*)

Toutes les religions et les sectes du monde ont
eu la raison naturelle pour guide; les seuls chrétiens
ont été astreints à prendre leurs règles hors d'eux-mêmes,
et à s'informer de celles que J.-C. a laissées aux anciens
pour nous et retransmises aux fidèles. Cette contrainte
lasse ces bons Pères. Ils veulent avoir comme les autres
peuples la liberté de suivre leurs imaginations. C'est
en vain que nous leur crions comme les prophètes
disaient autrefois aux Juifs; allez au milieu de l'église,
informez-vous des voies que les anciens lui ont laissées
et suivez ces sentiers. Ils ont répondu comme les Juifs :
nous n'y marcherons point mais nous suivrons les
pensées de notre cœur. Et ils ont dit : nous serons
comme les autres peuples.

SÉRIE XXVII

770 (103)

L'exemple de la chasteté d'Alexandre n'a pas tant
fait de continents que celui de son ivrognerie a fait
d'intempérants. Il n'est pas honteux de n'être pas aussi
vertueux que lui, et il semble excusable de n'être pas
plus vicieux que lui. On croit n'être pas tout à fait
dans les vices du commun des hommes quand on se
voit dans les vices de ces grands hommes. Et cepen-

dant on ne prend pas garde qu'ils sont en cela du commun des hommes. On tient à eux par le bout par où ils tiennent au peuple. Car quelque élevés qu'ils soient si sont-ils unis aux moindres des hommes par quelque endroit. Ils ne sont pas suspendus en l'air tous abstraits de notre société. Non, non s'ils sont plus grands que nous c'est qu'ils ont la tête plus élevée, mais ils ont les pieds aussi bas que les nôtres. Ils sont tous à même niveau et s'appuient sur la même terre, et par cette extrémité ils sont aussi abaissés que nous que les plus petits, que les enfants, que les bêtes.

771 (355)
L'éloquence continue ennuie.

Les princes et rois jouent quelquefois. Ils ne sont pas toujours sur leurs trônes. Ils s'y ennuient. La grandeur a besoin d'être quittée pour être sentie. La continuité dégoûte en tout. Le froid est agréable pour se chauffer.

La nature agit par progrès. *Itus et reditus*, elle passe et revient, puis va plus loin, puis deux fois moins, puis plus que jamais, etc. AAA.

Le flux de la mer se fait ainsi AAAAAAA, le soleil semble marcher ainsi.

772 (58)
Vous avez mauvaise grâce — excusez-moi s'il vous plaît; sans cette excuse je n'eusse point aperçu qu'il y eût d'injure.

Révérence parler, il n'y a rien de mauvais que leur excuse.

773 (135)
Rien ne nous plaît que le combat mais non pas la victoire.

On aime à voir les combats des animaux, non le vainqueur acharné sur le vaincu. Que voulait-on voir sinon la fin de la victoire et dès qu'elle est arrivée on en est saoul. Ainsi dans le jeu, ainsi dans la recherche de la vérité. On aime à voir dans les disputes le combat

des opinions mais de contempler la vérité trouvée ?
point du tout. Pour la faire remarquer avec plaisir il
faut la faire voir naître de la dispute. De même dans
les passions il y a du plaisir à voir deux contraires
se heurter, mais quand l'une est maîtresse ce n'est plus
que brutalité.

Nous ne cherchons jamais les choses, mais la recherche des choses. Ainsi dans les comédies les scènes
contentes, sans crainte, ne valent rien, ni les extrêmes
misères sans espérance, ni les amours brutaux, ni les
sévérités âpres.

774 (497)

Contre ceux qui sur la confiance de la miséricorde
de Dieu demeurent dans la nonchalance sans faire de
bonnes œuvres.

Comme les deux sources de nos péchés sont l'orgueil et la paresse Dieu nous a découvert deux qualités
en lui pour les guérir, sa miséricorde et sa justice.
Le propre de la justice est d'abattre l'orgueil, quelque
saintes que soient les œuvres, et *non intres in judicium*,
etc. et le propre de la miséricorde est de combattre
la paresse en invitant aux bonnes œuvres selon ce
passage : La miséricorde de Dieu invite à pénitence
et cet autre des Ninivites : faisons pénitence pour voir
si par aventure il aura pitié de nous. Et ainsi tant s'en
faut que la miséricorde autorise le relâchement que
c'est au contraire la qualité qui le combat formellement.
De sorte qu'au lieu de dire : s'il n'y avait point en Dieu
de miséricorde il faudrait faire toutes sortes d'efforts
pour la vertu; il faut dire au contraire, que c'est parce
qu'il y a en Dieu de la miséricorde qu'il faut faire toutes
sortes d'efforts.

775 (899)

*Contre ceux qui abusent des passages de l'Écriture et
qui se prévalent de ce qu'ils en trouvent quelqu'un qui semble
favoriser leur erreur.* — Le chapitre de Vêpres, le diman-
che de la Passion, l'oraison pour le roi.

Explication de ces paroles : " Qui n'est pas pour

moi est contre moi. " Et de ces autres : " Qui n'est point contre vous est pour vous. " Une personne qui dit : " Je ne suis ni pour ni contre "; on doit lui répondre...

776 (858)
L'histoire de l'Église doit être proprement appelée l'histoire de la vérité.

777 (847)
Une des antiennes des vêpres de Noël : *Exortum est in tenebris lumen rectis corde.*

778 (68)
On n'apprend point aux hommes à être honnestes hommes, et on leur apprend tout le reste. Et ils ne se piquent jamais tant de savoir rien du reste comme d'être honnestes hommes. Ils ne se piquent de savoir que la seule chose qu'ils n'apprennent point.

779 (88)
Les enfants qui s'effrayent du visage qu'ils ont barbouillé. Ce sont des enfants; mais le moyen que ce qui est si faible étant enfant soit bien fort étant plus âgé ! on ne fait que changer de fantaisie. Tout ce qui se perfectionne par progrès périt aussi par progrès. Tout ce qui a été faible ne peut jamais être absolument fort. On a beau dire : il est crû, il est changé, il est aussi le même.

780 (62)
Préface de la première partie.
Parler de ceux qui ont traité de la connaissance de soi-même, des divisions de Charron, qui attristent et ennuient. De la confusion de Montaigne, qu'il avait bien senti le défaut d'une droite méthode. Qu'il l'évitait en sautant de sujet en sujet, qu'il cherchait le bon air.
Le sot projet qu'il a de se peindre et cela non pas en passant et contre ses maximes, comme il arrive à tout le monde de faillir, mais par ses propres maximes et par un dessein premier et principal. Car de dire des sottises par hasard et par faiblesse c'est un mal ordinaire,

mais d'en dire par dessein c'est ce qui n'est pas supportable et d'en dire de telles que celles-ci...

781 (242)
Préface de la seconde partie.
Parler de ceux qui ont traité de cette matière.
J'admire avec quelle hardiesse ces personnes entreprennent de parler de Dieu.

En adressant leurs discours aux impies leur premier chapitre est de prouver la divinité par les ouvrages de la nature. Je ne m'étonnerais pas de leur entreprise s'ils adressaient leurs discours aux fidèles, car il est certain que ceux qui ont la foi vive dedans le cœur voient incontinent que tout ce qui est n'est autre chose que l'ouvrage du Dieu qu'ils adorent, mais pour ceux en qui cette lumière est éteinte et dans lesquels on a dessein de la faire revivre, ces personnes destituées de foi et de grâce, qui recherchant de toute leur lumière tout ce qu'ils voient dans la nature qui les peut mener à cette connaissance ne trouvent qu'obscurité et ténèbres, dire à ceux-là qu'ils n'ont qu'à voir la moindre des choses qui les environnent et qu'ils y verront Dieu à découvert et leur donner pour toute preuve de ce grand et important sujet le cours de la lune et des planètes et prétendre avoir achevé sa preuve avec un tel discours, c'est leur donner sujet de croire que les preuves de notre religion sont bien faibles et je vois par raison et par expérience que rien n'est plus propre à leur en faire naître le mépris. Ce n'est pas de cette sorte que l'Écriture qui connaît mieux les choses qui sont de Dieu en parle. Elle dit au contraire que Dieu est un Dieu caché et que depuis la corruption de la nature il les a laissés dans un aveuglement dont ils ne peuvent sortir que par J.-C., hors duquel toute communication avec Dieu est ôtée. *Nemo novit patrem nisi filius et cui filius voluit revelare.*

C'est ce que l'Écriture nous marque quand elle dit en tant d'endroits que ceux qui cherchent Dieu le trouvent. Ce n'est point de cette lumière qu'on parle comme le jour en plein midi. On ne dit point que ceux qui cherchent le jour en plein midi ou de l'eau dans la

mer en trouveront et ainsi il faut bien que l'évidence de
Dieu ne soit pas telle dans la nature. Aussi elle nous
dit ailleurs : *vere tu es deus absconditus.*

782 (266)

Combien les lunettes nous ont-elles découvert
d'êtres qui n'étaient point pour nos philosophes d'auparavant ! On entreprenait franchement l'Écriture sainte
sur le grand nombre des étoiles en disant : il n'y en a
que 1.022, nous le savons.

Il y a des herbes sur la terre, nous les voyons;
de la lune on ne les verrait pas. Et sur ces herbes des
poils et dans ces poils de petits animaux mais après
cela plus rien, ô présomptueux !

Les mixtes sont composés d'éléments et les éléments
non; ô présomptueux voici un trait délicat.

Il ne faut pas dire qu'il y a ce qu'on ne voit pas.
Il faut donc dire comme les autres, mais ne pas penser
comme eux.

783 (357)

Quand on veut poursuivre les vertus jusqu'aux
extrêmes de part et d'autre, il se présente des vices
qui s'y insinuent insensiblement dans leurs routes
insensibles du côté du petit infini et il se présente des
vices en foule du côté du grand infini de sorte qu'on
se perd dans les vices et on ne voit plus les vertus. —
On se prend à la perfection même.

784 (23)

Les mots diversement rangés font un divers sens.
Et les sens diversement rangés font différents effets.

785 (776)

Ne timeas pusillus grex ; Timore et tremore.
Quid ergo, ne timeas, modo timeas.
Ne craignez point, pourvu que vous craignez,
mais si vous ne craignez pas, craignez.

Qui me recipit, non me recipit sed eum qui me misit.
Nemo scit neque filius.

786 (865)
S'il y a jamais un temps auquel on doive faire profession des deux contraires c'est quand on reproche
qu'on en omet un; donc les Jésuites et les jansénistes
ont tort en les celant, mais les jansénistes plus, car les
Jésuites en ont mieux fait profession des deux.

787 (943)
M. de Condren. Il n'y a point, dit-il, de comparaison
de l'union des saints à celle de la sainte Trinité.

J.-C. dit le contraire.

788 (486)
La dignité de l'homme consistait dans son innocence
à user et dominer sur les créatures, mais aujourd'hui
à s'en séparer, et s'y assujétir.

789 (50)
Les sens.

Un même sens change selon les paroles qui l'expriment. Les sens reçoivent des paroles leur dignité au
lieu de la leur donner. Il en faut chercher des exemples.

790 (627)
Je crois que Josué a le premier du peuple de Dieu
ce nom. Comme Jésus-Christ le dernier du peuple de
Dieu.

785 (776)
Nubes lucida obumbravit.

Saint Jean devait convertir les cœurs des pères aux
enfants, et J.-C. mettre la division; sans contradiction.

791 (777)
Les effets *in communi* et *in particulari.*

Les semi-pélagiens errent en disant de *in communi*
ce qui n'est vrai que *in particulari* et les calvinistes en
disant *in particulari,* ce qui est vrai *in communi,* ce me
semble.

SÉRIE XXVIII

792 (101)
Je mets en fait que si tous les hommes savaient
ce qu'ils disent les uns des autres il n'y aurait pas

4 amis dans le monde. Cela paraît par les querelles que causent les rapports indiscrets qu'on en fait quelquefois.

793 (737)

De là je refuse toutes les autres religions

Par là je trouve réponse à toutes les objections.

Il est juste qu'un Dieu si pur ne se découvre qu'à ceux dont le cœur est purifié.

De là cette religion m'est aimable et je la trouve déjà assez autorisée par une si divine morale, mais j'y trouve de plus.

Je trouve d'effectif que depuis que la mémoire des hommes dure, voici un peuple qui subsiste plus ancien que tout autre peuple.

Il est annoncé constamment aux hommes qu'ils sont dans une corruption universelle, mais qu'il viendra un Réparateur.

Que ce n'est pas un homme qui le dit, mais une infinité d'hommes, et un peuple entier, prophétisant le fait exprès durant 4.000 ans; les livres dispersés durant 400 ans.

Plus je les examine plus j'y trouve de vérité. Un peuple entier le prédit avant sa venue, un peuple entier l'adore après sa venue; et ce qui a précédé et ce qui a suivi; Et cette synagogue qui l'a précédé (*et ce nombre de juifs*) misérables et sans prophètes, qui le suivent et qui étant tous ennemis sont d'admirables témoins pour nous de la vérité de ces prophéties où leur misère et leur aveuglement est prédit. Enfin eux sans idoles ni roi.

Les ténèbres des juifs effroyables et prédites. *Eris palpans in meridie. Dabitur liber scienti litteras et dicet non possum legere.*

Le sceptre étant encore entre les mains du premier usurpateur étranger.

Le bruit de la venue de J.-C.

J'admire une première et auguste religion, toute divine dans son autorité, dans sa durée, dans sa perpétuité, dans sa morale, dans sa conduite, dans sa doctrine, dans ses effets et

Ainsi je tends les bras à mon Libérateur, qui ayant été prédit durant 4.000 ans est venu souffrir et mourir pour moi sur la terre dans les temps et dans toutes les circonstances qui en ont été prédites, et par sa grâce j'attends la mort en paix dans l'espérance de lui être éternellement uni et je vis cependant avec joie, soit dans les biens qu'il lui plaît de me donner, soit dans les maux qu'il m'envoie pour mon bien et qu'il m'a appris à souffrir par son exemple.

794 (393)

C'est une plaisante chose à considérer de ce qu'il y a des gens dans le monde qui ayant renoncé à toutes les lois de Dieu de la nature, s'en sont faits eux-mêmes auxquelles ils obéissent exactement comme par exemple les soldats de Mahomet, etc., les voleurs, les hérétiques, etc., et ainsi les logiciens.

Il semble que leur licence doivent être sans aucunes bornes, ni barrières voyant qu'ils en ont franchi tant de si justes et de si saintes.

795 (160)

L'éternuement absorbe toutes les fonctions de l'âme aussi bien que la besogne, mais on n'en tire pas les mêmes conséquences contre la grandeur de l'homme parce que c'est contre son gré et quoiqu'on se le procure néanmoins c'est contre son gré qu'on se le procure. Ce n'est pas en vue de la chose même c'est pour une autre fin. Et ainsi ce n'est pas une marque de la faiblesse de l'homme, et de sa servitude sous cette action.

Il n'est pas honteux à l'homme de succomber sous la douleur, et il lui est honteux de succomber sous le plaisir. Ce qui ne vient pas de ce que la douleur nous vient d'ailleurs, et que nous recherchons le plaisir. Car on peut rechercher la douleur et y succomber à dessein sans ce genre de bassesse. D'où vient donc qu'il est glorieux à la raison de succomber sous l'effort de la douleur, et qu'il lui est honteux de succomber sous l'effort du plaisir ? c'est que ce n'est pas la douleur qui nous tente et nous attire; c'est nous-mêmes qui volontairement la choisissons et voulons la faire dominer sur nous, de sorte que nous sommes maîtres de la chose, et en cela c'est l'homme qui succombe à soi-même. Mais dans le plaisir c'est l'homme qui succombe au plaisir. Or il n'y a que la maîtrise et l'empire qui fasse la gloire, et que la servitude qui fasse honte.

796 (314)
Dieu
a créé tout pour soi.
a donné puissance de peines et de biens pour soi.

Vous pouvez l'appliquer à Dieu ou à vous.

Si à Dieu l'Évangile est la règle.
Si à vous, vous tiendrez la place de Dieu.

Comme Dieu est environné de gens pleins de charité qui lui demandent les biens de la charité qui sont en sa puissance, ainsi

Connaissez-vous donc et sachez que vous n'êtes qu'un roi de concupiscence et prenez les voies de la concupiscence.

797 (310)
Roi, et tyran.

J'aurai aussi mes pensées de derrière la tête.
Je prendrai garde à chaque voyage.

Grandeur d'établissement, respect d'établissement.

Le plaisir des Grands est de pouvoir faire des heureux.

Le propre de la richesse est d'être donnée libéralement.

Le propre de chaque chose doit être cherché. Le propre de la puissance est de protéger.

Quand la force attaque la grimace, quand un simple soldat prend le bonnet carré d'un premier président et le fait voler par la fenêtre,

798 (41)
Épigrammes de Martial.

L'homme aime la malignité mais ce n'est pas contre les borgnes, ou les malheureux, mais contre les heureux superbes. On se trompe autrement, car la concupiscence est la source de tous nos mouvements, et l'humanité,

Il faut plaire à ceux qui ont les sentiments humains et tendres.

Celle des deux borgnes ne vaut rien, car elle ne les console pas et ne fait que donner une pointe à la gloire de l'auteur.

Tout ce qui n'est que pour l'auteur ne vaut rien. *Ambitiosa recidet ornamenta.*

SÉRIE XXIX

799 (612)
Gen. 17. *Statuam pactum meum inter me et te foedere sempiterno ut sim deus tuus.*
Et tu ergo custodies pactum meum.

800 (532)
L'Écriture a pourvu de passages pour consoler toutes les conditions et pour intimider toutes les conditions.

La nature semble avoir fait la même chose par ces deux infinis naturels et moraux. Car nous aurons toujours du dessus et du dessous, de plus habiles et de moins habiles, de plus élevés et de plus misérables, pour abaisser notre orgueil et relever notre abjection.

801 (666)
Fascinatio — Somnum suum — figura hujus mundi.

Eucharistie.
Comedes panem tuum — panem nostrum.

Inimici dei terram lingent. Les pécheurs lèchent la terre, c'est-à-dire aiment les plaisirs terrestres.

L'ancien Testament contenait les figures de la joie future et le nouveau contient les moyens d'y arriver.

Les figures étaient de joie, les moyens de pénitence, et néanmoins l'agneau pascal était mangé avec des laitues sauvages, *cum amaritudinibus.*

Singularis sum ego donec transeam. J.-C. avant sa mort était presque seul de martyr.

802 (122)

Le temps guérit les douleurs et les querelles parce qu'on change. On n'est plus la même personne; ni l'offensant, ni l'offensé ne sont plus eux-mêmes. C'est comme un peuple qu'on a irrité et qu'on reverrait après deux générations. Ce sont encore les Français mais non les mêmes.

803 (386)

Si nous rêvions toutes les nuits la même chose elle nous affecterait autant que les objets que nous voyons tous les jours. Et si un artisan était sûr de rêver toutes les nuits douze heures durant qu'(il) est roi, je crois qu'il serait presque aussi heureux qu'un roi qui rêverait toutes les nuits douze heures durant qu'il serait artisan.

Si nous rêvions toutes les nuits que nous sommes poursuivis par des ennemis et agités par ces fantômes pénibles, et qu'on passât tous les jours en diverses occupations comme quand on fait voyage on souffrirait presque autant que si cela était véritable et on appréhenderait le dormir comme on appréhende le réveil, quand on craint d'entrer dans de tels malheurs en effet. Et en effet il ferait à peu près les mêmes maux que la réalité.

Mais parce que les songes sont tous différents et que l'un même se diversifie, ce qu'on y voit affecte bien moins que ce qu'on voit en veillant, à cause de la continuité qui n'est pourtant pas si continue et égale qu'elle ne change aussi, mais moins brusquement, si ce n'est rarement comme quand on voyage et alors on dit : il me semble que je rêve; car la vie est un songe un peu moins inconstant.

804 (447)

Dira(-t-)on que, pour avoir dit que la justice est partie de la terre, les hommes aient connu le péché originel ? *Nemo ante obitum beatus.* Est-ce à dire qu'ils aient connu qu'à la mort la béatitude éternelle et essentielle commençait ?

805 (106)

En sachant la passion dominante de chacun on est sûr de lui plaire, et néanmoins chacun a ses fantaisies contraires à son propre bien dans l'idée même qu'il a du bien, et c'est une bizarrerie qui met hors de gamme.

806 (147)

Nous ne nous contentons pas de la vie que nous avons en nous et en notre propre être. Nous voulons vivre dans l'idée des autres d'une vie imaginaire et nous nous efforçons pour cela de paraître. Nous travaillons incessamment à embellir et conserver notre être imaginaire et négligeons le véritable. Et si nous avons ou la tranquillité ou la générosité, ou la fidélité nous nous empressons de le faire savoir afin d'attacher ces vertus-là à notre autre être et les détacherions plutôt de nous pour les joindre à l'autre. Nous serions de bon cœur poltrons pour en acquérir la réputation d'être vaillants. Grande marque du néant de notre propre être de n'être pas satisfait de l'un sans l'autre et d'échanger souvent l'un pour l'autre. Car qui ne mourrait pour conserver son honneur celui-là serait infâme.

807 (519)

Joh. 8.

Multi crediderunt in eum.

Dicebat ergo Jesus, si manseritis vere mei discipuli eritis et veritas liberabit vos.

Responderunt semen abrahae sumus et nemini servimus unquam.

Il y a bien de la différence entre les disciples et les vrais disciples. On les reconnaît en leur disant que la vérité les rendra libres. Car ils répondent qu'ils sont libres et qu'il est en eux de sortir de l'esclavage du diable. Ils sont bien disciples, mais non pas vrais disciples.

808 (245)

Il y a trois moyens de croire : la raison, la coutume, (l')inspiration. La religion chrétienne qui seule a la raison n'admet point pour ses vrais enfants ceux qui croient sans inspiration. Ce n'est pas qu'elle exclue la raison et la coutume, au contraire; mais il faut ouvrir son esprit aux preuves, s'y confirmer par la coutume, mais s'offrir par les humiliations aux inspirations, qui seules peuvent faire le vrai et salutaire effet, *ne evacuetur crux Christi.*

809 (230)

Incompréhensible que Dieu soit et incompréhensible qu'il ne soit pas, que l'âme soit avec le corps, que nous n'ayons point d'âme, que le monde soit créé, qu'il ne soit pas, etc., que le péché originel soit et qu'il ne soit pas.

810 (193)

Quid fiet hominibus qui minima contemnunt majora non credunt.

811 (741)

Les deux plus anciens livres du monde sont Moïse et Job. L'un juif l'autre païen qui tous deux regardent J.-C. comme leur centre commun et leur objet, Moïse en rapportant les promesses de Dieu à Abraham, Jacob, etc. et ses prophéties, et Job. *Quis mihi det ut* etc. *Scio enim quod redemptor meus vivit,* etc.

812 (798)

Le style de l'Évangile est admirable en tant de manières et entre autres en ne mettant jamais aucune invective contre les bourreaux et ennemis de J.-C.

Car il n'y en a aucune des historiens contre Judas, Pilate, ni aucun des Juifs.

Si cette modestie des historiens évangéliques avait été affectée aussi bien que tant d'autres traits d'un si beau caractère, et qu'ils ne l'eussent affecté que pour le faire remarquer ils — s'ils n'avaient osé le remarquer eux-mêmes — n'auraient pas manqué de se procurer des amis qui eussent fait ces remarques à leur avantage, mais comme ils ont agi de la sorte sans affectation et par un mouvement tout désintéressé ils ne l'ont fait remarquer à personne et je crois que plusieurs de ces choses n'ont point été remarquées jusqu'ici; et c'est ce qui témoigne la froideur avec laquelle la chose a été faite.

813 (895)
Jamais on ne fait le mal si pleinement et si gaîment que quand on le fait par conscience.

814 (6)
Comme on se gâte l'esprit on se gâte aussi le sentiment.

On se forme l'esprit et le sentiment par les conversations, on se gâte l'esprit et le sentiment par les conversations. Ainsi les bonnes ou les mauvaises le forment ou le gâtent. Il importe donc de tout de bien savoir choisir pour se le former et ne le point gâter. Et on ne peut faire ce choix si on ne l'a déjà formé et point gâté. Ainsi cela fait un cercle dont sont bienheureux ceux qui sortent.

815 (259)
Le monde ordinaire a le pouvoir de ne pas songer à ce qu'il ne veut pas songer. Ne pensez point aux passages du Messie, disait le Juif à son fils. Ainsi font les nôtres souvent, ainsi se conservent les fausses religions et la vraie même à l'égard de beaucoup de gens.

Mais il y en a qui n'ont pas le pouvoir de s'empêcher ainsi de songer et qui songent d'autant plus qu'on leur défend. Ceux-là se défont des fausses religions et de la vraie même s'ils ne trouvent des discours solides.

816 (240)

J'aurais bientôt quitté les plaisirs, disent-ils, si j'avais la foi. Et moi je vous dis : vous auriez bientôt la foi si vous aviez quitté les plaisirs. Or c'est à vous à commencer. Si je pouvais je vous donnerais la foi. Je ne puis le faire ni partant éprouver la vérité de ce que vous dites, mais vous pouvez bien quitter les plaisirs et éprouver si ce que je dis est vrai.

817 (615)

On a beau dire : il faut avouer que la religion chrétienne a quelque chose d'étonnant. C'est parce que vous y êtes né dira(-t-)on. Tant s'en faut je me roidis contre par cette raison-là même, de peur que cette prévention ne me suborne, mais quoi que j'y sois né je ne laisse pas de le trouver ainsi.

818 (782)

La victoire sur la mort. Que sert à l'homme de gagner tout le monde s'il perd son âme. Qui veut garder son âme la perdra.

Je ne suis pas venu détruire la loi mais l'accomplir.

Les agneaux n'ôtaient point les péchés du monde mais je suis l'agneau qui ôte les péchés.

Moïse ne vous a point donné le pain du ciel.

Moïse ne vous a point tirés de captivité et ne vous a pas rendus véritablement libres.

819 (712)

Les prophéties mêlées des choses particulières et de celles du Messie afin que les prophéties du Messie ne fussent pas sans preuve et que les prophéties particulières ne fussent pas sans fruit.

820 (561)

Il y a deux manières de persuader les vérités de notre religion, l'une par la force de la raison, l'autre par l'autorité de celui qui parle.

On ne se sert point de la dernière mais de la première. On ne dit point : il faut croire cela car l'Écriture qui le dit est divine, mais on dit qu'il le faut croire par telle et telle raison, qui sont de faibles arguments, la raison étant flexible à tout.

SÉRIE XXX

821 (252)

Car il ne faut pas se méconnaître, nous sommes automate autant qu'esprit. Et de là vient que l'instrument par lequel la persuasion se fait n'est pas la seule démonstration. Combien y a(-t-)il peu de choses démontrées ? Les preuves ne convainquent que l'esprit, la coutume fait nos preuves les plus fortes et les plus crues. Elle incline l'automate qui entraîne l'esprit sans qu'il y pense. Qui a démontré qu'il sera demain jour et que nous mourrons, et qu'y a(-t-)il de plus cru ? C'est donc la coutume qui nous en persuade. C'est elle qui fait tant de chrétiens, c'est elle qui fait les Turcs, les païens, les métiers, les soldats, etc. Il y a la foi reçue dans le baptême de plus aux chrétiens qu'aux païens. Enfin il faut avoir recours à elle quand une fois l'esprit a vu où est la vérité afin de nous abreuver et nous teindre de cette créance qui nous échappe à toute heure, car d'en avoir toujours les preuves présentes c'est trop d'affaire. Il faut acquérir une créance plus facile qui est celle de l'habitude qui sans violence, sans art, sans argument nous fait croire les choses et incline toutes nos puissances à cette croyance, en sorte que notre âme y tombe naturellement. Quand on ne croit que par la force de la conviction et que l'automate est incliné à croire le contraire ce n'est pas assez. Il faut donc faire croire nos deux pièces, l'esprit par les raisons qu'il suffit d'avoir vues une fois en sa vie et l'automate par la coutume, et en ne lui permettant pas de s'incliner au contraire. *Inclina cor meum deus.*

La raison agit avec lenteur et avec tant de vues sur tant de principes, lesquels il faut qu'ils soient toujours présents, qu'à toute heure elle s'assoupit ou s'égare manque d'avoir tous ses principes présents. Le sentiment n'agit pas ainsi; il agit en un instant et toujours eſt prêt à agir. Il faut donc mettre notre foi dans le sentiment, autrement elle sera toujours vacillante.

432 (194 *bis* et *ter*)

(1.) (*On doit avoir pitié des uns et des autres, mais on doit avoir pour les uns une pitié qui naît de tendresse, et pour les autres une pitié qui naît de mépris.*

(2.) *Il faut bien être dans la religion qu'ils méprisent pour ne les pas mépriser.*

(3.) *Cela n'eſt point du bon air.*

(4.) *Cela montre qu'il n'y a rien à leur dire non par mépris, mais parce qu'ils n'ont pas le sens commun. Il faut que Dieu les touche.*

(5.) *Les gens de cette sorte sont académiſtes, écoliers, et c'eſt le plus méchant caractère d'hommes que je connaisse.*

(6.) *Vous me convertirez.*

(7-22). *Je ne prends point cela par bigoterie, mais par la manière dont le cœur de l'homme eſt fait, non par un zèle de dévotion et de détachement, mais par un principe purement humain et par un mouvement d'intérêt et d'amour-propre.*

(8.) *Il eſt sans doute qu'il n'y a point de bien sans la connaissance de Dieu; qu'à mesure qu'on en approche on eſt heureux et que le dernier bonheur eſt de le connaître avec certitude; qu'à mesure qu'on s'en éloigne on eſt malheureux et que le dernier malheur serait la certitude du contraire.*

(9.) *C'eſt donc un malheur que de douter, mais c'eſt un devoir indiſpensable de chercher dans le doute et ainsi celui qui doute et qui ne cherche pas, eſt tout ensemble malheureux et injuſte; que s'il eſt avec cela gai et présomptueux, je n'ai point de terme pour qualifier une si extravagante créature.*

(10.) N'eſt-ce pas assez qu'il se fasse des miracles en un lieu et que la providence paraisse sur un peuple.

(11.) Cependant il eſt certain que l'homme eſt si

dénaturé qu'il y a dans son cœur une semence de joie en cela.

(12.) *Est-ce une chose à dire avec joie ? C'est une chose qu'on doit donc dire tristement.*

(13.) *Le beau sujet de se réjouir et de se vanter la tête levée en cette sorte : Donc réjouissons-nous, vivons sans crainte et sans inquiétude et attendons la mort puisque cela est incertain et nous verrons alors ce qu'il arrivera de nous. Je n'en vois pas la conséquence.*

(15.) *Est-ce courage à un homme mourant d'aller dans la faiblesse et dans l'agonie affronter un Dieu puissant et éternel ?*

(14.) Le bon air va à n'avoir point de complaisance, et la bonne pitié à avoir complaisance pour les autres.

(16.) Que je serais heureux si j'étais en cet état qu'on eût pitié de ma sottise et qu'on eût la bonté de m'en tirer malgré moi.

(17.) (*N'en être pas fâché et ne pas aimer cela accuse tant de faiblesse d'esprit et tant de malice dans la volonté.*)

(18.) Quel sujet de joie de ne plus attendre que des misères sans ressources ! quelle consolation dans le désespoir de tout consolateur !

(*Mais si nous ne pouvons les toucher, ils ne seront pas inutiles.*)

(19.) Mais ceux-là mêmes qui semblent les plus opposés à la gloire de la religion n'y seront pas inutiles pour les autres.

(20.) Nous en ferons le premier argument qu'il y a quelque chose de surnaturel car un aveuglement de cette sorte n'est pas une chose naturelle. Et si leur folie les rend si contraires à leur propre bien, elle servira à en garantir les autres par l'horreur d'un exemple si déplorable, et d'une folie si digne de compassion.

(21.) Est-ce qu'ils sont si fermes qu'ils soient insensibles à tout ce qui les touche ? Éprouvons-les dans la perte des biens ou de l'honneur. Quoi ? c'est un enchantement.

822 (593)
Histoire de la Chine.

Je ne crois que les histoires dont les témoins se feraient égorger.

(*Lequel est le plus croyable des deux, Moïse ou la Chine ?*)

Il n'est pas question de voir cela en gros; je vous dis qu'il y a de quoi aveugler et de quoi éclaircir.

Par ce mot seul je ruine tous vos raisonnements; mais la Chine obscurcit, dites-vous. Et je réponds : la Chine obscurcit, mais il y a clarté à trouver. Cherchez-la.

Ainsi tout ce que vous dites fait à un des desseins et rien contre l'autre. Ainsi cela sert et ne nuit pas.

Il faut donc voir cela en détail. Il faut mettre papiers sur table.

823 (217)
C'est un héritier qui trouve les titres de sa maison. Dira(-t-)il peut-être qu'ils sont faux, et négligera(-t-)il de les examiner.

824 (522)
La loi obligeait à ce qu'elle ne donnait pas; la grâce donne ce à quoi elle oblige.

825 (901)
Semble refuter. (?)

Humilibus dat gratiam ; an ideo non dedit humilitatem ?
Sui eum non receperunt, quotquot autem non receperunt, an non erant sui ?

SÉRIE XXXI

826 (673)
Fac secundum exemplar quod tibi ostensum est in monte.
La religion des Juifs a donc été formée sur la ressemblance de la vérité du Messie et la vérité du Messie a été reconnue par la religion des Juifs qui en était la figure.

Dans les Juifs la vérité n'était que figurée; dans le ciel elle est découverte.

Dans l'Église elle est couverte et reconnue par le rapport à la figure.

La figure a été faite sur la vérité.

Et la vérité a été reconnue sur la figure.

827 (673)
Saint Paul dit lui-même que des gens défendront les mariages, et lui-même en parle aux Cor. d'une manière qui est une ratière. Car si un prophète avait dit l'un et que saint Paul eût dit ensuite l'autre on l'eût accusé.

828 (304)
Les cordes qui attachent le respect des uns envers les autres en général sont cordes de nécessité; car il faut qu'il y ait différents degrés, tous les hommes voulant dominer et tous ne le pouvant pas, mais quelques-uns le pouvant.

Figurons-nous donc que nous les voyons commencer à se former. Il est sans doute qu'ils se battront jusqu'à ce que la plus forte partie opprime la plus faible, et qu'enfin il y ait un parti dominant. Mais quand cela est une fois déterminé alors les maîtres qui ne veulent pas que la guerre continue ordonnent que la force qui est entre leurs mains succédera comme il leur plaît : les uns le remettent à l'élection des peuples, les autres à la succession de naissance, etc.

Et c'est là où l'imagination commence à jouer son rôle. Jusque-là la pure force l'a fait. Ici c'est la force qui se tient par l'imagination en un certain parti, en France des gentilshommes, en Suisse des roturiers, etc...

Or ces cordes qui attachent donc le respect à tel et à tel en particulier sont des cordes d'imagination.

829 (351)

Ces grands efforts d'esprit où l'âme touche quel(que) fois sont choses où elle ne se tient pas; elle y saute seulement non comme sur le trône pour toujours, mais pour un instant seulement.

Section 3

Miracles

830 (app. XIII)

Les points que j'ai à demander à M. l'abbé de Saint-Cyran sont ceux-ci principalement. Mais, comme je n'en ai point de copie, il faudrait qu'il prît la peine de renvoyer ce papier avec la réponse qu'il aura la bonté de faire.

1. S'il faut, pour qu'un effet soit miraculeux, qu'il soit au-dessus de la force des hommes, des démons, des anges et de toute la nature créée.

Les théologiens disent que les miracles sont surnaturels ou dans leur subſtance, quoad subſtantiam, *comme la pénétration de deux corps, ou la situation d'un même corps en deux lieux et en même temps ; ou qu'ils sont surnaturels dans la manière de les produire* quoad modum : *comme quand ils sont produits par des moyens qui n'ont nulle vertu naturelle de les produire : comme quand J.-C. guérit les yeux de l'aveugle avec la boue et la belle-mère de Pierre en se penchant sur elle, et la femme malade du flux de sang, en touchant le bord de sa robe... Et la plupart des miracles qu'il nous a faits dans l'Évangile sont de ce second genre. Telle eſt aussi la guérison d'une fièvre, ou autre maladie faite en un moment, ou plus parfaitement que la nature ne porte, par l'attouchement d'une relique ou par l'invocation du nom de Dieu, de sorte que la pensée de celui qui propose ces difficultés eſt vraie et conforme à tous les théologiens, même de ce temps.*

2. S'il ne suffit pas qu'il soit au-dessus de la force naturelle des moyens qu'on y emploie ; ma pensée étant que tout effet eſt miraculeux (lorsqu'il) surpasse

la force naturelle des moyens qu'on y emploie. Ainsi j'appelle miraculeux la guérison d'une maladie faite par l'attouchement d'une sainte Relique, la guérison d'un démoniaque faite par l'invocation du nom de Jésus, etc., parce que ces effets surpassent la force naturelle des paroles par lesquelles on invoque Dieu et la force naturelle d'une relique (*qui*) ne peuvent guérir les malades et chasser les démons. Mais je n'appelle pas miracle de chasser les démons par l'art du diable; car, quand on emploie l'art du diable pour chasser le diable, l'effet ne surpasse pas la force naturelle des moyens qu'on y emploie; et ainsi il m'a paru que la vraie définition des miracles est celle que je viens de dire.

Ce que le diable peut faire n'est pas miracle, non plus que ce que peut faire une bête, quoique l'homme ne le puisse pas faire lui-même.

3. Si saint Thomas n'est pas contraire à cette définition, et s'il n'est pas d'avis qu'un effet, pour être miraculeux, doit surpasser la force de toute la nature créée.

Saint Thomas est de même opinion que les autres, quoiqu'il divise en deux la seconde espèce de miracles : miracles quoad subjectum, *et miracles* quoad ordinem naturae. *Il dit que les premiers sont ceux que la nature peut produire absolument, mais non dans un tel sujet, comme elle peut produire la vie, mais non dans un corps mort ; et que les seconds sont ceux qu'elle peut produire dans un sujet, mais non par un tel moyen avec tant de promptitude, comme guérir en un moment et par un seul attouchement une fièvre ou une maladie, quoique non incurable.*

4. Si les hérétiques déclarés et reconnus peuvent faire de vrais miracles pour confirmer une erreur.

Il ne se peut jamais faire de vrais miracles par qui que ce soit, catholique ou hérétique, saint ou méchant, pour confirmer une erreur, parce que Dieu affirmerait et approuverait par

son sceau l'erreur comme faux témoin, ou plutôt comme faux
uge ; cela est assuré et constant.

5. Si les hérétiques connus et déclarés peuvent
faire des miracles comme la guérison des maladies
qui ne sont pas incurables; par exemple, s'ils peuvent
guérir une fièvre pour confirmer une proposition
erronée : le P. Lingendes prêche que oui.

(Il n'a pas été répondu à cette question.)

6. Si les hérétiques déclarés et connus peuvent
faire des miracles qui soient au-dessus de toute la
nature créée par l'invocation du nom de Dieu et par
une sainte relique.

Ils le peuvent pour confirmer une vérité et il y en a des
exemples dans l'histoire.

7. Si les hérétiques couverts, et qui ne se séparant
pas de l'Église, sont néanmoins dans l'erreur, et qui
ne se déclarent pas contre l'Église, afin de pouvoir
plus facilement séduire les fidèles et fortifier leur parti,
par l'invocation du nom de Jésus, ou par une sainte
relique, des miracles qui soient au-dessus de la nature
entière, ou même s'ils en peuvent faire qui ne soient
qu'au-dessus de l'homme, comme de guérir sur-le-
champ des maux qui ne sont pas incurables.

Les hérétiques couverts n'ont pas plus de pouvoir sur
les miracles que les hérétiques déclarés ; rien n'étant couvert
à Dieu, qui est le seul auteur et opérateur des miracles, quels
qu'ils soient, pourvu qu'ils soient vrais miracles.

8. Si les miracles faits par le nom de Dieu, ou par
l'interposition des choses divines, ne sont pas les
marques de la vraie Église, et si tous les catholiques
n'ont pas tenu l'affirmative contre les hérétiques.

Tous les catholiques en demeurent d'accord et surtout
les auteurs jésuites. Il ne faut que lire Bellarmin. Lors
même que les hérétiques ont fait des miracles, ce qui est arrivé

quelquefois, quoique rarement, ces miracles étaient marques de l'Église, parce qu'ils n'étaient faits que pour confirmer la vérité que l'Église enseigne, et non l'erreur des hérétiques.

9. S'il n'est jamais arrivé que les hérétiques aient fait des miracles, et de quelle nature ils ont été.

Il y en a fort peu d'assurés ; mais ceux dont on parle sont miraculeux seulement quoad modum, *c'est-à-dire des effets naturels produits miraculeusement en une manière qui surpasse l'ordre de la nature.*

10. Si cet homme de l'Évangile qui chassait les démons au nom de J.-C. et dont J.-C. dit " qui n'est point contre nous est pour nous " était ami ou enne-mi de J.-C., et ce qu'en disent les interprètes de l'Évangile. Je demande cela parce que le P. Lingendes prêcha que cet homme-là était contraire à J.-C.

L'Évangile témoigne assez qu'il n'était pas contraire à J.-C. et les Pères le tiennent, et presque tous les auteurs jésuites.

11. Si l'Antechrist fera des signes au nom de J.-C. ou en son propre nom.

Comme il ne viendra pas au nom de J.-C., mais au sien propre, selon l'Évangile, ainsi il ne fera point des miracles au nom de J.-C., mais au sien et contre J.-C., pour détruire la foi et son Église ; à cause de cela ce ne seront pas de vrais miracles.

12. Si les oracles ont été miraculeux.

Les miracles des païens et des idoles n'ont été non plus miraculeux que les autres opérations des démons et des magiciens.

831 (810)

Le second miracle peut supposer le premier; le premier ne peut supposer le second.

SÉRIE XXXIII

832 (803)

5. Miracles. Commencement.

Les miracles discernent la doctrine et la doctrine discerne les miracles.

Il y a de faux et de vrais. Il faut une marque pour les connaître, autrement ils seraient inutiles.

Or ils ne sont pas inutiles, et sont au contraire fondement.

Or il faut que la règle qu'il nous donne soit telle qu'elle ne détruise la preuve que les vrais miracles donnent de la vérité qui est la fin principale des miracles.

Moïse a en donné deux : que la prédiction n'arrive pas, Deut. 18, et qu'ils ne mènent point à l'idolâtrie, Deut. 13., et J.-C. une.

Si la doctrine règle les miracles, les miracles sont inutiles pour la doctrine.

Si les miracles règlent...

Objection à la règle.

Le discernement des temps : autre règle durant Moïse, autre règle à présent.

833 (487)

Toute religion est fausse qui dans sa foi n'adore pas un Dieu comme principe de toutes choses et qui dans sa morale n'aime pas un seul Dieu comme objet de toutes choses.

834 (826)

Raisons pourquoi on ne croit point.

Joh. 12. 37.

Cum autem tanta signa fecisset non credebant in eum. Ut sermo Isaiae impleretur. Excaecavit, etc.

Haec dixit Isaias quando vidit gloriam ejus et locutus est de eo.

Judaei signa petunt et graeci sapientiam quaerunt.
nos autem Jesum Crucifixum.
Sed plenum signis, sed plenum sapientia.
Vos autem Christum, non crucifixum, et religionem sine
miraculis et sine sapientia.

Ce qui fait qu'on ne croit pas les vrais miracles est
le manque de charité. Joh. *sed vos non creditis quia non*
estis ex ovibus.

Ce qui fait croire les faux est manque de charité.
2. thess. 2.

Fondement de la religion.

C'est les miracles, quoi donc ? Dieu parle(-t-)il
contre les miracles, contre les fondements de la foi
qu'on a en lui.

S'il y a un Dieu il fallait que la foi de Dieu fût
sur la terre; or les miracles de J.-C. ne sont pas prédits
par l'Antéchrist, mais les miracles de l'Antéchrist
sont prédits par J.-C. Et ainsi si J.-C. n'était pas le
Messie il aurait bien induit en erreur, mais l'Antéchrist ne peut bien induire en erreur.

Quand J.-C. a prédit les miracles de l'Antéchrist
a-t-il cru détruire la foi de ses propres miracles ?

Il n'y a nulle raison de croire en l'Antéchrist qui
ne soit à croire en J.-C. mais il y en a en J.-C. qui
ne sont pas en l'autre.

Moïse a prédit J.-C. et ordonné de le suivre. J.-C.
a prédit l'Antéchrist et défendu de le suivre.

Il était impossible qu'au temps de Moïse on réser-
vât sa créance à l'Antéchrist qui leur était inconnu,
mais il est bien aisé au temps de l'Antéchrist de croire
en J.-C. déjà connu.

835 (564)

Les prophéties, les miracles mêmes et les preuves
de notre religion ne sont pas de telle nature qu'on
puisse dire qu'ils sont absolument convaincants,
mais ils le sont aussi de telle sorte qu'on ne peut dire
que ce soit être sans raison que de les croire. Ainsi

il y a de l'évidence et de l'obscurité pour éclairer les uns et obscurcir les autres, mais l'évidence est telle qu'elle surpasse ou égale pour le moins l'évidence du contraire, de sorte que ce n'est pas la raison qui puisse déterminer à ne la pas suivre, et ainsi ce ne peut être que la concupiscence et la malice du cœur. Et par ce moyen il y a assez d'évidence pour condamner, et non assez pour convaincre, afin qu'il paraisse qu'en ceux qui la suivent c'est la grâce et non la raison qui fait suivre, et qu'en ceux qui la fuient c'est la concupiscence et non la raison qui fait fuir.

Vere discipuli, Vere Israelita, Vere liberi, Vere cibus.

Je suppose qu'on croit les miracles.

836 (855)
Vous corrompez la religion ou en faveur de vos amis ou contre vos ennemis; vous en disposez à votre gré.

837 (823)
S'il n'y avait point de faux miracles il y aurait certitude.

S'il n'y avait point de règle pour les discerner les miracles seraient inutiles et il n'y aurait point de raison de croire.

Or il n'y a pas humainement de certitude humaine, mais raison.

838 (671)
Les Juifs qui ont — été appelés à dompter les nations et les rois ont été esclaves du péché et les chrétiens dont la vocation a été à servir et à être sujets sont les enfants libres.

839 (827)
Jug. 13. 23. Si le Seigneur nous eût voulu faire mourir il ne nous eût pas montré toutes ces choses.

Ézéchias, Sennacherib.

Jérémie, Hananias faux prophète meurt le 7e mois.

3 mach. 3. le temple prêt à piller, secouru miraculeusement.

2. mach. 15.

3. Rois. 17. La veuve à Élie qui avait ressuscité l'enfant. Par là je connais que tes paroles sont vraies.

3. Rois. 18. Élie avec les prophètes de Baal.

Jamais en la contention du vrai Dieu, de la vérité de la religion il n'est arrivé de miracle du côté de l'erreur et non de la vérité.

840 (843)

Ce n'est point ici le pays de la vérité; elle erre inconnue parmi les hommes. Dieu l'a couverte d'un voile qui la laisse méconnaître à ceux qui n'entendent pas sa voix; le lieu est ouvert au blasphème et même sur des vérités au moins bien apparentes. Si l'on publie les vérités de l'Évangile on en publie de contraires, et on obscurcit les questions, en sorte que le peuple ne peut discerner. Et on demande : qu'avez-vous qui vous fasse plutôt croire que les autres, quel signe faites-vous ? Vous n'avez que des paroles et nous aussi. Si vous aviez des miracles, bien. Cela est une vérité que la doctrine doit être soutenue par les miracles dont on abuse pour blasphémer la doctrine. Et si les miracles arrivent on dit que les miracles ne suffisent pas sans la doctrine et c'est une autre vérité pour blasphémer les miracles.

J.-C. guérit l'aveugle-né et fit quantité de miracles au jour du sabbat par où il aveuglait les pharisiens qui disaient qu'il fallait juger des miracles par la doctrine.

Nous avons Moïse, mais celui-là nous ne savons d'où il est.

C'est ce qui est admirable que vous ne savez d'où il est et cependant il fait de tels miracles.

J.-C. ne parlait ni contre Dieu, ni contre Moïse.

L'Antéchrist et les faux prophètes prédits par l'un et l'autre testament parleront ouvertement contre Dieu et contre J.-C.

Qui n'est point contre, qui serait ennemi couvert,

Dieu ne permettrait pas qu'il fît des miracles ouvertement.

Jamais en une dispute publique où les deux partis se disent à Dieu, à J.-C., à l'Église, les miracles ne sont du côté des faux chrétiens, et l'autre côté sans miracle.

Il a le diable. Joh. 10. 21. Et les autres disaient : le diable peut-il ouvrir les yeux des aveugles ?

Les preuves que J.-C. et les apôtres tirent de l'Écriture ne sont pas démonstratives, car ils disent seulement que Moïse a dit qu'un prophète viendrait, mais ils ne prouvent pas par là que ce soit celui-là, et c'était toute la question. Ces passages ne servent donc qu'à montrer qu'on n'est pas contraire à l'Écriture et qu'il n'y paraît point de répugnance, mais non pas qu'il y ait accord. Or cela suffit : exclusion de répugnance avant miracles.

Il y a un devoir réciproque entre Dieu et les hommes. Il faut pardonner ce mot, *quod debui ;* " accusez-moi " dit Dieu dans Isaïe.

1. Dieu doit accomplir ses promesses, etc.

Les hommes doivent à Dieu de recevoir la religion qu'il leur envoie.

Dieu doit aux hommes de ne les point induire en erreur.

Or ils seraient induits en erreur si les faiseurs (de) miracles annonçaient une doctrine qui ne paraît pas visiblement fausse aux lumières du sens commun, et si un plus grand faiseur de miracles n'avait déjà averti de ne les pas croire.

Ainsi s'il y avait division dans l'Église et que les Ariens par exemple, qui se disaient fondés en l'Écriture comme les catholiques, eussent fait des miracles, et non les catholiques on eût été induit en erreur.

Car comme un homme qui nous annonce les secrets de Dieu n'est pas digne d'être cru sur son autorité privée et que c'est pour cela que les impies en doutent ; aussi un homme qui pour marque de la communication qu'il a avec Dieu, ressuscite les morts, prédit l'avenir, transporte les mers, guérit les maladies, il n'y a point d'impie qui ne s'y rende; et l'incrédulité de Pharao et des Pharisiens est l'effet d'un endurcissement surnaturel.

Quand donc on voit les miracles et la doctrine non suspecte tout ensemble d'un côté il n'y a pas de difficulté, mais quand on voit les miracles et doctrine suspecte d'un même côté, alors il faut voir quel est le plus clair. J.-C. était suspect.

Barjésu aveuglé. La force de Dieu surmonte celle de ses ennemis.

Les exorcistes Juifs battus par les diables disant : Je connais Jésus, et Paul, mais vous qui êtes-vous ? "

Les miracles sont pour la doctrine et non pas la doctrine pour les miracles.

Si les miracles sont vrais pourra(-t-)on persuader toute doctrine ? non car cela n'arrivera pas.
Si angelus.

Règle.

Il faut juger de la doctrine par les miracles, il faut juger des miracles par la doctrine.

Tout cela est vrai mais cela ne se contredit pas.

Car il faut distinguer les temps.

Que vous êtes aise de savoir les règles générales pensant par là jeter le trouble et rendre tout inutile. On vous en empêchera, mon Père, la vérité est une et ferme.

Il est impossible par le devoir de Dieu qu'un homme cachant sa mauvaise doctrine et n'en faisant paraître qu'une bonne et se disant conforme à Dieu et à l'Église fasse des miracles pour couler insensiblement une doctrine fausse et subtile. Cela ne se peut.

Et encore moins que Dieu qui connaît les cœurs fasse des miracles en faveur d'un tel.

841 (829)

J.-C. dit que les Écritures témoignent de lui, mais il ne montre point en quoi.

Mesmes les prophéties ne pouvaient pas prouver J.-C. pendant sa vie, et ainsi on n'eût point été coupable de ne point croire en lui avant sa mort, si les miracles n'eussent pas suffi sans la doctrine, or ceux qui ne croyaient pas en lui encore vivant, étaient pécheurs, comme il le dit lui-même, et sans excuse. Donc il fallait qu'ils eussent une démonstration à laquelle ils résistassent; or ils n'avaient pas l'Écriture, mais seulement les miracles, donc ils suffisent quand la doctrine n'est pas contraire. Et on doit y croire.

Joh. 7. 40. Contestation entre les Juifs comme entre les chrétiens aujourd'hui.

Les uns croient en J.-C. et les autres ne le croient pas à cause des prophéties qui disaient qu'il devait naître de Bethléhem.

Ils devaient mieux prendre garde s'il n'en était pas; car, ses miracles étant convaincants, ils devaient bien s'assurer de ces prétendues contradictions de sa doctrine à l'Écriture, et cette obscurité ne les excusait pas, mais les aveuglait.

Ainsi ceux qui refusent de croire les miracles d'aujourd'hui pour une prétendue contradiction chimérique, ne sont pas excusés.

Le peuple qui croyait en lui sur ses miracles, les pharisiens leur disent : ce peuple est maudit qui ne sait pas la loi. Mais y a (-t-)il un prince ou un pharisien qui ait cru en lui, car nous savons que nul prophète ne sort de Galilée ? Nicodème répondit : Notre loi juge-(t-)elle un homme devant que de l'avoir ouï.

842 (588)

Notre religion est sage et folle, sage parce que c'est la plus savante et la plus fondée en miracles, prophéties, etc., folle parce que ce n'est point tout cela qui fait qu'on en est. Cela fait bien condamner ceux qui n'en sont pas, mais non pas croire ceux qui en sont. Ce qui les fait croire est la croix — *ne evacuata sit crux*.

Et ainsi saint Paul qui est venu en sagesse et signes dit qu'il n'est venu ni en sagesse ni en signes, car il venait pour convertir, mais ceux qui ne viennent que pour convaincre peuvent dire qu'ils viennent en sagesse et signes.

843 (836)

Il y a bien de la différence entre n'être pas pour J.-C. et le dire, ou n'être point pour J.-C. et feindre d'en être. Les uns peuvent faire des miracles non les autres, car il est clair des uns qu'ils sont contre la vérité, non des autres. Et ainsi les miracles sont plus clairs.

844 (837)

C'est une chose si visible qu'il faut aimer un seul Dieu qu'il ne faut pas de miracles pour le prouver.

845 (861)

Bel état de l'Église quand elle n'est plus soutenue que de Dieu.

846 (808)

J.-C. a vérifié qu'il était le Messie, jamais en vérifiant sa doctrine sur l'Écriture ou les prophéties, et toujours par ses miracles.

Il prouve qu'il remet les péchés par un miracle.

Ne vous esjouissez point de vos miracles dit J.-C. mais de ce que vos noms sont écrits aux cieux.

S'ils ne croient point Moïse, ils ne croiront pas un ressuscité.

Nicodème reconnaît par ses miracles que sa doctrine est de Dieu. *Scimus quia venisti a deo magister, nemo enim potest facere quae tu facis nisi deus fuerit cum illo.* Il ne juge pas des miracles par la doctrine, mais de la doctrine par les miracles.

Les Juifs avaient une doctrine de Dieu comme nous en avons une de J.-C. Et confirmée par miracles et défense de croire à tous faiseurs de miracles; et de plus ordre de recourir aux grands prêtres et de s'en tenir à eux. Et ainsi toutes les raisons que nous avons pour refuser de croire les faiseurs de miracles, ils les avaient à l'égard de leurs prophètes. Et cependant ils étaient très coupables de refuser les prophètes à cause de leurs miracles et J.-C. Et n'eussent point été coupables s'ils n'eussent point vu les miracles. *Nisi fecissem peccatum non haberent.*

Donc toute la créance est sur les miracles.

La prophétie n'est point appelée miracle. Comme saint Jean parle du 1. miracle en Cana, et puis de ce que J.-C. dit à la Samaritaine qui découvre toute sa vie cachée, et puis guérit le fils d'un seigneur. Et saint Jean appelle cela le 2 signe.

847 (893)

En montrant la vérité on la fait croire, mais en montrant l'injustice des maîtres on ne la corrige pas; on assure la conscience en montrant la fausseté, on n'assure pas la bourse en montrant l'injustice.

848 (806)

Les miracles et la vérité sont nécessaires à cause qu'il faut convaincre l'homme entier en corps et en âme.

849 (665)

La charité n'est pas un précepte figuratif. Dire que Jésus-Christ qui est venu ôter les figures pour mettre la vérité ne soit venu que mettre la figure de la charité pour ôter la réalité qui était auparavant, cela est horrible.

Si la lumière est ténèbres que seront les ténèbres ?

850 (821)

Il y a bien de la différence entre tenter et induire en erreur. Dieu tente mais il n'induit pas en erreur. Tenter est procurer les occasions qui n'imposant point de nécessité, si on n'aime pas Dieu, on fera une certaine chose. Induire en erreur est mettre l'homme dans la nécessité de conclure et suivre une fausseté.

851 (842)
Si tu es Christus dic nobis.
Opera quae ego facio in nomine patris mei.
Haec testimonium perhibent de me.
Sed vos non creditis, quia non estis ex ovibus meis.
Oves meae, vocem meam, audiunt.
J. 6. 30, *quod ergo tu facis signum, ut videamus et creda-
mus tibi ;* non dicunt quam doctrinam predicas.

*nemo potest facere signa, quae tu facis nisi deus fuerit
cum illo.*
2 mach. 14. 15.
Deus qui signis evidentibus suam portionem protegit.

Volumus signum videre de caelo tentantes eum — luc.
11. 16
Generatio prava signum quaerit, et non dabitur.
Et ingemiscens ait, quid generatio ipsa signum quaerit.
8. 12. elle demandait signe à mauvaise intention. *Et
non poterat facere.* Et néanmoins il leur promet le signe
de Jonas, de sa résurrection, le grand et l'incomparable.

Nisi videritis signa non creditis. Il ne les blâme pas de
ce qu'ils ne croient pas sans qu'il y ait de miracles,
mais sans qu'ils en soient eux-mêmes les spectateurs.

L'Antéchrist. *In signis mendacibus*, dit saint Paul.
2 thess. 2.
*Secundum operationem satanae. In seductione iis qui
pereunt eo quod charitatem veritatis non receperunt ut salvi
fierent. Ideo mittet illis deus operationes erroris ut credant
mendacio.* Comme au passage de Moïse : *tentat enim
vos deus utrum diligatis eum.*

Ecce praedixi vobis vos ergo videte.

852 (835)
Dans le vieux Testament quand on vous détour-
nera de Dieu; dans le nouveau quand on vous détour-
nera de J.-C.

Voilà les occasions d'exclusion à la foi des miracles

marquées; il ne faut pas y donner d'autres exclusions.

S'ensuit-il de là qu'ils avaient droit d'exclure tous les prophètes qui leur sont venus ? non. Ils eussent péché en n'excluant pas ceux qui niaient Dieu, et eussent péché d'exclure ceux qui ne niaient pas Dieu.

D'abord donc qu'on voit un miracle il faut ou se soumettre ou avoir d'étranges marques du contraire. Il faut voir s'ils nient en Dieu, ou J.-C. ou l'Église.

853 (192)
Reprocher à Miton de ne point se remuer quand Dieu le reprochera.

854 (839)
Si vous ne croyez en moi croyez au moins aux miracles. Il les renvoie comme au plus fort.

Il avait été dit aux Juifs aussi bien qu'aux chrétiens qu'ils ne crussent pas toujours les prophètes; mais néanmoins les pharisiens et les scribes font grand état de ses miracles, et essayant de montrer qu'ils sont faux ou faits par le diable, étant nécessités d'être convaincus s'ils reconnaissent qu'ils sont de Dieu.

Nous ne sommes point aujourd'hui dans la peine de faire ce discernement; il est pourtant bien facile à faire. Ceux qui ne nient ni Dieu, ni J.-C. ne font point de miracles qui ne soient sûrs.

Nemo facit virtutem in nomine meo et cito possit de me male loqui.

Mais nous n'avons point à faire ce discernement. Voici une religion sacrée, voici une épine de la couronne du sauveur du monde en qui le prince de ce monde n'a point puissance, qui fait des miracles par la propre puissance de ce sang répandu pour nous. Voici que Dieu choisit lui-même cette maison pour y faire éclater sa puissance.

Ce ne sont point des hommes qui font ces miracles par une vertu inconnue, et douteuse qui nous oblige à un difficile discernement. C'est Dieu même, c'est l'ins-

trument de la passion de son fils unique, qui, étant en
plusieurs lieux, choisit celui-ci et fait venir de tous
côtés les hommes pour y recevoir ces soulagements
miraculeux dans leurs langueurs.

855 (834)
Joh. 6. 26. *non quia vidistis signum sed quia saturati
estis.* Ceux qui suivent J.-C. à cause de ses miracles
honorent sa puissance dans tous les miracles qu'elle
produit, mais ceux qui en faisant profession de le
suivre pour ses miracles ne le suivent en effet que parce
qu'il les console et les rassasie des biens du monde, ils
déshonorent ses miracles quand ils sont contraires à
leurs commodités.

Joh. 9. *non est hic homo a deo quia sabbatum non custodit.
Alii : quomodo potest homo peccator haec signa facere.*
Lequel est le plus clair.
Cette maison est de Dieu, car il y fait d'étranges
miracles.
Les autres : cette maison n'est point de Dieu, car
on n'y croit pas que les 5 propositions soient dans
Jansénius. Lequel est le plus clair ? *Tu quid dicis, dico,
quia propheta est, nisi esset hic a deo non poterat facere quid-
quam.*

856 (828)
Contestations.
Abel, Caïn / Moïse, magiciens. / Élie, faux prophètes / Jérémie Ananias. / Michée, faux prophètes /
J.-C. pharisiens / Saint Paul, Barjésu. / apôtres,
exorcistes / Les chrétiens et les infidèles / les catholiques, les hérétiques / Élie, Énoch, Antéchrist /
Toujours le vrai prévaut en miracles. Les deux
croix.

857 (819)
Jer. 23. 32. les miracles des faux prophètes, en l'hé-
breu et Vatable. Il y a les légèretés.
Miracle ne signifie pas toujours miracles. 1. Roys.

14. 15. miracle signifie crainte et est ainsi en l'hébreu. De même en Job manifestement 33. 7. et encore Is. 21. 4. Jer. 44. 22.

Portentum signifie *simulachrum.* Jer. 50. 38. et est ainsi en l'hébreu et en Vatable.

Is. 8. 18. J.-C. dit que lui et les siens seront en miracles.

858 (840)

L'Église a trois sortes d'ennemis : les Juifs qui n'ont jamais été de son corps, les hérétiques qui s'en sont retirés, et les mauvais chrétiens qui la déchirent au-dedans. Ces trois sortes de différents adversaires la combattent d'ordinaire diversement, mais ici ils la combattent d'une même sorte.

Comme ils sont tous sans miracles et que l'Église a toujours eu contre eux des miracles, ils ont tous eu le même intérêt à les éluder. Et se sont tous servis de cette défaite qu'il ne faut pas juger de la doctrine par les miracles, mais des miracles par la doctrine. Il y avait deux partis entre ceux qui écoutaient J.-C., les uns qui suivaient sa doctrine pour ses miracles, les autres qui disaient... Il y avait deux partis au temps de Calvin. Il y a maintenant les Jésuites, etc.

SÉRIE XXXIV

859 (852)

Injustes persécuteurs de ceux que Dieu protège visiblement.

S'ils vous reprochent vos excès ils parlent comme les hérétiques.

S'ils disent que la grâce de J.-C. nous discerne ils sont hérétiques.

S'il se fait des miracles c'est la marque de leur hérésie.

Ézéchiel.

On dit : Voilà le peuple de Dieu qui parle ainsi. Ézéchias.

Mes Révérends Pères, tout cela se passait en figure. Les autres religions périssent, celle-là ne périt point.

Les miracles sont plus importants que vous ne pensez. Ils ont servi à la fondation et serviront à la continuation de l'Église jusqu'à l'Antéchrist, jusqu'à la fin. Les deux témoins.

La synagogue était la figure et ainsi ne périssait point; et n'était que la figure, et ainsi est périe. C'était une figure qui contenait la vérité et ainsi elle a subsisté jusqu'à ce qu'elle n'a plus eu la vérité.

Il est dit : Croyez à l'Église; mais il n'est pas dit : Croyez aux miracles, à cause que le dernier est naturel et non pas le premier. L'un avait besoin de précepte, non pas l'autre.

En l'ancien Testament et au nouveau les miracles sont faits par l'attachement des figures, salut ou chose inutile, sinon pour montrer qu'il faut se soumettre aux créatures. / figure des sacrements.

860 (807)

Toujours ou les hommes ont parlé du vrai Dieu, ou le vrai Dieu a parlé aux hommes.

861 (805)

Les deux fondements : l'un intérieur, l'autre extérieur, la grâce, les miracles, tous deux surnaturels.

862 (883)

Les malheureux qui m'ont obligé de parler du fond de la Religion.

863 (814)

Montaigne contre les miracles.

Montaigne pour les miracles.

864 (884)

Des pécheurs purifiés sans pénitence, des justes sanctifiés sans charité, tous les chrétiens sans la grâce de Jésus-Christ, Dieu sans pouvoir sur la volonté des hommes, une prédestination sans mystère, une rédemption sans certitude.

866 (832)

Les miracles ne sont plus nécessaires à cause qu'on en a déjà, mais quand on n'écoute plus la tradition, quand on ne propose plus que le pape, quand on l'a surpris, et qu'ainsi ayant exclu la vraie source de la vérité qui est la tradition, et ayant prévenu le pape qui en est le dépositaire, la vérité n'a plus de liberté de paraître, alors les hommes ne parlent plus de la vérité. La vérité doit parler elle-même aux hommes. C'est ce qui arriva au temps d'Arius.

Miracles, sous Dioclétien
et sous Arius.

866
Perpétuité.
Votre caractère est-il fondé sur Escobar ?

Peut-être avez-vous des raisons pour ne les pas condamner.

Il suffit que vous appreniez ce que je vous en adresse.

867 (875)

Le pape serait-il déshonoré pour tenir de Dieu et de la tradition ses lumières, et n'est-ce pas le déshonorer de le séparer de cette sainte union, etc.

868 (890)

Tertullien : *nunquam ecclesia reformabitur.*

869 (508)

Pour faire d'un homme un saint il faut bien que ce soit la grâce et qui en doute ne sait ce que c'est que saint, et qu'homme.

870 (845)

Les hérétiques ont toujours combattu ces trois marques qu'ils n'ont point.

871 (844 *bis*)

Perpétuité — Molina — Nouveauté.

872 (813)

Miracles.

Que je hais ceux qui font les douteux des miracles.

Montaigne en parle comme il faut dans les deux endroits. On voit en l'un combien il est prudent et néanmoins il croit en l'autre et se moque des incrédules.

Quoi qu'il en soit l'Église est sans preuve s'ils ont raison.

873 (824)

Ou Dieu a confondu les faux miracles ou il les a prédits. Et par l'un et l'autre il s'est élevé au-dessus de ce qui est surnaturel à notre égard, et nous y a élevés nous-mêmes.

874 (881)

L'Église enseigne et Dieu inspire l'un et l'autre infailliblement. L'opération de l'Église ne sert qu'à préparer à la grâce, ou à la condamnation. Ce qu'elle fait suffit pour condamner, non pour inspirer.

875 (820)

Omne regnum divisum, car J.-C. agissait contre le diable et détruisait son empire sur les cœurs dont l'exorcisme est la figuration pour établir le royaume de Dieu, et ainsi il ajoute : *in digito dei... regnum dei ad vos*.

Si le diable favorisait la doctrine qui le détruit, il serait divisé comme disait J.-C.

Si Dieu favorisait la doctrine qui détruit l'Église il serait divisé.

876 (300)

Quand le fort armé possède son bien, ce qu'il possède est en paix.

877 (849)

Est et non est : sera(-t-)il reçu dans la foi même aussi bien que dans la morale, s'il est si inséparable dans les actes.

Quand saint Xavier fait des miracles.

Juges injustes, ne faites pas de ces lois sur l'heure; jugez par celles qui sont établies, et établies par vous-mêmes.

Vae qui conditis leges iniquas.

Pour affaiblir vos adversaires vous désarmez toute l'Église.

Vae qui conditis.

Saint Hilaire, misérables qui nous obligez à parler des miracles.

Miracles continuels faux.

S'ils disent qu'ils sont soumis au pape c'est une hypocrisie.

S'ils sont prêts à souscrire toutes ses constitutions cela ne suffit pas.

S'ils disent que notre salut dépend de Dieu ce sont des hérétiques.

S'ils disent qu'il ne faut pas tuer pour une pomme ils combattent la morale des catholiques.

S'il se fait des miracles parmi eux ce n'est point une marque de sainteté et c'est au contraire un soupçon d'hérésie.

La manière dont l'Église a subsisté est que la vérité a été sans contestation ou si elle a été contestée il y a eu le pape et sinon il y a eu l'Église.

878 (846)

1º Objection. Ange du ciel.

Il ne faut pas juger de la vérité par les miracles mais du miracle par la vérité.

Donc les miracles sont inutiles.

Or ils servent, et il ne faut point être contre la vérité.

Donc ce qu'a dit le P. Lingendes, que Dieu ne permettra point qu'un miracle puisse induire à erreur...

Lorsqu'il y aura contestants dans la même Église le miracle décide.

2. Objection.

Mais l'Antéchrist fera des signes.

Les magiciens de Pharao n'induisaient point à erreur.

Ainsi on ne pourra point dire à J.-C. sur l'Antéchrist : Vous m'avez induit à erreur, car l'Antéchrist les fera contre J.-C. et ainsi ils ne peuvent induire à erreur.

Ou Dieu ne permettra point de faux miracles, ou il en procurera de plus grands.

(*Depuis le commencement du monde J.-C. subsiste, cela est plus fort que tous les miracles de l'Antéchrist.*)

Si dans la même Église il arrivait des miracles du côté des errants, on serait induit à erreur.

Le schisme est visible, le miracle est visible, mais le schisme est plus marqué d'erreur que le miracle n'est marqué de vérité; donc le miracle ne peut induire à erreur.

Mais hors le schisme l'erreur n'est pas si visible que le miracle est visible, donc le miracle induirait à erreur.

Ubi est deus tuus. Les miracles le montrent et sont un éclair.

879 (138)

Hommes naturellement couvreurs et de toutes vocations, hormis en chambre.

880 (831)

Les 5 propositions étaient équivoques, elles ne le sont plus.

881 (850)

Les 5 propositions condamnées, point de miracle. Car la vérité n'était point attaquée, mais la Sorbonne, mais la bulle.

Il est impossible que ceux qui aiment Dieu de tout leur cœur méconnaissent l'Église tant elle est évidente.

Il est impossible que ceux qui n'aiment pas Dieu soient convaincus de l'Église.

Les miracles ont une telle force qu'il a fallu que Dieu ait averti qu'on n'y pense point contre lui, tout clair qu'il soit qu'il y a un Dieu.

Sans quoi ils eussent été capables de troubler.

Et aussi tant s'en faut que ces passages, deut. 13, fassent contre l'autorité des miracles, que rien n'en marque davantage la force.

Et de même pour l'Antéchrist jusqu'à séduire les élus s'il était possible.

882 (222)

Athées.

Quelle raison ont-ils de dire qu'on ne peut ressusciter ? Quel est plus difficile de naître ou de ressusciter, que ce qui n'a jamais été soit, ou que ce qui a été soit encore ? Est-il plus difficile de venir en être que d'y revenir. La coutume nous rend l'un facile, le manque de coutume rend l'autre impossible.

Populaire façon de juger.

Pourquoi une vierge ne peut-elle enfanter ? une poule ne fait-elle pas des œufs sans coq ? Quoi les distingue par dehors d'avec les autres ? Et qui nous a dit que la poule n'y peut former ce germe aussi bien que le coq ?

883 (946)

Il y a tant de disproportion entre le mérite qu'il croit avoir, et la bêtise qu'on ne saurait croire qu'il se mécompte si fort.

884 (860)

Après tant de marques de piété ils ont encore la persécution qui est la meilleure des marques de la piété.

885 (936)

Il est bon qu'ils fassent des injustices, de peur qu'il ne paraisse que les molinistes ont agi avec justice, et ainsi il ne les faut pas épargner. Ils sont dignes d'en commettre.

886 (51)

Pyrrhonien pour opiniâtre.

887 (78)

Descartes inutile et incertain.

888 (52)

Nul ne dit courtisan que ceux qui ne le sont pas, pédant qu'un pédant, provincial qu' (un) provincial, et je gagerais que c'est l'imprimeur qui l'a mis au titre des *lettres au provincial*.

889 (165)
Pensées.

In omnibus requiem quaesivi.

Si notre condition était véritablement heureuse, il ne nous faudrait pas divertir d'y penser pour nous rendre heureux.

890 (436 *bis*)

Toutes les occupations des hommes sont à avoir du bien et ils n'ont ni titre pour le posséder justement, ni force pour le posséder sûrement. De même la science, les plaisirs : nous n'avons ni le vrai ni le bien.

891 (804)
Miracle.

C'est un effet qui excède la force naturelle des moyens qu'on y emploie. Et non-miracle est un effet qui n'excède pas la force naturelle des moyens qu'on y emploie. Ainsi ceux qui guérissent par l'invocation du diable ne font pas un miracle. Car cela n'excède pas la force naturelle du diable; mais...

892 (822)

Abraham, Gédéon : signe au-dessus de la révélation.

Les juifs s'aveuglaient en jugeant des miracles par l'Écriture.

Dieu n'a jamais laissé ses vrais adorateurs.

J'aime mieux suivre J.-C. qu'aucun autre parce qu'il a le miracle, prophétie, doctrine, perpétuité, etc.

Donatistes, point de miracle qui oblige à dire que c'est le diable.

Plus on particularise Dieu, J.-C., l'Église.

893 (573)
Aveuglement de l'Écriture.

L'Écriture, disaient les Juifs, dit qu'on ne sait d'où le Christ viendra. Joh. 7. 27. et 21. 34. L'Écriture dit que le Christ demeure éternellement et celui-ci dit qu'il mourra. Ainsi, dit saint Jean, ils ne croyaient point quoiqu'il eût tant fait de miracles, afin que la parole d'Isaïe fût accomplie : Il les a aveuglés, etc.

894 (844)

Les trois marques de la religion : la perpétuité, la bonne vie, les miracles.

Ils détruisent la perpétuité par la probabilité, la bonne vie par leur morale, les miracles en détruisant ou leur vérité, ou leur conséquence.

Si on les croit l'Église n'aura que faire de perpétuité, sainteté, ni miracles.

Les hérétiques les nient, ou en nient la conséquence, eux de même, mais il faudrait n'avoir point de sincérité pour les nier, ou encore perdre le sens pour nier la conséquence.

895 (285)

La religion est proportionnée à toutes sortes d'esprits. Les premiers s'arrêtent au seul établissement, et cette religion est telle que son seul établissement est suffisant pour en prouver la vérité. Les autres vont jusqu'aux apôtres, les plus instruits vont jusqu'au commencement du monde. Les anges la voient encore mieux et de plus loin.

896 (390)

Mon Dieu que ce sont de sots discours. Dieu aurait-il fait le monde pour le damner, demanderait-il tant de gens si faibles, etc. Pyrrhonisme est le remède à ce mal et rabattra cette vanité.

897 (533)

Comminuentes cor. Saint Paul. Voilà le caractère chrétien. Albe vous a nommé, je ne vous connais plus. Corneille. Voilà le caractère inhumain. La caractère humain est le contraire.

898 (933)

Ceux qui ont écrit cela en latin parlent en français.

Le mal ayant été fait de les mettre en français il fallait faire le bien de les condamner.

Il y a une seule hérésie qu'on explique différemment dans l'École et dans le monde.

899 (844)

Jamais on ne s'est fait martyriser pour les miracles qu'on dit avoir vus, car ceux que les Turcs croient par tradition, la folie des hommes va peut-être jusqu'au martyre, mais non pour ceux qu'on a vus.

900 (887)

Les jansénistes ressemblent aux hérétiques par la réformation des mœurs, mais vous leur ressemblez en mal.

901 (841)

Les miracles discernent aux choses douteuses, entre les peuples juif et payen, juif et chrétien, catholique (*et*) hérétique, calomniés et calomniateurs, entre les deux croix.

Mais aux hérétiques les miracles seraient inutiles car l'Église, autorisée par les miracles qui ont préoccupé la créance, nous dit qu'ils n'ont pas la vraie foi. Il n'y a pas de doute qu'ils n'y sont pas, puisque les premiers miracles de l'Église excluent la foi des leurs. Il y a ainsi miracle contre miracle, et premiers et plus grands du côté de l'Église.

902 (841)

Ces filles étonnées de ce qu'on dit qu'elles sont dans la voie de perdition, que leurs confesseurs les mènent à Genève, qu'ils leur inspirent que J.-C. n'est point en l'Eucharistie, ni en la droite du Père. Elles savent que tout cela est faux, elles s'offrent donc à Dieu en cet état : *Vide si via iniquitatis in me est*. Qu'arrive(-t-)il là dessus ? Ce lieu qu'on dit être le temple du diable Dieu en fait son temple. On dit qu'il en faut ôter les enfants, Dieu les y guérit. On dit que c'est l'arsenal de l'enfer Dieu en fait le sanctuaire de ses grâces. Enfin on le menace de toutes les fureurs et de toutes les vengeances du ciel, et Dieu les comble de ses faveurs. Il faudrait avoir perdu le sens pour en conclure qu'elles sont donc en la voie de perdition.

On a sans doute les mêmes marques que saint Athanase.

903 (851)

L'histoire de l'aveugle né.

Que dit saint Paul ? dit-il le rapport des prophéties à toute heure ? non, mais son miracle.

Que dit J.-C. ? dit-il le rapport des prophéties ? non, sa mort ne les avait pas accomplies, mais il dit : *si non fecissem*, croyez aux œuvres.

Deux fondements surnaturels de notre religion toute surnaturelle, l'un visible, l'autre invisible.

Miracles avec la grâce, miracles sans grâce.

La synagogue qui a été traitée avec amour comme figure de l'Église et avec haine parce qu'elle n'en était que la figure a été relevée prête à succomber, quand elle était bien avec Dieu, et ainsi figure.

Les miracles prouvent le pouvoir que Dieu a sur les cœurs par celui qu'il exerce sur les corps.

Jamais l'Église n'a approuvé un miracle parmi les hérétiques.

Les miracles, appui de religion. Ils ont discerné les Juifs. Ils ont discerné les chrétiens, les saints, les innocents, les vrais croyants.

Un miracle parmi les schismatiques n'est pas tant à craindre, car le schisme qui est plus visible que le miracle marque visiblement leur erreur, mais quand il n'y a point de schisme et que l'erreur est en dispute le miracle discerne.

Si non fecissem quae alius non fecit.

Ces malheureux qui nous ont obligé de parler des miracles.

Abraham, Gédéon.
Confirmer la foi par miracles.

Judith, enfin Dieu parle dans les dernières oppressions.

Si le refroidissement de la charité laisse l'Église presque sans vrais adorateurs, les miracles en exciteront.

Ce sont les derniers effets de la grâce.

S'il se faisait un miracle aux Jésuites.

Quand le miracle trompe l'attente de ceux en présence desquels il arrive et qu'il y a disproportion entre l'état de leur foi et l'instrument du miracle, alors il doit les porter à changer, mais... etc. Autrement il y aurait autant de raison à dire que si l'Eucharistie ressuscitait un mort il faudrait se rendre calviniste que demeurer catholique, mais quand il couronne l'attente et que ceux qui ont espéré que Dieu bénirait les remèdes se voient guéris sans remèdes...

Impies.

Jamais signe n'est arrivé de la part du diable sans un signe plus fort de la part de Dieu, au moins sans qu'il eût été prédit que cela arriverait.

904 (927)

La folle idée que vous avez de l'importance de votre compagnie vous a fait établir ces horribles voies. Il est bien visible que c'est ce qui vous a fait suivre celle de la calomnie, puisque vous blâmez en moi comme horribles les moindres impostures que vous excusez en vous, parce que vous me regardez comme un particulier et vous comme Imago.

Il paraît bien que vos louanges sont des folies pour les fables, comme le privilège de non damné.

Est-ce donner courage à vos enfants de les condamner quand ils servent l'Église.

C'est un artifice du diable de divertir ailleurs les armes dont ces gens-là combattaient les hérésies.

Vous êtes mauvais politiques.

905 (385)

Pyrrhonisme.

Chaque chose est ici vraie en partie, fausse en partie. La vérité essentielle n'est point ainsi, elle est toute pure et toute vraie. Ce mélange la détruit et l'anéantit. Rien n'est purement vrai et ainsi rien n'est vray en l'enten-

dant du pur vrai. On dira qu'il est vrai que l'homicide
est mauvais : oui, car nous connaissons bien le mal et le
faux. Mais que dira(-t-)on qui soit bon ? La chasteté ?
Je dis que non, car le monde finirait. Le mariage ? non,
la continence vaut mieux. De ne point tuer ? non, car les
désordres seraient horribles, et les méchants tueraient
tous les bons. De tuer ? non, car cela détruit la nature.
Nous n'avons ni vrai, ni bien que en partie, et mêlé de
mal et de faux.

906 (916)
Probabilité.
Ils ont quelques principes vrais, mais ils en abusent,
or l'abus des vérités doit être autant puni que l'intro-
duction du mensonge.
Comme s'il y avait deux enfers, l'un pour les péchés
contre la charité, l'autre contre la justice.

907 (55)
Vertu apéritive d'une clef, attractive d'un croc.

908 (262)
Superstition et concupiscence.
Scrupules, désirs mauvais.
Crainte mauvaise.
Crainte, non celle qui vient de ce qu'on croit Dieu,
mais celle de ce qu'on doute s'il est ou non. La bonne
crainte vient de la foi, la fausse crainte du doute ; la
bonne crainte jointe à l'espérance, parce qu'elle naît de
la foi et qu'on espère au Dieu que l'on croit ; la mauvaise jointe au désespoir parce qu'on craint le Dieu
auquel on n'a point eu foi. Les uns craignent de le
perdre, les autres de le trouver.

909 (924)
Gens sans paroles, sans foi, sans honneur, sans vérité,
doubles de cœur, doubles de langue et semblables,
comme il vous fut reproché autrefois, à cet animal
amphibie de la fable, qui se tenait dans un état ambigu
entre les poissons et les oiseaux.

Le Port-Royal vaut bien Voltigerod.
Autant que votre procédé est juste selon ce biais, autant il est injuste si on regarde la piété chrétienne.

Il importe aux rois et princes d'être en estime de piété et pour cela il faut qu'ils se confessent à vous.

910 (781)

Les figures de la totalité de la rédemption comme que le soleil éclaire à tous, ne marquent qu'une totalité, mais les figures des exclusions, comme des Juifs élus à l'exclusion des gentils, marquent l'exclusion.

911 (781)

J.-C. rédempteur de tous. Oui, car il a offert comme un homme qui a racheté tous ceux qui voudront venir à lui. Ceux qui mourront en chemin c'est leur malheur, mais quant à lui il leur offrait rédemption.

Cela est bon en cet exemple où celui qui rachète et celui qui empêche de mourir font deux, mais non pas en J.-C. qui fait l'un et l'autre. Non car J.-C. en qualité de rédempteur n'est pas peut-être maître de tous, et ainsi en tant qu'il est en lui il est rédempteur de tous.

912 (781)

Quand on dit que J.-C. n'est pas mort pour tous, vous abusez d'un vice des hommes qui s'appliquent incontinent cette exception, ce qui est favoriser le désespoir au lieu de les en détourner pour favoriser l'espérance.

Car on s'accoutume ainsi aux vertus intérieures par ces habitudes extérieures.

Section 4

Fragments non enregistrés par la Copie

I. LE RECUEIL ORIGINAL

LE MÉMORIAL

Sur le 3ᵉᵐᵉ ms. Guerrier, B. N. f. fr. 13913 (pp. 213/214), la note suivante accompagne la copie du Mémorial: elle a été rédigée par le Père Guerrier en 1732:
" *Peu de jours après la mort de M. Pascal, un domestique de la maison s'aperçut par hasard que dans la doublure du pourpoint de cet illustre défunt il y avait quelque chose qui paraissait plus épais que le reste, et ayant décousu cet endroit pour voir ce que c'était, il y trouva un petit parchemin plié et écrit de la main de M. Pascal, et dans ce parchemin un papier écrit de la même main: l'un était une copie fidèle de l'autre. Ces deux pièces furent aussitôt mises entre les mains de Mᵐᵉ Périer qui les fit voir à plusieurs de ses amis particuliers. Tous convinrent qu'on ne pouvait pas douter que ce parchemin, écrit avec tant de soin et avec des caractères si remarquables, ne fut une espèce de Mémorial qu'il gardait très soigneusement pour conserver le souvenir d'une chose qu'il voulait avoir toujours présente à ses yeux et à son esprit, puisque depuis huit ans il prenait soin de le coudre et découdre à mesure qu'il changeait d'habits.* "
Le Mémorial *a été publié dans le* Recueil d'Utrecht (1740).

913
L'an de grâce 1654.
Lundi 23 novembre, jour de saint Clément pape et martyr et autres au Martyrologe.
Veille de saint Chrysogone martyr et autres.
Depuis environ dix heures et demi du soir jusques environ minuit et demi.

Feu.

Dieu d'Abraham, Dieu d'Isaac, Dieu de Jacob, non des philosophes et des savants.

Certitude, certitude, sentiment, joie, paix.

(*Dieu de Jésus-Christ*)

Dieu de Jésus-Christ.

Deum meum et deum vestrum.

Ton Dieu sera mon Dieu.

Oubli du monde et de tout, hormis Dieu.

Il ne se trouve que par les voies enseignées dans l'Évangile.

Grandeur de l'âme humaine.

Père juste le monde ne t'a point connu, mais je t'ai connu.

Joie, joie, joie, pleurs de joie.

Je m'en suis séparé

Dereliquerunt me fontem aquae vivae.

Mon Dieu me quitterez-vous

Que je n'en sois pas séparé éternellement

Cette est la vie éternelle, qu'ils te connaissent seul vrai Dieu et celui que tu as envoyé J.-C.

Jésus-Christ

Jésus-Christ

Je m'en suis séparé, je l'ai fui, renoncé, crucifié

Que je n'en sois jamais séparé

Il ne se conserve que par les voies enseignées dans l'Évangile.

Renonciation totale et douce.

Etc.

Soumission totale à Jésus-Christ et à mon directeur.

Éternellement en joie pour un jour d'exercice sur la terre.

Non obliviscar sermones tuos. Amen.

LE RECUEIL ORIGINAL

Il a été fait à Clermont par les soins du chanoine Louis Périer en 1710/1711. Il a été déposé, broché, à l'abbaye de Saint Germain-des-Prés le 25 septembre 1711, et relié après 1731. Il est à la B. N. depuis 1795.

Nous connaissons grâce à lui, soit les papiers que Gilberte Périer n'avait pas jugé opportun de remettre aux copistes (cf.

Pensées retranchées), *soit des brouillons des* Provinciales, *et quelques-uns oubliés par le copiste.*

914 (882)
Toutes les fois que les Jésuites surprendront le pape on rendra toute la chrétienté parjure.

Le pape est très aisé à être surpris à cause de ses affaires et de la créance qu'il a aux Jésuites, et les Jésuites sont très capables de surprendre à cause de la calomnie.

915 (902 *bis*)
Sur le bruit des Feuillants je le fus voir, dit mon ancien ami; en parlant de dévotion il crut que j'en avais quelque sentiment.

Et que je pourrais bien être Feuillant.

Et que je pourrais faire fruit en écrivant surtout en ce temps-ci contre les novateurs.

Nous avons fait depuis peu contre notre chapitre général qui est qu'on signerait la bulle.

Qu'il souhaiterait que Dieu m'inspirât.

Mon père faudrait-il signer ?

916 (920)
3. S'ils ne renoncent à la probabilité leurs bonnes maximes sont aussi peu saintes que les méchantes, car elles sont fondées sur l'autorité humaine. Et ainsi si elles sont plus justes elles seront plus raisonnables, mais non pas plus saintes — elles tiennent de la tige sauvage sur quoi elles sont entées.

Si ce que je dis ne sert à vous éclaircir, il servira au peuple.

Si ceux-là se taisent les pierres parleront.

Le silence est la plus grande persécution. Jamais les saints ne se sont tus. Il est vrai qu'il faut vocation, mais ce n'est pas des arrêts du Conseil qu'il faut apprendre si on est appelé, c'est de la nécessité de parler. Or après que Rome a parlé et qu'on pense qu'il a condamné la vérité, et qu'ils l'ont écrit, et que les livres qui ont dit le contraire sont censurés, il faut crier d'autant plus haut qu'on est censuré plus injustement et qu'on veut étouffer la parole plus violemment, jusqu'à ce qu'il vienne un pape qui écoute les deux parties et qui consulte l'antiquité pour faire justice.

Aussi les bons papes trouveront encore l'Église en clameurs.

L'Inquisition et la Société les deux fléaux de la vérité.

Que ne les accusez-vous d'Arianisme, car ils ont dit que J.-C. est Dieu ; peut-être ils l'entendent non par nature comme il est dit : *dii estis.*

Si mes lettres sont condamnées à Rome ce que j'y condamne est condamné dans le ciel.

Ad tuum domine Jesu tribunal appello.

Vous-mêmes êtes corruptibles.

J'ai craint que je n'eusse mal écrit me voyant condamné, mais l'exemple de tant de pieux écrits me fait croire au contraire. Il n'est plus permis de bien écrire.

Tant l'Inquisition est corrompue ou ignorante.

Il est meilleur d'obéir à Dieu qu'aux hommes.

Je crains rien, je n'espère rien. Les évêques ne sont pas ainsi. Le Port-Royal craint, et c'est une mauvaise politique de les séparer. Car ils ne craindront plus et se feront plus craindre.

Je ne crains pas même vos censures ; paroles, si elles ne sont fondées sur celles de la tradition.

Censurez-vous tout ? quoi, même mon respect ? non, donc dites quoi ou vous ne ferez rien si vous ne désignez le mal, et pourquoi il est mal. Et c'est ce qu'ils auront bien peine à faire.

Probab.

Ils ont plaisamment expliqué la sûreté, car après avoir établi que toutes leurs voies sont sûres, ils n'ont plus appelé sûr ce qui mène au ciel, sans danger de n'y pas arriver par là, mais ce qui y mène sans danger de sortir de cette voie.

917 (540)
L'espérance que les chrétiens ont de posséder un bien infini est mêlée de jouissance effective aussi bien que de crainte, car ce n'est pas comme ceux qui espèreraient un royaume dont ils n'auraient rien étant sujets, mais ils espèrent la sainteté, l'exemption de l'injustice, et ils en ont quelque chose.

918 (459)
Les fleuves de Babylone coulent et tombent, et entraînent.

O sainte Sion, où tout est stable et où rien ne tombe.

Il faut s'asseoir sur ces fleuves, non sous ou dedans, mais dessus, et non debout mais assis, pour être humble étant assis, et en sûreté étant dessus, mais nous serons debout dans les porches de Jérusalem.

Qu'on voie si ce plaisir est stable ou coulant ; s'il passe, c'est un fleuve de Babylone.

LE MYSTÈRE DE JÉSUS

Cette méditation rédigée vraisemblablement par Pascal au début de 1655, peut-être lors de son séjour à Port-Royal des Champs, n'avait pas été communiquée aux copistes.
Elle a été publiée par Faugère en 1844.

919 (553)
Jésus souffre dans sa passion les tourments que lui font les hommes, mais dans l'agonie il souffre les tourments qu'il se donne à lui-même. *Turbare semetipsum.* C'est un supplice d'une main non humaine mais toute-puissante, et il faut être tout-puissant pour le soutenir.

Jésus cherche quelque consolation au moins dans ses trois plus chers amis et ils dorment ; il les prie de soutenir un peu avec lui, et ils le laissent avec une négligence entière ayant si peu de compassion qu'elle ne pouvait seulement les empêcher de dormir un moment. Et ainsi Jésus était délaissé seul à la colère de Dieu.

Jésus est seul dans la terre non seulement qui ressente et partage sa peine, mais qui la sache. Le ciel et lui sont seuls dans cette connaissance.

Jésus est dans un jardin non de délices comme le premier Adam où il se perdit et tout le genre humain, mais dans un de supplices où il s'est sauvé et tout le genre humain.

Il souffre cette peine et cet abandon dans l'horreur de la nuit.

Je crois que Jésus ne s'est jamais plaint que cette seule fois. Mais alors il se plaint comme s'il n'eût plus pu contenir sa douleur excessive. Mon âme est triste jusqu'à la mort.

Jésus cherche de la compagnie et du soulagement de la part des hommes.

Cela est unique en toute sa vie ce me semble, mais il n'en reçoit point, car ses disciples dorment.

Jésus sera en agonie jusqu'à la fin du monde. Il ne faut pas dormir pendant ce temps-là.

Jésus au milieu de ce délaissement universel et de ses amis choisis pour veiller avec lui, les trouvant dormants, s'en fâche à cause du péril où ils exposent non lui mais eux-mêmes, et les avertit de leur propre salut et de leur bien avec une tendresse cordiale pour eux pendant leur ingratitude. Et les avertit que l'esprit est prompt et la chair infirme.

Jésus les trouvant encore dormants sans que ni sa considération ni la leur les en eût retenus, il a la bonté de ne pas les éveiller et les laisse dans leur repos.

Jésus prie dans l'incertitude de la volonté du Père et craint la mort. Mais l'ayant connue il va au-devant s'offrir à elle. *Eamus processit.*

Jésus a prié les hommes et n'en a pas été exaucé.

Jésus pendant que ses disciples dormaient a opéré leur salut. Il l'a fait à chacun des justes pendant qu'ils dormaient et dans le néant avant leur naissance et dans les péchés depuis leur naissance.

Il ne prie qu'une fois que le calice passe et encore avec soumission, et deux fois qu'il vienne s'il le faut.

Jésus dans l'ennui.

Jésus voyant tous ses amis endormis, et tous ses ennemis vigilants se remet tout entier à son père.

Jésus ne regarde pas dans Judas son inimitié mais l'ordre de Dieu qu'il aime, et la voit si peu qu'il l'appelle ami.

Jésus s'arrache d'avec ses disciples pour entrer dans l'agonie ; il faut s'arracher de ses plus proches et des plus intimes, pour l'imiter.

Jésus étant dans l'agonie et dans les plus grandes peines, prions plus longtemps.

Nous implorons la miséricorde de Dieu, non afin qu'il nous laisse en paix dans nos vices, mais afin que Dieu nous en délivre.

Si Dieu nous donnait des maîtres de sa main, O qu'il leur faudrait obéir de bon cœur. La nécessité et les événements en sont infailliblement.

Console-toi. Tu ne me chercherais pas si tu ne m'avais trouvé.

Je pensais à toi dans mon agonie ; j'ai versé telles gouttes de sang pour toi.

C'est me tenter plus que t'éprouver, que de penser si tu ferais bien, telle et telle chose absente. — Je la ferai en toi si elle arrive.

Laisse-toi conduire à mes règles. Vois comme j'ai

bien conduit la Vierge et les saints qui m'ont laissé agir en eux.

Le Père aime tout ce que je fais.

Veux-tu qu'il me coûte toujours du sang de mon humanité sans que tu donnes des larmes.

C'est mon affaire que ta conversion ; ne crains point et prie avec confiance comme pour moi.

Je te suis présent par ma parole dans l'Écriture, par mon esprit dans l'Église et par les inspirations, par ma puissance dans les prêtres, par ma prière dans les fidèles.

Les médecins ne te guériront pas, car tu mourras à la fin mais c'est moi qui guéris et rends le corps immortel.

Souffre les chaînes et la servitude corporelle. Je ne te délivre que de la spirituelle à présent.

Je te suis plus ami que tel et tel, car j'ai fait pour toi plus qu'eux et ils ne souffriraient pas ce que j'ai souffert de toi et ne mourraient pas pour toi dans le temps de tes infidélités et cruautés comme j'ai fait et comme je suis prêt à faire et fais dans mes élus — et au Saint Sacrement.

Si tu connaissais tes péchés tu perdrais cœur. Je le perdrai donc, Seigneur, car je crois leur malice sur votre assurance. Non car moi par qui tu l'apprends t'en peux guérir et ce que je te le dis est un signe que je te veux guérir. A mesure que tu les expieras tu les connaîtras et il te sera dit : Vois les péchés qui te sont remis.

Fais donc pénitence pour tes péchés cachés et pour la malice occulte de ceux que tu connais.

Seigneur je vous donne tout.

Je t'aime plus ardemment que tu n'as aimé tes souillures. *Ut immundus pro luto.*

Qu'à moi en soit la gloire et non à toi, ver et terre.

Témoigne à ton Directeur que mes propres paroles te sont occasion de mal et de vanité ou curiosité.

(Verso). La fausse justice de Pilate ne sert qu'à faire souffrir J.-C. Car il le fait fouetter par sa fausse justice et puis le tue. Il vaudrait mieux l'avoir tué d'abord. Ainsi les faux justes. Ils font de bonnes œuvres et de méchantes pour plaire au monde et montrer qu'ils ne sont pas tout à fait à J.-C., car ils en ont honte et enfin dans les grandes tentations et occasions ils le tuent.

Je vois mon abîme d'orgueil, de curiosité, de concupiscence. Il n'y a nul rapport de moi à Dieu, ni à J.-C. juste. Mais il a été fait péché pour moi. Tous vos fléaux sont tombés sur lui. Il est plus abominable que moi, et loin de m'abhorrer il se tient honoré que j'aille à lui et le secoure. Mais il s'est guéri lui-même et me guérira à plus forte raison.

Il faut ajouter mes plaies aux siennes et me joindre à lui et il me sauvera en se sauvant.

Mais il n'en faut pas ajouter à l'avenir.

Eritis sicut dii scientes bonum et malum ; tout le monde fait le Dieu en jugeant : cela est bon ou mauvais et s'affligeant ou se réjouissant trop des événements.

Faire les petites choses comme grandes à cause de la majesté de J.-C. qui les fait en nous et qui vit notre vie, et les grandes comme petites et aisées à cause de sa toute-puissance.

920 (957)

Nous même n'avons point reçu de maximes générales. Si vous voyez nos constitutions à peine nous connaîtrez-vous : elles nous font mendiants et exclus des cours et cependant, etc., mais ce n'est pas les enfreindre, car la gloire de Dieu est partout.

Il y a diverses voies pour y arriver. Saint Ignace a pris les unes et maintenant d'autres. Il était meilleur ensuite de prendre le reste. Car cela eût effrayé de commencer par le haut. Cela est contre nature.

Ce n'est pas que la règle générale ne soit qu'il faut

s'en tenir aux Institutions car on en abuserait; on en trouverait peu comme nous qui sachions nous élever sans vanité.

Unam sanctam.

Les jansénistes en porteront la peine.

Le P. Saint-Jure — Escobar.

Tanto viro.

Aquaviva 14 déc. 1621. Tanner. q. 2 dub. 5. n. 86.

Clément et Paul 5. Dieu nous protège visiblement.

Contre les jugements téméraires et les scrupules.

Sainte Thérèse 474.

Roman Rose.

Falso crimine.

Subtilité pour être.

Toute la vérité d'un côté, nous l'étendons aux deux.

Deux obstacles l'Évangile, lois de l'État; *a majori ad minus. Junior.*

Point parler des vices personnels.

Belle lettre d'Aquaviva, 18 juin 1611.

Contre les opinions probables.

Saint Augustin. 282.

Et pour saint Thomas, aux lieux où il a traité exprès les matières.

Clemens placet. 277.

Et nouveautés.

Et ce n'est pas une excuse aux supérieurs de ne l'avoir pas su car ils le devaient savoir, 279 — 194. 192.

Pour la morale 283. 288.

La Société importe à l'Église 236.

En bien et en mal 156.

Acquoquiez a confessé les femmes. 360.

921 (518)

Toute condition et même les martyrs ont à craindre par l'Écriture.

La peine du purgatoire la plus grande est l'incertitude du jugement.

Deus absconditus.

922 (856)
Sur le miracle.
Comme Dieu n'a pas rendu de famille plus heureuse, qu'il fasse aussi qu'il n'en trouve point de plus reconnaissante.

923 (905)
Sur les confessions et absolutions sans marques de regret.
Dieu ne regarde que l'intérieur, l'Église ne juge que par l'extérieur. Dieu absout aussitôt qu'il voit la pénitence dans le cœur; l'Église, quand elle la voit dans les œuvres. Dieu fera une Église pure au-dedans, qui confonde par sa sainteté intérieure et toute spirituelle, l'impiété intérieure des superbes et des pharisiens. Et l'Église sera une assemblée d'hommes dont les mœurs extérieures soient si pures qu'elles confondent les mœurs des payens; s'il y en a d'hypocrites, non si bien déguisés qu'elle n'en reconnaisse point le venin, elle les souffre. Car encore qu'ils ne sont pas reçus de Dieu qu'ils ne peuvent tromper, ils le sont des hommes qu'ils trompent. Et ainsi elle n'est pas déshonorée par leur conduite, qui paraît sainte. Mais vous... vous voulez que l'Église ne juge (ni de l'intérieur parce que cela n'appartient qu'à Dieu, ni de l'extérieur, parce que Dieu ne s'arrête qu'à l'intérieur. Et ainsi lui ôtant tout choix des hommes, vous retenez dans l'Église les plus débordés et ceux qui la déshonorent si fort que les synagogues des Juifs et sectes des philosophes les auraient exclus comme indignes et les auraient abhorrés comme impies).

924 (498) Il est vrai qu'il y a de la peine en entrant dans la piété mais cette peine ne vient pas de la piété qui commence d'être en nous, mais de l'impiété qui y est encore. Si nos sens ne s'opposaient pas à la pénitence et que notre corruption ne s'opposât point à la pureté de Dieu il n'y aurait en cela rien de pénible. Pour nous nous ne souffrons qu'à proportion que le vice qui nous est naturel résiste à la grâce surnaturelle; notre cœur se sent déchiré entre ces efforts contraires,

mais il serait bien injuste d'imputer cette violence à
Dieu qui nous attire au lieu de l'attribuer au monde,
qui nous retient. C'est comme un enfant que sa mère
arrache d'entre les bras des voleurs doit aimer dans
la peine qu'il souffre la violence amoureuse et légitime
de celle qui procure sa liberté, et ne détester que la
violence injurieuse et tyrannique de ceux qui le retiennent injustement. La plus cruelle guerre que Dieu pût
faire aux hommes en cette vie est de les laisser sans
cette guerre qu'il est venu apporter. Je suis venu apporter la guerre, dit-il, et pour instrument de cette guerre
je suis venu apporter le fer et le feu. Avant lui le monde
vivait dans cette fausse paix.

925 (520)

La loi n'a pas détruit la nature, mais elle l'a instruite.
La grâce n'a pas détruit la loi mais elle la fait exercer.

La foi reçue au baptême est la source de toute la
vie du chrétien, et des convertis.

926 (582)

On se fait une idole de la vérité même, car la vérité
hors de la charité n'est pas Dieu, et est son image et
une idole qu'il ne faut point aimer ni adorer, et encore
moins faut-il aimer ou adorer son contraire, qui est le
mensonge.

Je puis bien aimer l'obscurité totale, mais si Dieu
m'engage dans un état à demi obscur, ce peu d'obscurité qui y est me déplaît, et parce que je n'y vois pas
le mérite d'une entière obscurité il ne me plaît pas.
C'est un défaut et une marque que je me fais une idole
de l'obscurité séparée de l'ordre de Dieu. Or il ne
faut adorer qu'en son ordre.

927 (505)

Que me servirait.
Abominables.
Singlin.

Tout nous peut être mortel, même les choses faites pour nous servir, comme dans la nature les murailles peuvent nous tuer et les degrés nous tuer si nous n'allons avec justesse.

Le moindre mouvement importe à toute la nature, la mer entière change pour une pierre. Ainsi dans la grâce la moindre action importe pour ses suites à tout; donc tout est important.

En chaque action il faut regarder outre l'action, à notre état présent, passé, futur et des autres à quoi elle importe. Et voir les liaisons de toutes ces choses et lors on sera bien retenu.

928 (499)
Œuvres extérieures.

Il n'y a rien de si périlleux que ce qui plaît à Dieu et aux hommes, car les états qui plaisent à Dieu et aux hommes ont une chose qui plaît à Dieu et une autre qui plaît aux hommes, comme la grandeur de sainte Thérèse; ce qui plaît à Dieu est sa profonde humilité dans ses révélations, ce qui plaît aux hommes sont ses lumières. Et ainsi on se tue d'imiter ses discours pensant imiter son état et partant d'aimer ce que Dieu aime, et de se mettre en l'état que Dieu aime.

Il vaut mieux ne pas jeûner et en être humilié, que jeûner et en être complaisant.
Pharisien, publicain.

Que me servirait de m'en souvenir si cela peut également me nuire et me servir, et que tout dépend de la bénédiction de Dieu qu'il ne donne qu'aux choses faites pour lui, et selon ses règles et dans ses voies.

La manière étant ainsi aussi importante que la chose, et peut-être plus, puisque Dieu peut du mal tirer du bien, et que sans Dieu on tire le mal du bien.

929 (555)
Ne te compare point aux autres, mais à moi. Si tu ne m'y trouves pas dans ceux où tu te compares tu te compares à un abominable. Si tu m'y trouves,

compare-t-y; mais qu'y compareras-tu ? sera-ce toi ou moi dans toi ? si c'est toi c'est un abominable, si c'est moi tu compares moi à moi. Or je suis Dieu en tout.

Je te parle et te conseille souvent parce que ton Conducteur ne te peut parler, car je ne veux pas que tu manques de Conducteur.

Et peut-être je le fais à ses prières. Et ainsi il te conduit sans que tu le voies.

Tu ne me chercherais pas si tu ne me possédais. Ne t'inquiète donc pas.

(*J'ai reçu de mademoiselle la présidente Pascal la somme de quatre cents livres.*)

930 (513)

Pourquoi Dieu a établi la prière ?

1. Pour communiquer à ses créatures la dignité de la causalité.

2. Pour nous apprendre de qui nous tenons la vertu.

3. Pour nous faire mériter les autres vertus par travail.

Mais pour se conserver la primauté il donne la prière à qui il lui plaît.

Object : mais on croira qu'on tient la prière de soi.

Cela est absurde, car puisque ayant la foi on ne peut avoir les vertus. Comment aurait-on la foi ? Y a(-t-)il pas plus de distance de l'infidélité à la foi que de la foi à la vertu ?

Mérité, ce mot est ambigu.

Meruit habere redemptorem.

Meruit tam sacra membra tangere.

Digna tam sacra membra tangere.

Non sum dignus, qui manducat indignus.

Dignus est accipere.

Dignare me.

Dieu ne donne que suivant ses promesses.

Il a promis d'accorder la justice aux prières.

Jamais il n'a promis les prières, qu'aux enfants de la promesse.

Saint Augustin a dit formellement que les forces seront ôtées au juste.

Mais c'est par hasard qu'il l'a dit, car il pouvait arriver que l'occasion de le dire ne s'offrit pas. Mais ses principes font voir que l'occasion s'en présentant, il était impossible qu'il ne le dît pas ou qu'il dît rien de contraire. C'est donc plus d'être forcé à le dire l'occasion s'en offrant que de l'avoir dit, l'occasion s'en étant offerte. L'un étant de nécessité, l'autre de hasard. Mais les deux sont tout ce qu'on peut demander.

931 (550)

(*J'aime tous les hommes comme mes frères, parce qu'ils sont tous rachetés.*)

J'aime la pauvreté parce qu'il l'a aimée. J'aime les biens parce qu'ils me donnent le moyen d'en assister les misérables. Je garde fidélité à tout le monde. Je (ne) rends point le mal à ceux qui m'en font, mais je leur souhaite une condition pareille à la mienne où l'on ne reçoit point de mal ni de bien de la part des hommes. J'essaye d'être juste, véritable, sincère et fidèle à tous les hommes et j'ai une tendresse de cœur pour ceux à qui Dieu m'a uni plus étroitement.

Et soit que je sois seul ou à la vue des hommes j'ai en toutes mes actions la vue de Dieu, qui les doit juger et à qui je les ai toutes consacrées.

Voilà quels sont mes sentiments.

Et je bénis tous les jours de ma vie mon Rédempteur qui les a mis en moi et qui d'un homme plein de faiblesse, de misère, de concupiscence, d'orgueil et d'ambition a fait un homme exempt de tous ces maux par la force de la grâce, à laquelle toute la gloire en est due, n'ayant de moi que la misère et l'erreur.

932 (191)

Et celui-là se moquera de l'autre ?

Qui se doit moquer ? Et cependant celui-ci ne se moque pas de l'autre, mais en a pitié.

933 (460)

Concupiscence de la chair, concupiscence des yeux, orgueil, etc.

Il y a trois ordres de choses. La chair, l'esprit, la volonté.

Les charnels sont les riches, les rois. Ils ont pour objet le corps.

Les curieux et savants, ils ont pour objet l'esprit.

Les sages, ils ont pour objet la justice.

Dieu doit régner sur tout et tout se rapporter à lui.

Dans les choses de la chair règne proprement sa concupiscence.

Dans les spirituels, la curiosité proprement.

Dans la sagesse l'orgueil proprement.

Ce n'est pas qu'on ne puisse être glorieux pour le bien ou pour les connaissances, mais ce n'est pas le lieu de l'orgueil, car en accordant à un homme qu'il est savant on ne laissera pas de le convaincre qu'il a tort d'être superbe.

Le lieu propre à la superbe est la sagesse, car on ne peut accorder à un homme qu'il s'est rendu sage et qu'il a tort d'être glorieux. Car cela est de justice.

Aussi Dieu seul donne la sagesse et c'est pourquoi : *qui gloriatur in domino glorietur.*

934 (580)

La nature a des perfections pour montrer qu'elle est l'image de Dieu et des défauts pour montrer qu'elle n'en est que l'image.

935 (490)

Les hommes n'ayant pas accoutumé de former le mérite, mais seulement le récompenser où ils le trouvent formé, jugent de Dieu par eux-mêmes.

936 (698)
On n'entend les prophéties que quand on voit
les choses arrivées, ainsi les preuves de la retraite
et de la direction, du silence, etc., ne se prouvent
qu'à ceux qui les savent et les croient.

Saint Joseph si intérieur dans une loi toute exté-
rieure.

Les pénitences extérieures disposent à l'intérieure,
comme les humiliations à l'humilité, ainsi les...

937 (104)
Quand notre passion nous porte à faire quelque
chose nous oublions notre devoir; comme on aime
un livre on le lit lorsqu'on devrait faire autre chose.
Mais pour s'en souvenir il faut se proposer de faire
quelque chose qu'on hait et lors on s'excuse sur ce
qu'on a autre chose à faire et on se souvient de son
devoir par ce moyen.

938 (658) 20 V. Les figures de l'Évangile pour l'état
de l'âme malade sont des corps malades. Mais parce
qu'un corps ne peut être assez malade pour le bien
exprimer il en a fallu plusieurs. Ainsi il y a le sourd, le
muet, l'aveugle, le paralytique, le Lazare mort, le
possédé : tout cela ensemble est dans l'âme malade.

939 (897)
Le serviteur ne fait (que) ce que le maître fait,
car le maître lui dit seulement l'action et non la fin.
C'est pourquoi il s'y assujétit servilement et pèche sou-
vent contre la fin. Mais J.-C. nous a dit la fin.
Et vous détruisez cette fin.

940 (790)
J.-C. n'a pas voulu être tué sans les formes de la
justice, car il est bien plus ignominieux de mourir
par justice que par une sédition injuste.

941 (264)

On ne s'ennuie point de manger, et dormir, tous les jours, car la faim renaît et le sommeil, sans cela on s'en ennuierait.

Ainsi sans la faim des choses spirituelles on s'en ennuie; faim de la justice, béatitude 8e.

942 (941)

Fin. Est-on en sûreté ? Ce principe est-il sûr ? Examinons. Témoignage de soi nul. Saint Thomas.

943 (554)

24 Aa. Il me semble que J.-C. ne laissa toucher que ses plaies après sa résurrection. *Noli me tangere.* Il ne faut nous unir qu'à ses souffrances.

Il s'est donné à communier comme mortel en la Cène, comme ressuscité aux disciples d'Emmaüs, comme monté au Ciel à toute l'Église.

944 (250)

Il faut que l'extérieur soit joint à l'intérieur pour obtenir de Dieu; c'est-à-dire que l'on se mette à genoux, prie des lèvres, etc. afin que l'homme orgueilleux qui n'a voulu se soumettre à Dieu soit maintenant soumis à la créature. Attendre de cet extérieur le secours est être superstitieux; ne vouloir pas le joindre à l'intérieur est être superbe.

945 (661)

La pénitence, seule de tous les mystères a été déclarée manifestement aux Juifs et par Saint Jean précurseur, et puis les autres mystères pour marquer qu'en chaque homme comme au monde entier cet ordre doit être observé.

946 (785)

2. Considérer J.-C. en toutes les personnes, et en nous-mêmes. J.-C. comme père en son père. J.-C. comme frère en ses frères. J.-C. comme pauvre en les pauvres. J.-C. comme riche en les riches. J.-C. comme docteur et prêtre en les prêtres. J.-C. comme souverain en les princes, etc. Car il est par sa gloire

tout ce qu'il y a de grand étant Dieu et est par sa vie mortelle tout ce qu'il y a de chétif et d'abject. Pour cela il a pris cette malheureuse condition pour pouvoir être en toutes les personnes et modèle de toutes conditions.

947 (504) 25 Bb. autre motif : que la charité considère cela comme une privation de l'esprit de Dieu et une action mauvaise, à cause de la parenthèse ou interruption de l'esprit de Dieu en lui, et s'en repent en s'en affligeant.

Le juste agit par foi dans les moindres choses. Quand il reprend ses serviteurs il souhaite leur conversion par l'esprit de Dieu et prie Dieu de les corriger, et attend autant de Dieu que de ses répréhensions, et prie Dieu de bénir ses corrections et ainsi aux autres actions.

948 (668)
On ne s'éloigne qu'en s'éloignant de la charité.

Nos prières et nos vertus sont abominables devant Dieu si elles ne sont les prières et les vertus de J.-C. Et nos péchés ne seront jamais l'objet de la (miséricorde) mais de la justice de Dieu s'ils ne sont (les péchés) de J.-C.

Il a adopté nos péchés et nous a (admis à son) alliance, car les vertus lui sont propres (et les) péchés étrangers, et les vertus nous (sont) étrangères et nos péchés nous sont propres.

Changeons la règle que nous avons prise jusqu'ici pour juger de ce qui est bon. Nous en avions pour règle notre volonté; prenons maintenant la volonté de Dieu: tout ce qu'il veut nous est bon et juste, tout ce qu'il ne veut pas (mauvais et injuste).

Tout ce que Dieu ne veut pas est défendu. Les péchés sont défendus par la déclaration générale que Dieu a faite qu'il ne les voulait pas. Les autres choses qu'il a laissées sans défense générale, et qu'on appelle par cette raison permises, ne sont pas néanmoins toujours permises, car quand Dieu en éloigne quelqu'une de nous et que par l'événement qui eſt une manifeſtation de la volonté de Dieu, il paraît que Dieu ne veut pas que nous ayons une chose, cela nous eſt défendu alors comme le péché, puisque la volonté de Dieu eſt que nous n'ayons non plus l'un que l'autre. Il y a cette différence seule entre ces deux choses qu'il eſt sûr que Dieu ne voudra jamais le péché, au lieu qu'il ne l'eſt pas qu'il ne voudra jamais l'autre. Mais tandis que Dieu ne la veut pas, nous la devons regarder comme péché tandis que l'absence de la volonté de Dieu qui eſt seule toute la bonté et toute la juſtice la rend injuſte et mauvaise.

949 (930)

Qu'on les a traités aussi humainement qu'il était possible de le faire pour se tenir dans le milieu entre l'amour de la vérité et le devoir de la charité.

Que la piété ne consiſte pas à ne s'élever jamais contre ses frères. Il serait bien facile, etc.

C'eſt une fausse piété de conserver la paix au préjudice de la vérité.

C'eſt aussi un faux zèle de conserver la vérité en blessant la charité.

Aussi ils ne s'en sont pas plaint.

Leurs maximes ont leur temps et leur lieu.

La vanité va à s'élever de leurs erreurs.
Conformes aux Pères par leurs fautes.
Et aux martyrs par leur supplice.

Encore n'en désavouent-ils aucune.

Ils n'avaient qu'à prendre l'extrait et le désavouer.

Sanctificant praelium.

M. Bourseys. Pour le moins ne peuvent-ils pas désavouer qu'ils s'opposèrent à la condamnation.

950 (951)

En sa bulle, *Cum ex apostolatus officio* par Paul IV,
publiée en 1558.

Nous ordonnons, statuons, décrétons, définissons
que tous et chacun de ceux qui se trouveront être
— fourvoyés ou être — tombés en hérésie ou schisme,
et de quelque qualité et condition qu'ils soient, laïques,
ecclésiastiques, prêtres, évêques, archevêques, patriarches, primats, cardinaux, comtes, marquis, ducs, rois
et empereurs, outre les sentences et peines susdites
soient pour cela même sans aucun ministère de droit
ou de fait privés en tout et pour tout, perpétuelle-
ment, de leurs ordres, évêchés, bénéfices, offices,
royaume, empire, et incapables d'y rentrer jamais.
Délaissons à la discrétion de la puissance séculière pour
être punis, n'accordant autre grâce à ceux qui par une
véritable pénitence reviendraient de leur égarement,
sinon que par la bénignité et clémence du Saint Siège
ils soient estimés mériter d'être reclus en un monastère
pour y faire perpétuelle pénitence au pain et à l'eau,
mais qu'ils demeurent toujours privés de toute dignité,
ordre, prélature, comté, duché, royaume. Et que ceux
qui les recéleront et défendront, seront pour cela
même jugés excommuniés et infâmes, privés de tout
royaume, duché, bien et possession, qui appartien-
dront de droit et de propriété à ceux qui s'en saisiront
les premiers.

*Si hominem excommunicatum interfecerunt, non eos
homicidas reputamus, quod adversus excommunicatos zelo
catholicae matris ardentes aliquem eorum trucidasse conti-
gerit.* 23 q. 5. d'Urbain II.

951 (950)

(*Après les avoir bien tourmentés on vous renverra chez
vous.*)

(*C'est une aussi faible consolation que celle des appels
comme d'abus. Car un grand moyen d'abus ôté
  outre que la plupart n'auront pas le moyen de venir du
fond du Périgord et d'Anjou, plaider au parlement de Paris ;*)

*outre qu'ils auront à toute heure des arrêtés du conseil
pour défendre ces appels comme d'abus.)*

*(Car encore qu'ils ne puissent obtenir ce qu'ils ont demandé
cette demande ne laisse pas de faire paraître leur puissance
qui est d'autant plus grande qu'elle les a portés à demander
une chose si injuste qu'il était visible qu'ils ne la pourront
obtenir.*

*Cela ne fait donc que mieux connaître leur intention et
la nécessité qu'il y a de ne pas autoriser par un enregistrement
la bulle qu'ils veulent faire servir de base à ce nouvel établissement.)*

(Ce n'est pas ici une bulle simple mais une base.

Au sortir du palais.)

121. Le pape défend au roi de marier ses enfants
sans sa permission. 1294.

Scire te volumus 124. 1302.

La puérile.

952 (956)
Clemens   placentium.

Nos généraux craignaient le déchet à cause des occupations extérieures. 208. 152. 150. à cause de la Cour
209. 203. 216. 218. à cause qu'on ne suivait pas les
opinions les plus sûres et les plus autorisées. Saint Thomas, etc. 215. 218.

Stipendium contra Consti. 218.

Femmes. 225. 228.

Princes et politique 227. 168. 177.

Probabilité. nouveauté 279. 156 — nouveauté,
vérité.

Pour passer le temps et se divertir plus que pour
aider les âmes. 158.

Opinions relâchées. 160. péché mortel en véniel.
Contrition 102. politique 162. Anticipants ou 162.

Les commodités de la vie croissent aux Jésuites
166.

Biens apparents et faux qui les trompent. 192 ad.

*(Et ce n'est pas une excuse aux supérieurs de n'avoir pas
su   les...)*

Le P. Lemoine, 10.000 écus, hors de sa province.

Voyez combien la prévoyance des hommes est faible. Toutes les choses d'où nos premiers généraux craignaient la perte de notre société, c'est par là qu'elle s'est accrue, par les grands, par la contrariété à nos constitutions, par la multitude des religieux, la diversité et nouveauté d'opinions, etc. 182. 157.

Politique 181.

Le premier esprit de la société éteint. 170. 171 ad 174. 183 ad 187. *non e piu quella*. Vittelescus. 183. (*altri tempi altre cure*).

Plaintes des généraux. Point de saint Ignace. Point de Laynez. Quelques-unes de Borgia et d'Aquaviva. Infinies de Mutius, etc.

Avez-vous l'idée qu'il faut de notre Société ?

L'Église a subsisté si longtemps sans ces questions.

Les autres en font, mais ce n'est pas de même.

Quelle comparaison croyez-vous qu'il ait entre 20.000 séparés et 200.000.000 joints, qui périront l'un pour l'autre. Un corps immortel.

Nous nous soutenons jusqu'à périr, Lamy.

Nous poussons nos ennemis, P. Puys.

Tout dépend de la probabilité.

Le monde veut naturellement une religion, mais douce.

Il me prend envie de vous le montrer par une étrange supposition. Je vous dirai donc : quand Dieu ne nous soutiendrait pas par une providence particulière pour le bien de l'Église, je veux vous montrer qu'en parlant, même humainement, nous ne pouvons périr.

Accordez-moi ce principe et je vous prouverai tout. C'est que la Société et l'Église courent même fortune. Sans ces principes on ne prouve rien.

On ne vit pas longtemps dans l'impiété ouverte, ni naturellement dans les grandes austérités.

Une religion accommodée est propre à durer. On les cherche par libertinage.

Des particuliers qui ne veulent pas dominer par les armes je ne sais s'ils pouvaient mieux faire.

Rois, pape.
3 Reg. 246.

6 droit et de bonne foi à la dévotion.

(231. *Jésuites consultés sur tout*)
(165. 166. 164. 165. *transplantés*)
6. 452. Rois nourriciers.
4. haïs à cause de leur mérite.
(*Université.*)
(3. *Reg.*)
Apol. Universe. 159. décret de Sorbonne.
les rois 241. 228.
Jésuites pendus 112.

La religion. Et la science. (?)

Jesuita omnis homo.

(*Collèges — enfants à choisir.*)

Collèges, parents, amis, enfants à choisir.
Constitutions.
253. pauvreté. ambition.
257. principalement les princes, les grands seigneurs qui peuvent nuire et servir.
12. Inutiles, rejetés / bonne mine. / Richesse, noblesse, etc.
Et quoi aviez-vous peur qu'on manquât à les recevoir plus tôt ?
27.
47. donner son bien à la Société pour la gloire de Dieu. Lecl.
51. 52. Union de sentiments, decl. soumettre à la Société et ainsi garder l'uniformité. Or aujourd'hui cette uniformité est en la diversité. Car la Société le veut.

117. const. l'Évangile et saint Thomas. decl. quelque théologie accommodante.

65. rares savants pieux; nos anciens ont changé d'avis.

23. 74. mendier.

19. ne point donner aux parents, s'en reposer sur les conseillers donnés par le supérieur.

1. ne pas pratiquer l'examen. decl.

2. pauvreté entière, point de messes ni pour sermon ni par aumône compensatrice.

4. decl. de même autorité que les const.

fin. lire les const. chaque mois.

149. les déclarations gâtent tout.

154. Ni inciter à donner des aumônes perpétuelles, ni les demander en justice, ni tronc. Decl. *non tanquam Eleemozina.*

200. 4. Nous avertir de tout.

190. Const ne veut pas troupe. decl. troupe interprété.

Un corps universel et immortel.

Affection pour la communauté grande et sans scrupule — dangereuse.

Par la religion nous serions tous riches, sans nos constitutions, aussi nous sommes pauvres.

Et par la vraie religion et sans elle nous sommes forts.

953 (958)
  Ep. 16. *Aquavivae.*
     De formandis
  concionatoribus.

p. 373. *Longe falluntur qui ad — irrigaturae.*

(*cette citation ne se trouve pas*) lire les Pères pour les conformer à son imagination au lieu de former sa pensée sur celle des Pères.

Ep. 1. *Mutii Vitelesci.*

p. 389. *Quamvis enim probe norim — et absolutum.*

(*celle-ci non plus — elles étaient* 373/389. *elles sont écrites toutes deux.*)

p. 390. *Dolet ac queritur — esse modestiam.*

modestie.

p. 392. *Lex ne dimidiata — reprehendit.*

la messe. Je ne sais ce qu'il dit.

p. 408. *Ita feram illam — etiam irrumpat.*

Politique.

p. 409. *Ad extremum pervelim — circumferatur.*

Par un malheur ou plutôt un bonheur singulier de la Société ce qu'un fait est attribué à tous.

p. 410. *Quaerimoniae — deprehendetis* p. 412.

Obéir aux évêques exactement, qu'il ne paraisse pas que nous prétendions nous mesurer à eux à l'exemple de St Xavier.

p. 412. *Ad haec si a litibus — aviditatis.*

testaments, procès.

p. 413. *Patris Borgiae — videbitur illam futuram.*

Ils augmentent, ils inventent même de fausses histoires.

p. 415. *Ita res domesticas — nunc dimittis,* etc.

Ep. 2. *Mutii Vitelesci.*

p. 432. *Quarto nonullorum — quam ardentissime possum urgere.*

Probabilité, *tueri pius potest, probabilis est auctore non caret.*

p. 433. *Quoniam vero de loquendi licentia — aut rare plectatur.*

manque de punir les médisants.

Ep. 3. *Mutii Vitelesci.*

p. 437. *Nec sane dubium — nihil jam detrimenti acceperit.*

que la Société ne se gâte.

p. 440. *Ardentissime Deum exoremus — operari non est gravatus et tu fili hois,* etc. Ezech. 37.

(*manque d'obéissance pour chercher leur réputation.*)

p. 441. *Secundum caput — tanti facimus.*

manque d'obéissance pour chercher leur réputation.

p. 442. *Haec profecto una si deficiet — qui haec molitur.*

manque d'obéissance, chercher l'appui des grands.

p. 443. *Ex hoc namque vitio — importunum praebeas.*

Ils font des choses indécentes et hors l'état de la Société et disent que les grands seigneurs les importunent pour cela mais ce sont eux qui les importunent de sorte qu'il faut ou les avoir pour ennemis si on les refuse, ou perdre la Société en l'accordant.

p. 443. *Spectabit tertium caput — mutatus est color optimus.*

Chasteté.

p. 445. *De paupertate — non adversentur veritati.*

Pauvreté, relâchement d'opinions contraires à la Vérité.

p. 446. *Faxit Deus — atque si praetermitterentur.*

Vignes, etc.

954 (925)

Examiner le motif de la censure par les phénomènes; faire une hypothèse qui convienne à tous.

L'habit fait la doctrine.

(*Vous confessez tant de gens qui ne se confessent qu'une fois l'an.*)

(*Je croyais qu'il y avait une opinion contre une opinion.*)

(*Quand on est si méchant qu'on n'en a plus aucun remords on ne pèche donc plus.*)

(*Vous persécutez donc M. Arnaud sans remords.*)

Je me défie de cette doctrine car elle m'est trop douce, vu la malignité qu'on dit qui est en moi.

(*Que ne choisissez vous quelque grosse hérésie.*)

Je me défie de leur union vu leurs contradictions particulières.

J'attendrai qu'ils s'accordent avant que de prendre parti. Pour un ami j'aurais trop d'ennemis. Je ne suis pas assez savant pour leur répondre.

(*Je croyais bien qu'on fût damné pour n'avoir pas eu de bonnes pensées, mais pour croire que personne n'en a cela m'est nouveau.*)

(*A quoi sert cela pour consoler les justes et sauver le désespoir ? non, car personne ne peut être en état de se croire juste.*)

(*M. Chamillard serait hérétique, ce qui est une fausseté manifeste car il a écrit pour M. Arnaud.*)

En l'an 1647, la grâce à tous; en 1650 elle fut plus rare, etc.

(*Grâce de M. Cornet, de M.*)

Luther tout, hors le vrai.

S'il n'y avait point eu dans l'Église des occasions pareilles, mais j'en crois mon curé.

Si peu qu'elle incommode ils en font d'autres (grâces), car ils en disposent comme de leur ouvrage.

Un seul dit vrai.

(*A chaque occasion chaque grâce ; à chaque personne grâce pour les grands, grâce pour les coquins.*)

Enfin M. Chamillard en est si proche que s'il y a des degrés pour descendre dans le néant (cette grâce suffisante) est maintenant au plus proche.

(*Plaisant d'être hérétique pour cela.*)

Il n'y a personne qui n'y fut surpris, car on ne l'a jamais vue dans l'Écriture, ni dans les Pères, etc.

Combien y a (-t-)il mon Père que c'est un article de foi ? Ce n'est tout au plus que depuis les mots de pouvoir prochain. Et je crois qu'en naissant il a fait cette hérésie et qu'il n'est né que pour ce seul dessein.

(*La censure défend seulement de parler ainsi de saint Pierre, et rien de plus. — Je leur ai bien de l'obligation.*)

(*Ce sont d'habiles gens. Ils ont craint que les lettres qu'or écrit aux provinciaux...*)

(*Ce n'était pas la peine pour un mot.*)

(*naïveté puérile.*)

(*loué sans être connu.*)

(*méchants créanciers.*)

(*je pense qu'ils sont sorciers.*)

Luther (*tout hormis le vrai.*)

Membre hérétique.

Unam sanctam.

Les enluminures nous ont fait tort.

Une proposition est bonne dans un auteur et méchante dans un autre. Oui, mais il y a donc d'autres mauvaises propositions.

Il y a des gens qui défèrent à la censure, d'autres aux raisons, et tous aux raisons. Je m'étonne que vous n'ayez donc pris la voie générale au lieu de la particulière ou du moins que vous ne l'y avez jointe.

Pluralité de grâces.
Traducteurs jansénistes.

Saint Augustin en a le plus à cause des divisions de ses ennemis. Outre une chose qu'on peut considérer qui est une tradition sans interruption de 12.000 papes, conciles, etc.

Il faut donc que M. Arnaud ait bien des mauvais sentiments pour infecter ceux qu'il embrasse.

La censure leur fait ce bien que quand on les censurera ils la combattront en disant qu'ils imitent les jansénistes.

Que je suis soulagé; nul français bon catholique...

Les litanies. Clément 8, Paul 5, Censure. Dieu nous protège visiblement.

L'homme est bien insensé. Il ne peut faire un ciron.

Au lieu de Dieu la grâce pour y aller.

955 (929)
(*Et on se dispose à chasser de l'Église ceux qui refusent cet aveu.*) Tout le monde déclare qu'elles le sont. M. Arnaud, et ses amis, proteste qu'il les condamne en elles-mêmes, et en quelque lieu où elles se trouvent, que si elles sont dans Jansénius il les y condamne.
Qu'encore même qu'elles n'y soient pas, si le sens hérétique de ces propositions que le pape a condamné se trouve dans Jansénius, qu'il condamne Jansénius.
Mais vous n'êtes pas satisfaits de ces protestations, vous voulez qu'il assure que ces propositions sont mot à mot dans Jansénius. Il a répondu qu'il ne peut l'assurer, ne sachant pas si cela est, qu'il les y a cherchées et une infinité d'autres sans jamais les y trouver. Ils vous ont prié vous et tous les autres de citer en quelles pages elles sont (*et*) jamais personne ne l'a fait. Et vous voulez néanmoins le rentrancher de l'Église sur ce refus, quoiqu'il condamne tout ce qu'elle condamne, pour cette seule raison qu'il n'assure pas que des

paroles ou un sens, est dans un livre où il ne l'a jamais trouvé, et où personne ne le lui veut montrer. En vérité, mon Père ce prétexte est si vain qu'il n'y eût peut-être jamais dans l'Église de procédé si étrange, si injuste et si tyrannique.

(*L'Église peut bien obliger.*)

(*Clement* 8.)

(*Si quis dixerit.*)

Il ne faut pas être théologien pour voir que leur hérésie ne consiste qu'en l'opposition qu'ils vous font; je l'éprouve en moi-même, et on en voit la preuve générale en tous ceux qui vous ont attaqués.

Les curés de Rouen jansénistes.

Vœu de Caen.

Vous croyez vos desseins si honnêtes que vous en faites matière de vœu.

Il y a deux ans que leur hérésie était la bulle, l'année passée c'était intérieur. Il y a six mois que c'était *totidem ;* à présent c'est le sens.

Ne vois-je pas bien que vous ne voulez que les rendre hérétiques. Saint-Sacrement.

Je vous ai querellés en parlant pour les autres.

Vous êtes bien ridicules de tant faire de bruit pour les propositions. Ce n'est rien, il faut qu'on l'entende.

Sans noms d'auteurs, mais comme on savait votre dessein 70 s'opposèrent. Dater l'arrêt.

Afin que celui que vous n'aviez pu rendre hérétique sur ses propres paroles, etc.

(*Qui m'en veut de montrer que tout cela est de vos auteurs jusqu'aux plus horribles.*)

Car tout se sait.

(*N'avez-vous que cela à répondre, et que cette manière de le prouver.*)

Ou il sait que oui ou que non, ou il doute, ou pécheur ou hérétique.

Préface Villeloin.

Jansénius, Aurelius, Arnaud, Provinciales.

(*Un corps de réprouvés.*)

(*On ouvrirait tous les troncs de Saint-Merry, sans que vous en fussiez moins innocents.*)

(*Après Pélage.*)
(*Aussi cela n'est pas étrange. Faux droit. Baronius.*)

(*Pour moi j'aimerais mieux être imposteur que etc*).

Quelle raison en avez-vous ? Vous dites que je suis janséniste, que le P. R. soutient les 5 p(ropositions) et qu'ainsi je les soutiens. 3 mensonges.

En ne considérant que les Payens.

Cette même lumière qui découvre les vérités surnaturelles les découvre sans erreur au lieu que la lumière qui etc.

Comment le sens de Jansénius serait-il dans des propositions qui ne sont point de lui.

Et je vous prie de ne venir pas me dire que ce n'est pas vous (*mais les Évêques*) qui faites agir tout cela. (*Je vous répondrais des choses qui ne plairaient ni à vous ni à d'autres.*) Épargnez-moi la réponse.

Ou cela est dans Jansénius ou non. Si cela y est le voilà condamné en cela, sinon pourquoi le voulez-vous faire condamner.

Que l'on condamne seulement une de vos propositions du père Escobar. J'irai porter d'une main Escobar, de l'autre la censure et j'en ferai un argument en forme.

Le pape n'a pas condamné deux choses, il n'a condamné que le sens des propositions.

Direz-vous qu'il ne l'a pas condamné ? Mais le sens de Jansénius y est enfermé, dit le pape. Je vois bien que le pape l'a pensé à cause de vos *totidem*, mais il ne l'a pas dit sur peine d'excommunication.

Comment ne l'eût-il pas cru et les évêques de France aussi. Vous les disiez *totidem* et ils ne savaient pas que vous êtes en pouvoir de le dire encore que cela ne fût pas.

Imposteurs on n'avait pas vu ma 15ᵉ lettre.

956 (928)
Diana.
C'est à quoi sert Diana.

11. Il est permis de ne point donner les bénéfices qui n'ont pas charge d'âmes aux plus dignes; le Concile de Trente semble dire le contraire. Mais voici comme il le prouve, car si cela était tous les prélats seraient en état de damnation. Car ils en usent tous de la sorte.

11. Le roi et le pape ne sont point obligés de choisir les plus dignes. Si cela était, le pape et les rois auraient une terrible charge.

21. Et ailleurs si cette opinion n'était pas vraie les pénitents et les confesseurs auraient bien des affaires, et c'est pourquoi j'estime qu'il faut la suivre dans la pratique.

(21. *Si cette opinion était vraie touchant la restitution, O qu'il y aurait de restitutions à faire*)

Et en un autre endroit où il met les conditions nécessaires pour faire qu'un péché soit mortel, il y met tant de circonstances qu'à peine pèche-(t-)on mortellement et après l'avoir établi, il s'écrie : O que le joug du Seigneur est doux et léger.

11. Et ailleurs l'on n'est pas obligé de donner l'aumône de son superflu dans les communes nécessités des pauvres. Si le contraire était vrai il faudrait condamner la plupart des riches et de leurs confesseurs.

Ces raisons-là m'impatientaient lorsque je dis au Père : mais qui empêche de dire qu'ils le sont.

C'est ce qu'il a prévu aussi en ce lieu me répondit-il ou après avoir dit — 22 — si cela était vrai les plus riches seraient damnés. Il ajoute : à cela Arragonius répond qu'ils le sont aussi et Bauny, jésuite ajoute, de plus, que leurs confesseurs le sont de même mais je réponds avec Valentia, autre jésuite, et d'autres auteurs qu'il y a plusieurs raisons pour excuser ces riches et leurs confesseurs.

J'étais ravi de ce raisonnement quand il me finit par celui-ci :

Si cette opinion était vraie pour la restitution, O qu'il y aurait de restitutions à faire !

O mon Père, lui dis-je, la bonne raison. — O, me dit le Père, que voilà un homme comme. — O, mon Père, répondis-je, sans vos casuistes qu'il y aurait de monde damné. (*O répliqua(-t-)il qu'on a tort de ne nous pas laisser en parler*) — O mon Père, que vous rendez large la voie qui mène au ciel ! O qu'il y a de gens qui la trouvent ! Voilà un...

957 (512)

Elle est toute le corps de J.-C. en son patois, mais il ne peut dire qu'elle est tout le corps de J.-C.

L'union de deux choses sans changement, ne fait point qu'on puisse dire que l'une devient l'autre.

Ainsi l'âme étant unie au corps,
Le feu au bois sans changement.
Mais il faut changement qui fasse que la forme de l'une devienne la forme de l'autre.
Ainsi l'union du Verbe à l'humanité.

Parce que mon corps sans mon âme ne serait pas le corps d'un homme. Donc mon âme unie à quelque matière que ce soit fera mon corps.

Il ne distingue la condition nécessaire d'avec la condition suffisante, l'union est nécessaire mais non suffisante.

Le bras gauche n'est pas le droit.

L'impénétrabilité est une propriété du corps.

Identité de *numero*, au regard du même temps exige l'identité de la matière.

Ainsi si Dieu unissait mon âme à un corps à la Chine, le même corps *idem numero* serait à la Chine.

La même rivière qui coule là est *idem numero* que celle qui court en même temps à la Chine.

958 (75)
Part 1. 1. 2. C. I. S.
(*Conjecture, il ne sera pas difficile de faire descendre encore d'un degré et de la faire paraître ridicule*)

Qu'y a(-t-)il de plus absurde que de dire que des corps inanimés ont des passions, des craintes, des horreurs que des corps insensibles sans vie, et même incapables de vie, aient des passions qui présupposent une âme au moins sensitive pour les recevoir. De plus que l'objet de cette horreur, fût le vide ? Qu'y a(-t-)il dans le vide qui leur puisse faire peur ? Qu'y a t'il de plus bas et de plus ridicule ?

Ce n'est pas tout qu'ils aient en eux-mêmes un principe de mouvement pour éviter le vide. Ont-ils des bras, des jambes, des muscles, des nerfs ?

959 (636)
Si ne marque pas l'indifférence.

Malach.

Isaïe.

Isa. *si volueris*, etc.

In quacumque die.

960 (362 et 921)
(*Qu'avez-vous gagné en m'accusant de railler des choses saintes ? Vous ne gagnerez pas plus en m'accusant d'imposture.*)

(*Je n'ai pas tout dit, vous le verrez bien.*)

Je ne suis point hérétique. Je n'ai point soutenu les 5 propositions. Vous le dites et ne le prouvez pas. Je dis que vous avez dit cela et je le prouve.

Je vous ai dit que vous êtes des imposteurs et je le prouve. Et que vous ne le cachez pas insolemment. Brisacier, Meynier, d'Alby. Et que vous l'autorisez; *Elidere.*

Quand vous croyiez M. Puys ennemi de la Société il était indigne pasteur de son église, ignorant, hérétique, de mauvaise foi et mœurs; depuis il est digne pasteur de bonne foi et mœurs.

Calomnier, *haec est magna caecitas cordis.*
N'en pas voir le mal, *haec est major caecitas cordis.*
Le défendre au lieu de s'en confesser comme d'un péché, *tunc hominem concludit profunditas iniquitatis*, etc — 230, prosper.
Les grands seigneurs se divisent dans les guerres civiles.
Et ainsi vous dans la guerre civile des hommes.

(*Je veux vous le dire à vous-mêmes afin que cela ait plus de force.*)

(*Ceux qui examinent les livres, je suis sûr de leur approbation, mais ceux qui ne lisent que les titres et ceux-là sont le plus grand nombre, ceux-là pourraient croire sur votre parole. (Il faut) ne... pas — que des religieux fussent des imposteurs — on a déjà désabusé les nôtres par la force des citations. Il faut désabuser les autres par* elidere.)

Ex senatus consultis et plebiscitis.
Demander des passages pareils.

Je suis bien aise que vous publiez la même chose que moi.
ex contentione, saint Paul.

Me causam fecit.

(*Ce n'est pas que je ne voie combien vous êtes embarrassés, car si vous vouliez vous dédire cela serait fait, mais etc.*)

Les saints subtilisent pour se trouver criminels et accuser leurs meilleures actions, et ceux-ci subtilisent pour excuser les plus méchantes.

Ne prétendez pas que ceci se passe en disputes. On ferait imprimer vos ouvrages entiers et en français; on en fera tout le monde juge.

Un bâtiment également beau par dehors, mais sur un mauvais fondement, les payens sages le bâtissaient et le diable trompe les hommes par cette ressemblance apparente fondée sur le fondement le plus différent.

Jamais homme n'a eu si bonne cause que moi, et jamais d'autres n'ont donné si belle prise que vous.

Les gens du monde ne croient pas être dans les bonnes voies.

Plus ils marquent de faiblesse en ma personne plus ils autorisent ma cause.

Vous dites que je suis hérétique. Cela est-il permis ? Et si vous ne craignez pas que les hommes ne rendent point de justice ne craignez-vous pas que Dieu me la rende.

Vous sentirez la force de la vérité et vous lui cèderez.

Je prie qu'on me fasse la justice de ne plus les croire sur leur parole.

Il faudrait obliger le monde à vous croire sur peine de péché mortel. *Elidere.*

C'est péché de croire témérairement les médisances.

Non credebant temere calumniatori. Saint Aug.

Fecitque cadendo undique me cadere par la maxime de la médisance.

Il y a quelque chose de surnaturel en un tel aveuglement. *Digna necessitas.*

Je suis seul contre trente mille — point. Gardez-vous la Cour ? Vous l'imposture, moi la vérité. — C'est toute ma force. Si je la perds je suis perdu, je ne manquerai pas d'accusateurs et de punisseurs. Mais j'ai la vérité et nous verrons qui l'emportera.

Je ne mérite pas de défendre la religion mais vous ne méritez pas de défendre l'erreur. Et... j'espère que Dieu par sa miséricorde, n'ayant pas égard au mal qui est en moi et ayant égard au bien qui est en vous nous

fera à tous la grâce que la vérité ne succombera pas
entre mes mains et que le mensonge ne...

mentiris impudentissime.

230. extrême péché c'est de le défendre. *Elidere.*

340. 23. l'heur des méchants.

doctrina sua noscetur vir.

66. *labor mendacii.*

80. aumône.

fausse piété, double péché.

Elidere Caramuel.

Vous me menacez.

Puisque vous n'avez touché que cela c'est approuver
tout le reste.

961 (888)
B. Vous ignorez les prophéties si vous ne savez que
tout cela doit arriver, princes, prophètes, pape — et
même les prêtres — et néanmoins l'église doit subsister.

Par la grâce de Dieu nous n'en sommes pas là,
malheur à vous prêtres. Mais nous espérons que Dieu
nous fera la miséricorde que nous n'en serons point.

1. Saint Pierre C. 2 faux prophètes — passés — images des futurs.

962 (902)
Il faut bien, dit le Feuillant, que cela ne soit pas
si certain, car la contestation marque l'incertitude.
Saint Athanase, saint Chrisostome.
La morale. Les infidèles.

Les jésuites n'ont pas rendu la vérité incertaine,
mais ils ont rendu leur impiété certaine.

La contradiction a toujours été laissée pour aveugler
les méchants, car tout ce qui choque la vérité ou la
charité est mauvais. Voilà le vrai principe.

963 (940)

Il est indifférent au cœur de l'homme de croire 3 ou 4 personnes en la Trinité, mais non pas etc. Et de là vient qu'ils s'échauffent pour soutenir l'un et non pas l'autre.

Il est bon de faire l'un mais il ne faut pas laisser l'autre, le même Dieu qui nous a dit etc...

Et ainsi qui ne croit que l'un et non pas l'autre ne le croit pas parce que Dieu l'a dit, mais parce que sa convoitise ne le dénie point et qu'il est bien aise d'y consentir et d'avoir ainsi sans peine un témoignage de sa conscience qui lui...

Mais c'est un témoignage faux.

964 (953)

Lettre des établissements violents des jésuites partout.

Aveuglement surnaturel.

Cette morale qui a en tête un Dieu crucifié.

Voilà ceux qui ont fait vœu d'obéir *tanquam Christo*.

La décadence des Jésuites.

Notre religion qui est toute divine.

Un casuiste Miroüer.
Si vous le trouvez bon c'est bon signe.

C'est une chose étrange qu'il n'y a pas moyen de leur donner l'idée de la religion.

Un Dieu crucifié.

En détachant cette affaire punissable du schisme ils seront punis.

Mais quel renversement : les enfants en l'embrassant aiment les corrupteurs. Les ennemis les abhorrent.

Nous sommes les témoins.

Pour la foule des casuistes tant s'en faut que ce soit un sujet d'accusation contre l'Église que c'est au contraire un sujet de gémissement de l'Église.

Et afin que nous ne soyons point suspects.

Comme les Juifs qui portent les livres, qui ne sont point suspects aux gentils, ils nous portent leurs Constitutions.

965 (889)

De sorte que s'il est vrai d'une part que quelques religieux relâchés et quelques casuistes corrompus, qui ne sont point membres de la hiérarchie, ont trempé dans ces corruptions, mais il est constant de l'autre que les véritables pasteurs de l'Église qui sont les véritables dépositaires de la parole divine, l'ont conservée immuable contre les efforts de ceux qui ont entrepris de la ruiner.

Et ainsi les fidèles n'ont aucun prétexte de suivre ces relâchements qui ne leur sont offerts que par les mains étrangères de ces casuistes, au lieu de la saine doctrine qui leur est présentée par les mains paternelles de leurs propres pasteurs. Et les impies et les hérétiques n'ont aucun sujet de donner ces abus pour des marques du défaut de la providence de Dieu sur son Église, puisque l'Église étant proprement dans le corps de la hiérarchie, tant s'en faut qu'on puisse conclure de l'état présent des choses, que Dieu l'ait abandonnée à la corruption, qu'il n'a jamais mieux paru qu'aujourd'hui, que Dieu la défend visiblement de la corruption.

Car si quelques-uns de ces hommes qui par une vocation extraordinaire ont fait profession de sortir du monde et de prendre l'habit de religieux, pour suivre dans un état plus parfait que le commun des chrétiens sont tombés dans des égarements qui font horreur au commun des chrétiens et sont devenus entre nous ce que les faux prophètes étaient entre les Juifs, c'est un malheur particulier et personnel qu'il faut à la vérité déplorer, dont on ne peut rien conclure contre le soin que Dieu prend de son église puisque toutes ces choses sont si clairement prédites et qu'il a été annoncé depuis si longtemps que ces tentations s'élèveraient de la part de ces sortes de personnes, que quand on est bien instruit on voit plutôt en cela des marques de la conduite de Dieu que de son oubli à notre égard.

966 (926)
Il faut ouïr les deux parties; c'est de quoi j'ai eu soin.

Quand on n'a ouï qu'une partie on est toujours de ce côté-là mais l'adverse fait changer; au lieu qu'ici le jésuite confirme.

Non ce qu'ils font, mais ce qu'ils disent.

Ce n'est que contre moi que l'on crie. Je le veux bien. Je sais à qui en rendre compte.

J.-C. a été pierre de scandale.

Condamnable, condamné.

Politique
Nous avons trouvé deux obstacles au dessein de soulager les hommes, l'un des lois intérieures de l'Évangile, l'autre des lois extérieures de l'État et de la religion.
Les unes nous en sommes maîtres, les autres voici comment nous avons fait. *Amplianda, restringenda, a majori ad minus. Junior.*
Probable.
Ils raisonnent comme ceux qui montrent qu'il est nuit à midi.
Si d'aussi méchantes raisons que celles-ci sont probables, tout le sera.
1. raison. *Dominus actuum conjugalium.* Molin.
2. raison. *Non potest compensari.* Less.
Opposer non des maximes saintes, mais des abominables.
Bauny brûleur de granges.
Mascarehnas, Concile de Trente pour les prêtres en péché mortel. *Quam primum.*

967 (896)

C'est en vain que l'Église a établi ces mots d'anathèmes, hérésies, etc... on s'en sert contre elle.

968 (654)

Différence entre le dîner et le souper.

En Dieu la parole ne diffère pas de l'intention car il est véritable, ni la parole de l'effet car il est puissant, ni les moyens de l'effet car il est sage. Bern. *Ult. serm. In missus.*

Aug. 5. *de Civit.* 10. Cette règle est générale. Dieu peut tout, hormis les choses lesquelles s'il les pouvait il ne serait pas tout puissant, comme mourir, être trompé, etc., mentir, etc.

Plusieurs évangélistes pour la confirmation de la vérité.

Leur dissemblance utile.

Eucharistie après la Cène. Vérité après figure.

Ruine de Jérusalem, figure de la ruine du monde. 40 ans après la mort de J.

J. ne sait pas comme homme ou comme légat. Matt. 24. 36.

J. condamné par les Juifs et Gentils.

Les Juifs et gentils, figurés par les deux fils. Aug. 20. *de Civit.* 29.

969 (514)

Opérez votre salut avec crainte.

Pauvres de la grâce.

petenti dabitur. Donc il est en notre pouvoir de demander; au contraire donc il n'y est pas, parce que l'obtention y est le prier n'y est pas. Car parce que le salut n'y est pas, et que l'obtention y étant la prière n'y est pas.

Le juste ne devrait donc plus espérer en Dieu, car il ne doit pas espérer, mais s'efforcer d'obtenir ce qu'il demande.

Concluons donc que puisque l'homme est incapable maintenant d'user de ce pouvoir prochain et que Dieu ne veut pas que ce soit par là qu'il ne s'éloigne pas de lui, ce n'est que par un pouvoir efficace qu'il ne s'éloigne pas.

Donc ceux qui s'éloignent n'ont pas ce pouvoir sans lequel on ne s'éloigne pas de Dieu et ceux qui ne s'éloignent pas ont ce pouvoir efficace.

Donc ceux qui ayant persévéré quelque temps dans la prière par ce pouvoir efficace cessent de prier manquent de ce pouvoir efficace.

Et partant Dieu quitte le premier en ce sens.

II. LA SECONDE COPIE

C'est le double de la Copie 9203. Gilberte Périer l'avait fait faire pour son usage personnel. Elle lui a permis de superviser la préparation de l'édition des Pensées qui se faisait à Paris. A partir de 1667 des cahiers des divers chapitres lui étaient adressés pour approbation. (ms B. N. f fr. 12449.)

970 (632)
Sur Esdras.

fable : les livres ont été brûlés avec le temple, faux par les Mach : Jérémie leur donna la loi.

fable qu'il récita tout par cœur; Joseph et Esdras marquent qu'il lut le livre :

Baron. anno. 180. *nullus penitus haebraeorum antiquorum reperitur qui tradiderit libros periisse et per Esdram esse restitutos nisi in 4 Esdr.*

fable qu'il changea les lettres.

Philo, *in vita Moysi. Illa lingua ac caractere quo antiquitus scripta est lex sic permansit usque ad* 70.

Josèphe dit que la loi estait en hébreu quand elle fut traduite par les 70.

Sous Antioche et Vespasien où l'on a voulu abolir les livres et où il n'y avait point de prophètes on ne l'a pu faire, et sous les Babyloniens où nulle persécution n'a été faite et où il y avait tant de prophètes, l'auraient-ils laissé brûler ?

Josèphe se moque des Grecs qui ne souffriraient... Tertul. *Perinde potuit abolefactam eam violentia cataclysmi, in spiritu rursus reformare : quemadmodum et hierosolymis babylonia expugnatione deleta, est omne instrumentum judaicae litteraturae per Esdram constat restauratum.* Tert. l. 1. de cultu femin. c. 3.

Il dit que Noë a aussi bien pu rétablir en esprit le livre d'Enoch perdu par le déluge, que Esdras a pu rétablir les écritures perdues durant la captivité.

Θεὸς ἐν τῇ ἐπὶ ναβουχοδόνοσορ αἰχμαλωσίᾳ τοῦ λαοῦ διαφθαρεισῶν τῶν γραφῶν, ἐνέπνευσε ἐσδρᾷ τῷ ἱερεῖ ἐκ τῆς φυλῆσ Λευὶ τοὺς τῶν προγεγονότων προφητῶν πάντας ἀνατάξασθαι λόγους καὶ ἀποκαταστῆσαι τῷ λαῷ τὴν διὰ μωσέως νομοθεσίαν.

Il allègue cela pour prouver qu'il n'est pas incroyable que les 70 ayant expliqué les écritures saintes avec cette uniformité que l'on admire en eux Eusèb. l. 5. hist. c. 8 et il a pris cela de saint Irénée lib. 3 ch. 25.

Saint Hilaire dans la préface sur les psaumes dit qu'Esdras a mis les psaumes en ordre.

L'origine de cette tradition vient du 14 ch du 4 livre d'Esdras.

Deus glorificatus est, et scripturae verae divina ecreditae sunt, omnibus eamdem, et eisdem verbis et eisdem nominibus recitantibus ab initio usque ad finem uti et praesentes gentes cognoscerint quoniam per aspirationem dei interpretatae sunt scripturae. Et non esset mirabile deum hoc in eis operatum quando in ea captivitate populi quæ facta est a Nabuchodonosor corruptis scripturis et post 70 annos judaeis descendentibus in regionem suam, et post deinde temporibus Artaxerxis persarum regis inspiravit Esdrae sacerdoti tribus levi praeteritorum prophetarum omnes remorare sermones et restituere populo eam legem quae data est per Moysen.

971 (633)
Contre la fable d'Esdras.
2 mach. 2.

Josèphe ant. 11. 1. Cyrus prit sujet de la prophétie d'Isaïe de relâcher le peuple. — Les Juifs avaient des possessions paisibles sous Cyrus en Babylone. Donc ils pouvaient bien avoir la loi.

Josèphe en toute l'histoire d'Esdras ne dit pas un mot de ce rétablissement.
4 Roys. — 17. 27.

972 (634)
Si la fable d'Esdras est croyable, donc il faut croire que l'Écriture est Écriture sainte; car cette fable n'est fondée que sur l'autorité de ceux qui disent celle des 70, qui montre que l'Écriture est sainte.

Donc, si ce conte est vrai, nous avons notre compte par là; sinon nous l'avons d'ailleurs. Et ainsi ceux qui voudraient ruiner la vérité de notre religion, fondée sur Moïse, l'établissent par la même autorité par où ils l'attaquent. Ainsi, par cette providence, elle subsiste toujours.

973 (919)
Ce sont les effets des péchés des peuples et des Jésuites : les grands ont souhaité d'être flattés; les Jésuites ont souhaité d'être aimés des grands. Ils ont tous été dignes d'être abandonnés à l'esprit du mensonge, les uns pour tromper, les autres pour être trompés. Ils ont été avares, ambitieux, voluptueux : *Coacervabunt sibi magistros.* Dignes disciples de tels maîtres, *digni sunt*, ils ont cherché des flatteurs et en ont trouvé.

974 (949)
Comme la paix dans les États n'a pour objet que de conserver les biens des peuples en assurance, de même la paix dans l'Église n'a pour objet que de conserver en assurance la vérité qui est son bien, et le trésor où est son cœur. Et comme ce serait aller contre la fin

de la paix que de laisser entrer les étrangers dans un État pour le piller, sans s'y opposer, de crainte d'en troubler le repos (parce que la paix n'étant juste et utile que pour la sûreté du bien elle devient injuste et pernicieuse, quand elle le laisse perdre, et la guerre qui le peut défendre devient et juste et nécessaire); de même, dans l'Église, quand la vérité est offensée par les ennemis de la foi, quand on veut l'arracher du cœur des fidèles pour y faire régner l'erreur, de demeurer en paix alors, serait-ce servir l'Église, ou la trahir? serait-ce la défendre ou la ruiner? Et n'est-il pas visible que, comme c'est un crime de troubler la paix où la vérité règne, c'est aussi un crime de demeurer en paix quand on détruit la vérité? Il y a donc un temps où la paix est juste et un autre où elle est injuste. Et il est écrit qu' "il y a temps de paix et temps de guerre", et c'est l'intérêt de la vérité qui les discerne. Mais il n'y a pas temps de vérité, et temps d'erreur, et il est écrit, au contraire, que "la vérité de Dieu demeure éternellement"; et c'est pourquoi Jésus-Christ, qui dit qu'il est venu apporter la paix, dit aussi qu'il est venu apporter la guerre; mais il ne dit pas qu'il est venu apporter et la vérité et le mensonge. La vérité est donc la première règle et la dernière fin des choses.

III. L'ÉDITION DE PORT-ROYAL (1678)

975 (275)

Les hommes prennent souvent leur imagination pour leur cœur; et ils croient être convertis dès qu'ils pensent à se convertir.

976 (19)

La dernière chose qu'on trouve en faisant un ouvrage est de savoir celle qu'il faut mettre la première.

IV. LES PORTEFEUILLES VALLANT

Ce sont des manuscrits B. N. f. fr. 17040 à 17058.
Le Docteur Vallant était le médecin de la marquise de Sablé et des Périer. Ses manuscrits ont été confectionnés en 1684. Ils rassemblent les papiers laissés par la marquise († 1678) et des documents personnels.
Le texte que nous reproduisons a été publié par Faugère en 1844, comme inédit de Pascal.
En fait, il s'agit d'un texte rédigé par Nicole pour l'édition des Pensées, *qui ne l'a pas retenu. Il s'est servi des fragments 30 et 94.*
Nicole les a développés à nouveau dans ses Essais de Morale, *T. II. De la grandeur,* 1ere *partie, chap. V.*

977 (320)

Les choses du monde les plus déraisonnables deviennent les plus raisonnables à cause du dérèglement des hommes. Qu'y a-t-il de moins raisonnable que de choisir, pour gouverner un État, le premier fils d'une reine ? L'on ne choisit pas pour gouverner un bateau celui des voyageurs qui est de meilleure maison. Cette loi serait ridicule et injuste; mais parce qu'ils le sont et le seront toujours, elle devient raisonnable et juste, car qui choisira-t-on ? Le plus vertueux et le plus habile ? Nous voilà incontinent aux mains, chacun prétend être ce plus vertueux et ce plus habile. Attachons donc cette qualité à quelque chose d'incontestable. C'est le fils aîné du roi; cela est net, il n'y a point de dispute. La raison ne peut mieux faire car la guerre civile est le plus grand des maux.

V. LE MANUSCRIT PÉRIER (1710)

C'était le manuscrit du chanoine Louis Périer (1651-1713), dernier neveu de Pascal. L'original a été partiellement reproduit par le P. Desmolets (1728) et dom Clemencet (vers 1750). Il a disparu mais une copie, unique sans doute, a été faite au cours du XVIIIe siècle. Cette copie a permis à Condorcet, Bossut, Faugère, Sainte-Beuve, de publier des inédits.

*Retrouvée en 1944, après avoir disparu en 1869, elle renferme des textes connus uniquement grâce à elle, notamment l'*Esprit géométrique.

978 (100)

La nature de l'amour-propre et de ce *moi* humain est de n'aimer que soi et de ne considérer que soi. Mais que fera-t-il ? Il ne saurait empêcher que cet objet qu'il aime ne soit plein de défauts et de misère; il veut être grand, il se voit petit; il veut être heureux, et il se voit misérable; il veut être parfait, et il se voit plein d'imperfections; il veut être l'objet de l'amour et de l'estime des hommes, et il voit que ses défauts ne méritent que leur aversion et leur mépris. Cet embarras où il se trouve produit en lui la plus injuste et la plus criminelle passion qu'il soit possible de s'imaginer; car il conçoit une haine mortelle contre cette vérité qui le reprend, et qui le convainc de ses défauts. Il désirerait de l'anéantir, et, ne pouvant la détruire en elle-même il la détruit, autant qu'il peut, dans sa connaissance et dans celle des autres; c'est-à-dire qu'il met tout son soin à couvrir ses défauts et aux autres et à soi-même, et qu'il ne peut souffrir qu'on les lui fasse voir ni qu'on les voie.

C'est sans doute un mal que d'être plein de défauts; mais c'est encore un plus grand mal que d'en être plein et de ne les vouloir pas reconnaître, puisque c'est y ajouter encore celui d'une illusion volontaire. Nous ne voulons pas que les autres nous trompent; nous ne trouvons pas juste qu'ils veuillent être estimés de nous plus qu'ils ne méritent : il n'est donc pas juste aussi que nous les trompions et que nous voulions qu'ils nous estiment plus que nous ne méritons.

Ainsi, lorsqu'ils ne découvrent que des imperfections et des vices que nous avons en effet, il est visible qu'ils ne nous font point de tort, puisque ce ne sont pas eux qui en sont cause, et qu'ils nous font un bien, puisqu'ils nous aident à nous délivrer d'un mal, qui est l'ignorance de ces imperfections. Nous ne devons pas être fâchés qu'ils les connaissent, et qu'ils nous méprisent, étant juste et qu'ils nous connaissent pour ce que nous sommes, et qu'ils nous méprisent, si nous sommes méprisables.

Voilà les sentiments qui naîtraient d'un cœur qui serait plein d'équité et de justice. Que devons-nous dire donc du nôtre, en y voyant une disposition toute contraire ? Car n'est-il pas vrai que nous haïssons la vérité et ceux qui nous la disent, et que nous aimons qu'ils se trompent à notre avantage, et que nous voulons être estimés d'eux autres que nous ne sommes en effet ?

En voici une preuve qui me fait horreur. La religion catholique n'oblige pas à découvrir ses péchés indifféremment à tout le monde ; elle souffre qu'on demeure caché à tous les autres hommes ; mais elle en excepte un seul, à qui elle commande de découvrir le fond de son cœur, et de se faire voir tel qu'on est. Il n'y a que ce seul homme au monde qu'elle nous ordonne de désabuser, et elle l'oblige à un secret inviolable, qui fait que cette connaissance est dans lui comme si elle n'y était pas. Peut-on s'imaginer rien de plus charitable et de plus doux ? Et néanmoins la corruption de l'homme est telle qu'il trouve encore de la dureté dans cette loi ; et c'est une des principales raisons qui a fait révolter contre l'Église une grande partie de l'Europe.

Que le cœur de l'homme est injuste et déraisonnable, pour trouver mauvais qu'on oblige de faire à l'égard d'un homme ce qu'il serait juste, en quelque

sorte, qu'il fît à l'égard de tous les hommes ! Car
est-il juste que nous les trompions ?

Il y a différents degrés dans cette aversion pour
la vérité; mais on peut dire qu'elle est dans tous
en quelque degré, parce qu'elle est inséparable de
l'amour-propre. C'est cette mauvaise délicatesse qui
oblige ceux qui sont dans la nécessité de reprendre
les autres de choisir tant de détours et de tempéra-
ments pour éviter de les choquer. Il faut qu'ils dimi-
nuent nos défauts, qu'ils fassent semblant de les excuser,
qu'ils y mêlent des louanges et des témoignages d'affection et d'estime. Avec tout cela, cette médecine ne
laisse pas d'être amère à l'amour-propre. Il en prend
le moins qu'il peut, et toujours avec dégoût, et souvent
même avec un secret dépit contre ceux qui la lui
présentent.

Il arrive de là que, si on a quelque intérêt d'être
aimé de nous, on s'éloigne de nous rendre un office
qu'on sait nous être désagréable; on nous traite
comme nous voulons êtres traités : nous haïssons
la vérité, on nous la cache; nous voulons être flattés,
on nous flatte; nous aimons à être trompés, on nous
trompe.

C'est ce qui fait que chaque degré de bonne fortune
qui nous élève dans un monde nous éloigne davantage de la vérité, parce qu'on appréhende plus de
blesser ceux dont l'affection est plus utile et l'aversion
plus dangereuse. Un prince sera la fable de toute
l'Europe, et lui seul n'en saura rien. Je ne m'en étonne
pas : dire la vérité est utile à celui à qui on la dit, mais
désavantageux à ceux qui la disent, parce qu'ils se
font haïr. Or, ceux qui vivent avec les princes aiment
mieux leurs intérêts que celui du prince qu'ils servent;
et ainsi, ils n'ont garde de lui procurer un avantage
en se nuisant à eux-mêmes.

Ce malheur est sans doute plus grand et plus ordinaire dans les plus grandes fortunes; mais les moindres
n'en sont pas exemptes, parce qu'il y a toujours
quelque intérêt à se faire aimer des hommes. Ainsi
la vie humaine n'est qu'une illusion perpétuelle; on

ne fait que s'entre-tromper et s'entre-flatter. Personne ne parle de nous en notre présence comme il en parle en notre absence. L'union qui est entre les hommes n'est fondée que sur cette mutuelle tromperie; et peu d'amitiés subsisteraient, si chacun savait ce que son ami dit de lui lorsqu'il n'y est pas, quoiqu'il en parle alors sincèrement et sans passion.

L'homme n'est donc que déguisement, que mensonge et hypocrisie, et en soi-même et à l'égard des autres. Il ne veut donc pas qu'on lui dise la vérité. Il évite de la dire aux autres; et toutes ces dispositions, si éloignées de la justice et de la raison, ont une racine naturelle dans son cœur.

979 (945)
Le jour du jugement.

C'est donc là, mon Père, ce que vous appelez le sens de Jansénius; c'est donc là ce que vous faites entendre et au pape et aux évêques !

Si les Jésuites étaient corrompus et qu'il fût vrai que nous fussions seuls, à plus forte raison devrions-nous demeurer.

quod bellum firmavit, pax ficta non auferat.

Neque benedictione, neque maledictione movetur, sicut angelus Domini.

On attaque la plus grande des vertus chrétiennes, qui est l'amour de la vérité.

Si la signature signifie cela, qu'on souffre que je l'explique, afin qu'il n'y ait point d'équivoque : car il faut demeurer d'accord que plusieurs croient que signer marque consentement.

Si le rapporteur ne signait pas, l'arrêt serait invalidé; si la bulle n'était pas signée, elle serait valable; ce n'est donc pas...

" Mais vous pouvez vous être trompé ? " Je jure que je crois que je puis m'être trompé; mais je ne jure pas que je crois que je me suis trompé.

On n'est pas coupable de ne pas croire et on sera coupable de jurer sans croire... de belles questions; il...

Je suis fâché de vous dire ici : je ne fais qu'un récit.

Cela, avec Escobar, les met au haut bout; mais ils ne le prennent pas ainsi : et témoignant le déplaisir de se voir entre Dieu et le pape...

980 (918*bis*)

Ils disent que l'Église dit ce qu'elle ne dit pas, et qu'elle ne dit pas ce qu'elle dit.

981 (918)

Que serait-ce que les Jésuites sans la probabilité et que la probabilité sans les Jésuites ?

Otez la *probabilité*, on ne peut plus plaire au monde; mettez la *probabilité*, on ne peut plus lui déplaire. Autrefois, il était difficile d'éviter les péchés, et difficile de les expier; maintenant, il est facile de les éviter par mille tours et facile de les expier.

982 (918*ter*)

Nous avons fait l'uniformité de la diversité, car nous sommes tous uniformes, en ce que nous sommes tous devenus uniformes.

VI. LES MANUSCRITS GUERRIER

Il y en a trois de la main du P. Pierre Guerrier.
Les deux premiers dénommés gros in 4° et grand in 4° sont dans les archives de la famille de Bellaigue de Bughas. La B. N. en a des copies: f. fr. 12988 et 15281.
Le troisième est le ms. B. N. f. fr. 13913.
Les textes reproduits sont pris dans le grand in 4o et B. N. f. fr. 12988.

983 (276)

M. de Roannez disait : " Les raisons me viennent après, mais d'abord la chose m'agrée ou me choque sans en savoir la raison, et cependant cela me choque par cette raison que je ne découvre qu'ensuite. " Mais je crois, non pas que cela choquait par ces raisons qu'on trouve après, mais qu'on ne trouve ces raisons que parce que cela choque.

984 (216)
Mort soudaine seule à craindre, et c'est pourquoi les confesseurs demeurent chez ·les grands.

985 (942)
...Or la probabilité est nécessaire pour les autres maximes, comme pour celle de Lamy et (du) calomniateur.

A fructibus eorum... — Jugez de leur foi par leur morale.

La probabilité est peu sans les moyens corrompus, et les moyens ne sont rien sans la probabilité.

Il y a du plaisir d'avoir assurance de pouvoir bien faire et de savoir bien faire : " *Scire et posse* ". La grâce et la probabilité le donnent, car on peut rendre compte à Dieu, en assurance sur leurs auteurs.

986 (891)
Il faut faire connaître aux hérétiques qui se prévalent de la doctrine des Jésuites que ce n'est pas celle de l'Église... la doctrine de l'Église; et que nos divisions ne nous séparent pas de l'unité.

987 (892)
Si en différant nous condamnions, vous auriez raison. L'uniformité sans diversité inutile aux autres, la diversité sans uniformité ruineuse pour nous. — L'une nuisible au-dehors, l'autre au-dedans.

988 (488)
...Mais il est impossible que Dieu soit jamais la fin, s'il n'est le principe. On dirige sa vue en haut, mais on s'appuie sur le sable : et la terre fondra, et on tombera en regardant le ciel.

989 (935)

Les Jésuites. — Les Jésuites ont voulu joindre Dieu au monde, et n'ont gagné que le mépris de Dieu et du monde. Car, du côté de la conscience, cela est évident; et, du côté du monde, ils ne sont pas de bons cabalistes. Ils ont du pouvoir, comme je l'ai dit souvent, mais c'est-à-dire à l'égard des autres religieux. Ils auront le crédit de faire bâtir une chapelle et d'avoir une station de jubilé, non de pouvoir faire avoir des évêchés, des gouvernements de place. C'est un sot poste dans le monde que celui de moines, qu'ils tiennent, par leur aveu même (P. Brisacier, *Bénédictins*). Cependant... vous ployez sous les plus puissants que vous, et vous opprimez de tout votre petit crédit ceux qui ont moins d'intrigue que vous dans le monde.

990 (948)

En corrompant les évêques et la Sorbonne, s'ils n'ont pas eu l'avantage de rendre leur jugement juste, ils ont eu celui de rendre leurs juges injustes. Et ainsi, quand ils en seront condamnés à l'avenir, ils diront *ad hominem* qu'ils sont injustes, et ainsi réfuteront leur jugement. Mais cela ne sert à rien. Car, comme ils ne peuvent pas conclure que les jansénistes sont bien condamnés, par cette seule raison qu'ils sont condamnés, de même ils ne pourront conclure alors qu'ils seront mal condamnés eux-mêmes parce qu'ils le seront par des juges corruptibles. Car leur condamnation sera juste, non parce qu'elle sera donnée par des juges toujours justes, mais par des juges justes en cela; ce qui se montrera par les autres preuves.

991 (952)

Comme les deux principaux intérêts de l'Église sont la conservation de la piété des fidèles et la conversion des hérétiques, nous sommes comblés de douleur de voir les factions qui se font aujourd'hui pour introduire les erreurs les plus capables de fermer pour jamais aux hérétiques l'entrée de notre communion et de corrompre mortellement ce qui nous reste de personnes pieuses et catholiques. Cette entreprise qu'on fait aujourd'hui si ouvertement contre les vérités de la religion et les plus importantes pour le salut, ne nous remplit pas seulement de déplaisir, mais aussi de frayeur et de crainte, parce que, outre le sentiment que tout chrétien doit avoir de ces désordres, nous avons de plus l'obligation d'y remédier et d'employer l'autorité que Dieu nous a donnée pour faire que les peuples qu'il nous a commis, etc.

992 (946*bis*)
Annat. Il fait le disciple sans ignorance, et le maître sans présomption.

993 (909)
Toute la société entière de leurs casuistes ne peut assurer la conscience dans l'erreur, et c'est pourquoi il est important de choisir de bons guides.

Ainsi, ils seront doublement coupables : et pour avoir suivi des voies qu'ils ne devaient pas suivre, et pour avoir ouï des docteurs qu'ils ne devaient pas ouïr.

ADDENDA

Nous croyons intéressant de signaler que l'on retrouve dans le *Recueil Original* à divers endroits des petits bouts de papier portant des titres. Sont-ils tous de la main de Pascal ? nous ne saurions l'affirmer.

page 15 : Figures particulières.
— 21 : Misère de l'homme.
— 29 : Figures.
— 39 : Preuves de J.-C. par l'Écriture.

Il se trouve également, page 20, des signes sténographiques qui restent à déchiffrer.

Propos attribués
à Pascal

1000

M. Pascal disait de *ces auteurs, qui parlant de leurs ouvrages, disent : " Mon livre, mon commentaire, mon histoire, etc. ", qu'ils sentent leurs bourgeois qui ont pignon sur rue, et toujours un chez moi à la bouche. Ils feraient mieux,* ajoutait cet excellent homme, *de dire : " Notre livre, notre commentaire, notre histoire, etc. ", vu que d'ordinaire il y a plus en cela du bien d'autrui que du leur.* (Rapporté par De Vigneul-Marville.)

1001

Je ne puis pardonner à Descartes : il voudrait bien, dans toute la philosophie, se pouvoir passer de Dieu ; mais il n'a pu s'empêcher de lui donner une chiquenaude pour mettre le monde en mouvement ; après cela, il n'a plus que faire de Dieu. (Rapporté par Marguerite Périer.)

1002

1º On me demande si je ne me repens pas d'avoir fait les *Provinciales*. — Je réponds que, bien loin de m'en repentir, si j'avais à les faire présentement (1662), je les ferais encore plus fortes.

2º On me demande pourquoi j'ai nommé le nom des auteurs où j'ai pris toutes les propositions abominables que j'y ai citées. — Je réponds que si j'étais dans une ville où il y eût douze fontaines, et que je susse certainement qu'il y en a une qui est empoisonnée, je serais obligé d'avertir tout le monde de n'aller point puiser de l'eau à cette fontaine; et, comme on pourrait croire que c'est une pure imagination de ma part, je serais obligé de nommer celui qui l'a empoisonnée, plutôt que d'exposer toute une ville à s'empoisonner.

3⁰ On me demande pourquoi j'ai employé un style agréable, railleur et divertissant. — Je réponds que si j'avais écrit d'un style dogmatique, il n'y aurait eu que les savants qui l'auraient lu, et ceux-là n'en avaient pas besoin, en sachant autant que moi là-dessus : ainsi, j'ai cru qu'il fallait écrire d'une manière propre à faire lire mes lettres par les femmes et les gens du monde, afin qu'ils connussent le danger de toutes ces maximes et de toutes ces propositions, qui se répandaient alors partout, et auxquelles on se laissait facilement persuader.

4⁰ On me demande si j'ai lu moi-même tous les livres que je cite. — Je réponds que non : certainement, il aurait fallu que j'eusse passé ma vie à lire de très mauvais livres; mais j'ai lu deux fois Escobar tout entier; et, pour les autres, je les ai fait lire par mes amis; mais je n'en ai pas employé un seul passage sans l'avoir lu moi-même dans le livre cité, et sans avoir examiné la matière sur laquelle il est avancé, et sans avoir lu ce qui précède et ce qui suit, pour ne point hasarder de citer une objection pour une réponse, ce qui aurait été reprochable et injuste. (Rapporté par Marguerite Périer.)

1003

Voilà une belle occupation pour M. Arnauld que de travailler à une logique ! Les besoins de l'Église demandent tout son travail. (Rapporté par l'abbé Pascal.)

1004

On lui a souvent ouï dire (à propos de l'instruction d'un prince) qu'*Il n'y avait rien à quoi il désirait plus de contribuer, s'il y était engagé et qu'il sacrifierait volontiers sa vie pour une chose si importante.* (Rapporté par Nicole.)

1005

Feu M. Pascal quand il voulait donner un exemple d'une rêverie qui pouvait être approuvée par entêtement proposait d'ordinaire l'opinion de Descartes sur la matière et sur l'espace. (Rapporté par Nicole.)

1006
La piété chrétienne anéantit le moi humain, et la civilité humaine le cache, et le supprime. (Rapporté dans *La Logique de Port-Royal.*)

1007
M. Pascal a écrit au dos de sa Bible : *Toutes les fausses beautés que nous trouvons dans saint Augustin ont des admirateurs et en grand nombre.* (Manuscrit 4333. Bibliothèque Nationale f. fr.)

1008
Feu M. Pascal appelait la philosophie cartésienne *le roman de la nature, semblable à peu près à l'histoire de Dom Quichot...* (Rapporté par Menjot.)

1009
M. le Maistre. Plaidoyers.
M Pascal s'en railloit et disoit à M. le Maistre qu'il avoit pourtant bien escrit pour les bonnets du pallais qui n'y entendoient rien.
(B. N. N. Acq. ms. 4333.)

1010
M. Paschal vouloit que toutes les façons de parler en vers fussent françoises et bonnes; qu'elles soient nobles et souŝtenues à la bonne heure : autrement c'eŝt du galimathias.
(B. N. N. Acq. ms. 4333.)

NOTE SUR LE PORTRAIT DE PASCAL
PAR FRANÇOIS II QUESNEL

Le P. Pierre Guerrier donne à son sujet les renseignements suivants (B. N. f. fr. 13913. P. 293).

" Mademoiselle Périer m'a dit que M. Pascal, son oncle, portait toujours une montre attachée à son poignet gauche. Quand M. Quesnel, frère du Père Quesnel, eut fait le portrait de M. Pascal, qui était mort depuis plusieurs années, on montra ce portrait à un assez grand nombre de personnes qui avaient connu ce grand homme. Tous le trouvèrent parfaitement ressemblant. Mlle Périer le fit voir à un horloger de Paris, qui avait travaillé assez souvent pour son oncle et lui demanda s'il reconnaissait ce portrait. " C'est, dit l'homme, le portrait d'un monsieur qui venait ici fort souvent faire raccommoder sa montre, mais je ne sais pas son nom. "

(Le portrait a dû être exécuté en 1664, les Périer n'ayant quitté Paris qu'à la fin de 1664. Mlle Périer (Marguerite) n'est revenue à Paris qu'en 1686. — Elle avait plus de quatre-vingts ans lorsqu'elle confiait ses souvenirs au P. Pierre Guerrier.)

Chronologie

1623. 19 JUIN : Naissance à Clermont (Auvergne), rue des Gras.

1626. Mort de sa mère, née Antoinette Bégon.

1632. 1er JANVIER : Son père, Étienne Pascal, président de la Cour des Aydes de Clermont, s'installe à Paris, rue de la Tissanderie, avec ses enfants, Gilberte, Blaise et Jacqueline.

1634. Étienne Pascal cède sa charge à son frère Blaise. OCTOBRE : Changement de domicile : rue Neuve-Saint-Lambert (rue de Condé).

1635. OCTOBRE : Nouveau changement : rue Brisemiche, proche de l'Hôtel de Roannez. Blaise fait un *Traité sur les sons* et découvre la géométrie jusquà la trente deuxième proposition d'Euclide.

1636-37. Voyage en Auvergne avec son père et Gilberte. Jacqueline est confiée à Madame Sainctot, sœur du poète Dalibray.

1637. Il fréquente l'Académie Mersenne.

1638. Étienne Pascal, compromis dans l'affaire des rentes sur l'Hôtel de Ville, se réfugie seul en Auvergne.

1639. FÉVRIER : Richelieu ayant exprimé le désir de voir jouer une comédie — le *Prince déguisé* de Scudéry — par des enfants, Jacqueline, choisie par Boisrobert, fut celle qui tînt le mieux son rôle. Après la représentation elle sollicita et obtint de Richelieu la grâce de son père. Quelques mois plus tard la famille Pascal est reçue à Rueil et Richelieu confie à Étienne Pascal la charge de Commissaire pour l'impôt, en Haute-Normandie.

1640. JANVIER : Installation à Rouen, rue des murs Saint-Ouen. Blaise publie *l'Essai pour les coniques*.

1641. 13 JUIN : Gilberte épouse Florin Périer.

1642-43. Invention de la *machine d'arithmétique*.

1644. MAI : Blaise vient à Paris et présente sa machine à Henri II de Bourbon, père du Grand Condé.

1645. *Lettre dédicatoire à Mgr le Chancelier sur le sujet de la nouvelle machine inventée par le sieur B. P.*

1646. AVRIL : A la suite de la lecture d'œuvres de Saint-Cyran, toute la famille se " convertit ". OCTOBRE : Blaise reproduit, avec Pierre Petit, l'expérience de Torricelli et procède à des expériences sur le vide.

1647. JANVIER : Démêlés avec Jacques Forton, sieur de Saint-Ange. JUILLET : Malade, il rejoint Paris avec Jacqueline. SEPTEMBRE : Il reçoit à deux reprises la visite de Descartes. 4 OCTOBRE : Publication des *Expériences nouvelles touchant le vide*. 15 NOVEMBRE : *Lettre à Florin Périer* pour lui demander de faire l'expérience du Puy de Dôme.

1648. Quatre *Lettres* (avec Jacqueline) à Gilberte. JUILLET : Étienne Pascal revient à Paris. OCTOBRE : Changement de domicile : rue de Touraine. NOVEMBRE : Publication du *Récit de la grande expérience de l'équilibre des liqueurs* réalisée par Fl. Périer le 19 septembre.

1649. MAI : En raison des troubles de la Fronde, Étienne Pascal emmène ses enfants à Clermont.

1650. SEPTEMBRE : Retour à Paris.

1651. JUILLET-AOÛT : *Deux lettres* à M. de Ribeyre. *Traité du Vide* (éd. 1663) et *préface* (éd. 1779). 24 SEPTEMBRE : Mort d'Étienne Pascal. 17 OCTOBRE : *Lettre à M. et Mme Périer* à l'occasion de la mort de son père. Il quitte la rue de Touraine et sous-loue une partie de maison rue Beaubourg. DÉCEMBRE : Examen avec Gilberte de la succession.

1652. 4 JANVIER : Jacqueline entre à Port-Royal. MARS : Discussions à propos de sa dot. MAI : Il fréquente les salons et la Cour. JUIN : *Lettre à la reine Christine de Suède.* OCTOBRE : Il part pour Bienassis, chez les Périer.

1653. MAI : Retour à Paris. 4 JUIN : Profession de Jacqueline à Port-Royal. Règlement définitif, à l'avantage de sa sœur, de la question de sa dot. SEPTEMBRE : Voyage en Poitou avec le duc de Roannez.

1654. *Adresse à l'Académie parisienne des sciences. Traité du triangle d'arithmétique* (éd. 1665). *Trois lettres à Fermat* sur le calcul des probabilités. 1ᵉʳ OCTOBRE : Changement de domicile : rue des Francs-Bourgeois-Saint-Michel (54, rue Monsieur-le-Prince). 23 NOVEMBRE : Nuit du *Mémorial* (éd. 1740).

1655. JANVIER : Séjour de trois semaines à Port-Royal. *Entretien avec M. de Sacy* (éd. 1768). *Le Mystère de Jésus* (éd. 1844). *La conversion du pécheur* (éd. 1779).

1656. DU 23 JANVIER AU 4 DÉCEMBRE : Seize *Lettres provinciales.* 24 MARS : Miracle de la Sainte Épine. SEPTEMBRE : Il commence à prendre des notes en vue d'une *Lettre sur les Miracles* et l'*Apologie.* SEPTEMBRE-DÉCEMBRE : Correspondance avec les Roannez. (?) *Comparaison des chrétiens des premiers temps avec ceux d'aujourd'hui* (éd. 1779).

1657. JANVIER-MARS : Deux *lettres provinciales* (17ᵉ et 18ᵉ). *De l'esprit géométrique* (éd. 1776-1779). *De l'art de persuader* (éd. 1788). *Écrits sur la grâce* (éd. 1770-1908-1947). *Abrégé de la vie de Jésus-Christ* (éd. 1846).

1658. JANVIER-MAI : Collabore et parfois rédige des *Écrits des curés de Paris. Projet de mandement contre l'Apologie des casuistes* (éd. 1779). JUIN-JUILLET-OCTOBRE : Trois *lettres circulaires* relatives à la cycloïde, à l'occasion du défi, lancé aux savants, de résoudre divers problèmes qui la concerne. 25 NOVEMBRE : Récit de l'examen des réponses reçues. OCTOBRE-NOVEMBRE : Il expose à ses amis de Port-Royal le dessein et le plan de l'*Apologie.* DÉCEMBRE : *Lettres de A. Dettouville* à M. de Carcavi.

1659. JANVIER : AM. A. D. D. S. (A. Arnauld), à M. de Sluze, à M. Huyghens à propos de la cycloïde. FÉVRIER : Il tombe dans un " état d'anéantissement " qui lui interdit toute activité intellectuelle pendant le cours de l'année. *Prière pour demander à Dieu le bon usage des maladies* (éd. 1670).

1660. FIN MAI : Départ pour Bienassis. 10 AOÛT : *Lettre* à Fermat. OCTOBRE : Retour à Paris. *Trois discours sur la condition des Grands* (éd. 1670 par Nicole).

1661. 8 JUIN : Collabore à la rédaction du *mandement des Grands vicaires de Paris* à propos de la signature du formulaire, distinguant le droit et le fait.

1661. 14 JUILLET : Mandement cassé par le Conseil du roi et (1er AOÛT) condamné à Rome. 4 OCTOBRE : Mort de Jacqueline Pascal. 31 OCTOBRE : Nouveau mandement qui ne distingue plus le droit et le fait. NOVEMBRE : *Écrit sur la signature du Formulaire.* Pascal entre en conflit avec ses amis en conseillant de ne pas signer. Il prend la décision de ne plus se mêler aux querelles religieuses.

1662. 21 MARS : Les *carrosses à cinq sols*, dont il est l'inventeur, commencent à circuler dans Paris. 29 JUIN : Son état de santé empirant, il se fait transporter chez les Périer, qui habitent une maison sur les fossés Saint-Marcel. JUILLET-AOÛT : Entretien avec Beurrier, curé de Saint-Étienne-du-Mont. 5 AOÛT : Il rédige son testament. 17 AOÛT : Il reçoit l'Extrême-Onction. 19 AOÛT : Mort de Pascal à une heure du matin. 21 AOÛT : Inhumation en l'église de Saint-Étienne-du-Mont.

Index

Table

IMP. BUSSIÈRE, SAINT AMAND (3-82).
D. L. 4ᵉ TR. 1978. Nᵒ 4979-2 (458)

Collection Points

SÉRIE SAGESSES

dirigée par Jean-Pie Lapierre

SÉRIE ROMAN

SÉRIE ACTUELS